TUNNEL 29

Helena Merriman

TUNNEL 29

Amour, espionnage et trahison : l'histoire vraie d'une extraordinaire évasion sous le mur de Berlin

Traduit de l'anglais (Grande-Bretagne)
par Jacqueline Odin

Stock

Couverture © Le Petit Atelier
Photographie de couverture © ullstein bild / Getty Images

ISBN 978-2-2340-9392-8

Cet ouvrage a été publié en langue originale (anglais) en 2021
par Hodder & Stoughton, une entreprise Hachette UK,
sous le titre *Tunnel 29. Love, Espionage and Betrayal:*
the True Story of an Extraordinary Escape Beneath the Berlin Wall.

Pour Henry, Matilda et Sam
Papa et Maman
Rosie, Livy, Sas et Seb

Comme tous les murs, il était ambigu, avec ses deux côtés.
Ce qui se trouvait à l'intérieur et ce qui était à l'extérieur
dépendait du côté du mur d'où l'on regardait.

Ursula K. Le Guin, *Les Dépossédés*
(Trad. Henry-Luc Planchat, Robert Laffont, 1975)

Avant-propos

Lorsque je le vois pour la première fois, je peux à peine parler. L'appartement de Joachim est perché au huitième étage et, le temps que j'arrive là-haut avec mon matériel d'enregistrement, je suis à bout de souffle.

Joachim rit et m'invite à entrer. Je lui ai téléphoné une semaine plus tôt (en octobre 2018), expliqué que je voulais venir à Berlin lui poser des questions sur ce qu'il avait fait presque soixante ans auparavant. L'appel avait été bref, son anglais était limité, mon allemand plus limité encore, mais dans cette conversation une chose m'avait frappée. La plupart des gens que j'ai interviewés dans ma carrière de journaliste ont tendance à généraliser, à résumer leurs expériences sous l'angle de leurs émotions. Joachim, au contraire, donnait des détails, se remémorait des odeurs, des sons, des dimensions, des couleurs. Intriguée, j'avais demandé si je pouvais lui rendre visite la semaine suivante. Il avait accepté.

Nous faisons le tour de son appartement. Vaste et lumineux, il regorge de plantes, et les étagères sont parsemées de marionnettes, de statues de bouddhas et de chats en porcelaine. Au-dessus de la porte de la salle de bains, il y a une plaque blanche en émail ornée du numéro 7, que Joachim a détachée en pleine nuit de la façade d'un immeuble, me dit-il, de l'autre côté de la ville. L'immeuble où tout s'est déroulé.

Nous nous approchons des baies vitrées et j'admire le panorama, la ville qui s'anime au-dessous de nous dans le soleil automnal. L'appartement de Joachim est à la lisière de Grunewald, où les immeubles rejoignent la forêt. Nous restons là un moment et Joachim tend le bras, indiquant l'endroit au loin où le mur de Berlin s'élevait jadis. Je pense à ces images de 1989, la nuit durant laquelle les gens ont grimpé au sommet du Mur, ont dansé sur le béton, puis l'ont attaqué au marteau et démoli. Toutes les années en neuf, nous revoyons ce moment, mais j'ai toujours été plus intéressée par le début de l'histoire du mur de Berlin : 1961. L'année de sa construction.

Que se passe-t-il quand un gouvernement édifie une barrière qui coupe une ville ou un pays en deux ? J'avais cette question en tête lorsque je travaillais comme journaliste en Égypte, que la police avait bâti un mur de trois mètres devant le ministère de l'Intérieur et que des manifestants l'avaient détruit. Elle me taraudait à la période où je vivais à Jérusalem et faisais la queue des heures à des postes de contrôle pour entrer dans Gaza ou en Cisjordanie. Les gens parlent de la chute du mur de Berlin comme de la fin d'une époque et, d'une certaine façon, elle l'a été : elle a marqué la fin de la guerre froide. Mais une nouvelle époque n'a pas tardé à voir le jour : l'ère des murs. Actuellement, les murs sont à la mode ; dans plus de soixante-dix pays[1] (un tiers du monde), il existe une forme de barrière ou de clôture. Certaines suivent les frontières, d'autres séparent des zones à l'intérieur des pays, voire à l'intérieur des villes. Quelle que soit leur échelle, avec leurs miradors, leurs no man's land et leurs systèmes d'alarme, beaucoup s'inspirent du mur par excellence : celui construit à Berlin pendant l'été 1961.

Joachim indique une table où nous nous asseyons tous les deux. Je fixe un micro sur son molleton bleu marine et lui demande ce qu'il a mangé au petit déjeuner, question de radio habituelle pour effectuer les réglages. Alors qu'il parle de son smoothie et de ses œufs brouillés, j'augmente le volume. Sa voix est posée, modeste. De près, je remarque ses oreilles délicates, ses yeux bleu vif qui se ferment presque quand il sourit. Je calcule son âge : quatre-vingts ans. Puis j'appuie sur la touche « enregistrer ».

Ce jour-là, nous avons parlé pendant trois heures. Je suis revenue le lendemain et nous avons parlé cinq heures. Nous avons continué ainsi durant une bonne semaine, moi le questionnant, lui me répondant avec une précision époustouflante, sa femme nous apportant du thé, lui serrant l'épaule avec douceur tandis qu'elle plaçait les tasses sur la table. Au cours des trois années suivantes, j'ai retrouvé d'autres personnes ayant participé à cette histoire, je les ai interrogées, j'ai lu leurs lettres et journaux intimes, puis j'ai découvert des milliers de dossiers de la Stasi qui fournissent le genre de détails minutieux dont les journalistes ne peuvent d'ordinaire que rêver. J'ai découvert une réplique de tunnel, d'une taille identique au tunnel 29, et j'ai enregistré à l'intérieur : je me demandais quelle impression cela faisait d'être sous terre, de creuser dans un espace aussi étroit qu'un cercueil, et pourquoi quelqu'un choisirait de prendre un tel risque.

Cette recherche a changé ce que je croyais savoir sur de nombreux sujets : la fin de la Seconde Guerre mondiale, la construction du mur de Berlin, la naissance des journaux télévisés, et ce que signifie devenir un espion et trahir les gens autour de soi. Le résultat est ce livre.

Tous les dialogues qui y figurent viennent directement de mes interviews, ainsi que des rapports et des interrogatoires de la Stasi ; j'ai aussi puisé dans des témoignages oraux, des cartes, des monographies, des documents judiciaires, des dossiers déclassés de la CIA et du ministère des Affaires étrangères, et des reportages de presse écrite, de radio et de télévision pour vérifier les noms et les dates, également pour des recherches supplémentaires. S'il y a des erreurs, elles sont miennes.

JOACHIM

La première chose qui le frappe, c'est l'odeur. De la poussière de charbon. Puis il la sent sur lui. Elle se déverse, recouvre sa tête, ses épaules, pénètre dans ses yeux jusqu'à l'aveugler. Mais il continue, coupant à la hache le sol au-dessus de lui. Le plafond tremble, tout tremble, le bruit est si assourdissant qu'il le perçoit dans ses os. Soudain : de l'air frais. Il a fait un trou, un trou assez large pour s'y hisser. Il pose la hache et saisit son revolver ; s'ils le trouvent, il n'en sortira pas vivant. Chassant d'un revers de manche la poussière qui lui brouille la vue, Joachim s'apprête à grimper dans la pièce, sans savoir ce qu'il y a là-haut. Il s'immobilise et, dans le silence, il se retrouve à penser, encore une fois : comment a-t-on pu en arriver là ?

1

LA PLAGE

12 août 1961 – Île de Rügen, Allemagne de l'Est

Joachim retire son pied de l'eau[1]. Elle est froide, même en août. Ses amis barbotent dans la mer, le taquinent, lui crient de venir, mais parce qu'il déteste l'eau froide, ils savent qu'il ne les rejoindra pas.

Il repense à la veille au soir. La bière des ouvriers. La sueur. Les corps serrés les uns contre les autres. Des tâtonnements et des baisers dans les coins. Il n'a jamais connu des vacances comme celles-ci, pas une seule fois au cours de ses vingt-deux années d'existence, et il ne veut pas qu'elles se terminent. Une forêt d'un vert intense couvre les falaises de craie derrière lui, des aigles à queue blanche tournoient dans le ciel et la mer est si limpide qu'il distingue des poissons minuscules qui filent dans l'eau.

Plus qu'une semaine et ils rentreront à Berlin-Est. À trois cents kilomètres au sud, c'est un autre monde. Gris. Nerveux. Encore plus depuis quelques mois. Ils ont tous remarqué les changements : davantage de garde-frontières dans les rues, l'accroissement du nombre de gens s'enfuyant vers l'Allemagne de l'Ouest, comme s'ils savaient quelque chose. Il y a de l'électricité dans l'air, ce bourdonnement avant l'orage.

Levant les yeux, Joachim voit son meilleur ami, Manfred, patauger hors de l'eau. Ils se connaissent depuis l'âge de six ans, ont fumé leurs premières cigarettes ensemble, échafaudé des farces à l'école. Manfred se disputait sans arrêt, mais Joachim était un élève qui ne se faisait jamais prendre, savait toujours où était la limite… et ne la franchissait jamais.

Ce soir-là, Joachim et Manfred mettent jeans et T-shirts, se peignent et s'avancent sur le sable en direction de la tente à bière. Une nouvelle soirée dans ce paradis en bord de plage aux confins de l'Allemagne de l'Est, deux garçons de vingt-deux ans dans la légèreté d'un long été, sans aucun endroit où ils seraient tenus d'être.

Ce qu'ils ignorent, c'est qu'ils sont à l'endroit précis où le gouvernement le souhaite pour des jeunes gens comme eux : des jeunes hommes susceptibles de créer des problèmes s'ils savaient ce qui allait se produire. Car, en ce moment même, des douzaines de tanks roulent vers Berlin-Est et des dizaines de milliers de soldats se glissent dans des camions, armés de kalachnikovs, de mitrailleuses et de missiles antichars. D'un instant à l'autre, ils recevront leurs ordres et l'opération commencera.

Le lendemain matin, c'est un son qui le réveille : le grésillement strident d'un haut-parleur en train de s'allumer. Comme il entend les fermetures Éclair des tentes coulisser, Joachim sort sur le terrain de camping et s'approche du haut-parleur, qui beugle maintenant une musique militaire pompeuse. Ensuite, la voix saccadée d'un homme : *« Das Ministerium des Innern der Deutschen Demokratischen Republik veröffentlicht folgende Bekanntmachung*[2]*… »*

Joachim devine immédiatement. C'est une annonce gouvernementale et, gagné par l'ennui, il cesse d'être attentif. Mais la voix change, devient plus pressante : *« Wollankstrasse, Bornholmer Strasse, Brunnenstrasse, Chausseestrasse*[3]*… »* L'homme énumère des rues de Berlin, des rues que Joachim parcourt depuis son enfance. D'abord, il ne comprend pas pourquoi l'homme en parle, puis il entend la voix dire : « La frontière entre Berlin-Est et Berlin-Ouest est fermée. »

Le ventre de Joachim frémit sous l'effet de l'adrénaline, mais son esprit s'active, essaie de saisir ce qui s'est passé : si la frontière entre Berlin-Est et Berlin-Ouest a été fermée, ça signifie que la ville a été divisée en deux, mais comment pourrait-on partager une ville du jour au lendemain ? Ça signifierait tout scinder – les lignes électriques, le système d'égout, le réseau de trains et de tramways ; c'est une idée tellement indécente que Joachim et ses amis négligent l'annonce et vont à la plage.

Le matin suivant, le camping bruisse de rumeurs : des barbelés, des soldats dans les rues, des chars d'assaut, des mitrailleuses. Tout à coup, Joachim se sent loin de chez lui. Comme un chasseur d'orage, il veut être au cœur de l'événement, quel qu'il soit. Après le petit déjeuner, ses amis et lui chargent leur vieille Citroën et rentrent à Berlin d'une traite, arrivant au crépuscule.

Tandis que la voiture s'engouffre dans les rues, quelque chose cloche. Tout est calme. Trop calme. Presque personne dehors, peu d'autres voitures. Enfin, après avoir zigzagué dans des rues bordées de tilleuls et d'immeubles fonctionnels en béton, ils atteignent la Bernauer Strasse, l'artère longue d'un kilomètre et demi qui chevauche la frontière. Descendant de voiture, Joachim et ses amis se dirigent vers un panneau, un panneau près duquel ils sont passés des centaines de fois quand ils ont traversé la frontière de l'Est à l'Ouest :

VOUS QUITTEZ MAINTENANT
LE SECTEUR DÉMOCRATIQUE DE BERLIN

Il les a toujours fait rire, ce mot *démocratique*. « Rien de si démocratique à Berlin-Est », disait Joachim. En général, il y avait deux policiers postés près de ce panneau, mais à présent Joachim voit se découper, dans la lumière d'un unique lampadaire, un groupe d'hommes en uniformes verts et casques d'acier. Mais ce ne sont pas leurs uniformes qui l'effraient, c'est ce qu'ils tiennent en travers de leur torse : des mitraillettes. Osant à peine respirer, Joachim regarde l'un des hommes se tourner et s'approcher à grands pas : « Qu'est-ce que vous faites ? Allez-vous-en ! Si vous refusez... » L'homme fait un geste avec sa mitraillette.

Joachim pivote pour partir et c'est alors qu'il le voit : un rouleau de barbelés luisant dans la lumière. Il n'a aucune idée de ce qui s'est passé, de ce que gardent ces hommes, mais, obscurément, il sait qu'en une nuit tout a changé.

2

LA PREMIÈRE FUITE

Février 1945 – Allemagne de l'Est

À son réveil, Joachim trouve sa mère en train de fourrer des photos, des bijoux et des vêtements dans une valise, tenant sur la hanche sa petite sœur âgée d'un an. Au rez-de-chaussée, son père met les placards sens dessus dessous, entasse des fruits et des boîtes en fer dans des sacs, retire les matelas des lits et emporte l'ensemble dehors, où la neige ne tarde pas à tout recouvrir[1].

Joachim ne sait pas pourquoi ils partent ; il sait que quelque chose ne va pas mais ce n'est pas le moment de poser des questions. Ses parents chargent tout sur leur charrette ; les deux chevaux attelés devant soufflent des nuages blancs dans l'air froid. Joachim se hisse à bord et s'enfouit sous une couverture de laine à côté de sa grand-mère, de sa petite sœur et de sa mère. Son père grimpe sur le siège du cocher, encourageant les chevaux à trotter.

Joachim écoute les roues grincer sur la glace, regarde la neige tomber à travers les arbres, mouchetant leurs chevaux de blanc. La ferme s'éloigne derrière eux et Joachim se demande s'il la reverra un jour, s'il refera ces sorties matinales avec son père, quand il courait sur ses jambes minuscules pour ne pas prendre de retard tandis qu'ils inspectaient le troupeau de vaches, les chevaux, les cochons et les oies. Au bout de l'allée de graviers, après les arbres fruitiers, à l'endroit où la ferme laissait place à la forêt, Joachim et son père observaient les cerfs en rut, leur pelage rouge foncé brillant dans la lumière de l'aube. Il ne comprend pas pourquoi ils abandonnent tout.

Ce que le père de Joachim ne peut pas lui dire (comment le dire à un enfant de six ans ?), c'est qu'ils fuient l'Armée rouge. La veille, à la radio, il a entendu parler des soldats russes qui arrivent de l'Est, violent les femmes et incendient les fermes, et il veut absolument emmener sa famille à Berlin avant que les Russes ne les trouvent.

Mais il ne sait pas combien les Russes sont déjà proches. À une journée de trajet seulement, les premières troupes de l'Armée rouge avancent, menant une colonne qui s'étire sur des centaines de kilomètres. Sous leurs pieds le sol tremble comme avant une avalanche, car il y a un nombre d'hommes phénoménal : six millions de soldats[2]. Des soldats aux casques en cuir rembourrés pilotant de monstrueux chars T-34 qui aplatissent la neige ; des commandants conduisant des camions Chevrolet avec des mortiers à l'arrière ; des soldats de cavalerie sur des chameaux et des poneys à poils longs ; et, à pied, un million de criminels libérés des goulags, aiguillonnés par une entraînante musique guerrière russe que des haut-parleurs diffusent à plein volume.

Et ils vont vite.

Les Russes sont des vétérans des batailles hivernales et la température qu'il fait, moins vingt degrés environ, est à leur avantage. Alors que les soldats allemands en chaussettes fines perdent des orteils en raison des gelures, les Russes savent envelopper leurs pieds dans du lin pour les protéger du froid. La nuit, les sapeurs russes nettoient les champs de mines ; durant la journée, leurs chars d'assaut défoncent les congères, et ces engins sont si énormes que, quand ils rencontrent des familles en fuite dans des charrettes, ils les écrasent sous leurs gigantesques chenilles.

Ce sont les derniers mois de la Seconde Guerre mondiale et Joseph Staline, dirigeant de l'Union soviétique, a envoyé ses soldats s'emparer de ce qui lui appartient désormais. Quelques semaines plus tôt, le 4 février 1945, Staline, le Premier ministre britannique Winston Churchill et le président américain Franklin Roosevelt s'étaient réunis dans un palais sur la côte près de Yalta pour discuter du sort de l'Allemagne. Pendant plusieurs années, les États-Unis, la Grande-Bretagne et l'Union soviétique avaient été alliés, luttant contre l'Allemagne, mais, maintenant que la victoire était en vue, ils se disputaient le butin tels des vautours. Après de longues négociations accompagnées de champagne et de caviar, ils s'étaient mis d'accord sur un partage de l'Allemagne. L'Union soviétique en aurait une moitié : l'Est. La Grande-Bretagne, les États-Unis et la France se partageraient l'Ouest. La ville de Berlin, à cent cinquante kilomètres à l'intérieur de la zone soviétique, serait divisée aussi.

Mais Staline ne joue pas franc jeu. Il veut que ses soldats atteignent Berlin en premier, avant les Britanniques et les Américains, afin de dépouiller la ville de tout ce qu'elle contient encore. Argent. Machines. Uranium – pour la première bombe nucléaire de la Russie.

Il s'agit en outre de fierté. Staline ne s'est pas encore remis du choc d'avoir été envahi par l'Allemagne en 1941. Plus de vingt millions de Russes avaient alors été tués, et de façon particulièrement inhumaine. Suivant l'ordre d'Hitler « de fermer leurs cœurs à la pitié et de se comporter sauvagement », les soldats allemands avaient incendié les maisons, assassiné les mères et les enfants puis envoyé les survivants dans des camps de travail où la plupart étaient morts de faim. L'heure de la revanche a sonné. Tandis que les troupes de Staline se précipitent à travers l'Allemagne de l'Est, les hommes se vengent. Les soldats soviétiques décharnés, ayant pour beaucoup d'entre eux réchappé de l'effroyable invasion allemande, pour d'autres été rendus brutaux par des années de combat sous le commandement de généraux qui s'estimaient en droit de les sacrifier, s'attaquent maintenant aux villages et aux fermes, volent les bijoux et la porcelaine qu'ils empilent dans leurs chars, abattent les animaux, violent et mutilent les femmes et mettent le feu partout.

Le père de Joachim pousse les chevaux le long de lacs gelés et de taillis dénudés, leurs sabots filant sur la route verglacée. Cela fait un jour entier qu'ils avancent sans répit, mais il sait qu'il ne faut pas s'arrêter car, en plus des soldats, il y a le problème du fleuve. L'Oder. Ils sont encore à une journée de voyage et ils doivent le franchir pour arriver à Berlin. Malgré le froid terrible, la première fonte s'annonce et le fleuve commencera bientôt à dégeler. S'ils ne l'atteignent pas rapidement, la glace craquera sous le poids de la charrette.

Mais alors qu'ils se rapprochent du fleuve, ils sont ralentis par d'autres gens sur la route, des millions de réfugiés comme eux, voulant à tout prix échapper aux Russes[3]. Des femmes enceintes sont allongées sur des matelas dans des charrettes tirées par des bœufs, des enfants réparent les essieux brisés de chariots surchargés, des mères marchent, leurs bébés dans les bras, ayant abandonné leurs landaus à la neige. Déjà il y a ceux qui n'ont pas survécu – de petits paquets dans la neige, raides et gelés.

Il n'y a presque aucun homme alentour ; la plupart ont été appelés sous les drapeaux dans une ultime tentative de sauvetage du pays. Quelques sections ont néanmoins été dépêchées sur les routes pour barrer le passage aux Russes avant qu'ils n'atteignent Berlin. Le père de Joachim est soulagé de voir les soldats. Il se sent plus en sécurité, bien que la majorité d'entre eux aient l'air d'adolescents, avec d'énormes casques qui leur couvrent à demi les yeux.

Alors que la lumière baisse, quelque chose réveille Joachim à l'arrière de la charrette : un vrombissement sourd. À la seconde où il reconnaît un bruit de moteur, il entend un avion traverser le ciel, le crépitement saccadé de coups de feu, puis un bruit beaucoup plus proche : sa grand-mère qui hurle tandis qu'elle agrippe son pied, se tordant de douleur.

La charrette s'immobilise.

Les soldats allemands tirent maintenant dans toutes les directions et, à cause de la fumée, Joachim ne peut voir ce qui se passe. Il se cache sous la couverture, tremblant de tout son corps. Enfin la fusillade cesse et, tandis que la fumée se dissipe, Joachim ose un regard à l'extérieur. Il y a des dizaines de tas verts dans la neige. Les soldats sont inertes, la neige autour d'eux se colore de rouge.

C'est alors que les Russes débarquent.

Un groupe de soldats encercle la charrette et traîne Joachim et sa famille jusqu'à une maison abandonnée. À l'intérieur, les soldats enferment le père de Joachim dans un placard, puis terminent leur ration de vodka et des choses se produisent dont Joachim ne parlera jamais qu'avec difficulté.

Au crépuscule, les soldats tombent ivres morts et Joachim quitte le recoin où il s'était terré pour rejoindre à pas de loup le placard où est son père, impuissant à agir. Joachim se glisse sur ses genoux, se blottit dans ses bras, et ils s'endorment.

Le lendemain matin, Joachim sort du placard et voit les Russes plier bagage. Durant un bref instant, il se sent soulagé qu'ils aient survécu mais l'effroi le submerge lorsque les soldats tirent son père hors de la maison et l'escortent le long de la route enneigée, où ils disparaissent tous dans la blancheur.

Pas d'adieux. Pas de dernières paroles.

Joachim reste un peu dans la maison avec sa mère, sa sœur et sa grand-mère, chacun perdu dans sa peine, le vent et la neige sifflant autour d'eux. Mais il n'y a guère de temps pour les larmes : ils doivent s'éloigner de la maison avant que la vague de soldats russes suivante ne les trouve, avant que tout ne recommence. Sa mère sait qu'ils ne pourront pas atteindre Berlin ; elle doit les ramener chez eux, à la ferme.

Joachim court derrière sa mère à la recherche d'un chariot sur les routes. Les soldats leur ont volé leurs chevaux, et sa grand-mère, une balle logée dans le pied, ne peut pas marcher. Au bout de plusieurs kilomètres, ils arrivent dans un village déserté où ils aperçoivent une charrette à bras, petite mais intacte ; ils la prennent et, de retour à la maison abandonnée, hissent la grand-mère et le bébé dessus. Sa mère soulève ensuite l'avant de la charrette, Joachim pousse à l'arrière et ils commencent leur lente marche vers chez eux.

Tandis qu'ils progressent avec difficulté sur les routes verglacées, Joachim se rend compte qu'il a de la force malgré la maigreur de ses bras et de ses jambes. Il ne se plaint pas du froid qui le pénètre jusqu'aux os ni de la douleur qui s'installe dans son dos. Heure après heure, il pousse régulièrement la charrette dans la neige, ce garçon de six ans trop jeune pour comprendre quelque chose à la guerre, aux soldats et aux frontières, mais assez mûr pour savoir que son père a disparu et qu'il ne le reverra peut-être jamais.

3

LA LONGUE MARCHE

La mère de Joachim verse du ragoût dans des bols et les apporte à la table. Sont assis là des officiers russes qui habitent la maison. Leur maison. La mère de Joachim est désormais leur domestique ; Joachim et sa sœur sont confinés dans les chambres à l'étage.

Ils étaient rentrés chez eux au milieu de la nuit après deux journées de marche, tout cela pour découvrir leur village envahi par les Russes[1]. Ceux-ci ne s'étaient pas tous révélés être des violeurs brutaux ; les officiers qui occupent leur maison sont polis et se comportent bien. Chaque matin, Joachim espère que son père va revenir, mais il ne réapparaît pas.

Pendant ce temps, les soldats russes continuent leur course vers Berlin, saccageant les villages et remorquant, grâce à des skis, les pièces d'artillerie sur les cours d'eau juste avant que la glace ne fonde.

Un mois et demi plus tard, à la mi-avril 1945, portant drapeaux et bannières, disposant d'avions, de chars d'assaut, de canons de campagne, de mortiers et de lance-flammes, deux millions de soldats de l'Armée rouge sont aux abords de Berlin. Durant la quinzaine suivante, les Russes tirent un déluge d'obus sur la ville. Le feu s'engouffre dans les rues de Berlin, dans ses bâtiments ; il débusque les gens qui se cachent dans les abris, les animaux dans le zoo, tout ce qui peut brûler brûle. Le ciel est rouge de cendre et, sous ce nuage, les soldats russes s'emparent de la ville rue par rue, maison par maison.

Pour défendre la capitale, il y a les restes de l'armée allemande, que soutiennent des femmes récemment appelées sous les drapeaux, des vieillards ridés aux souliers remplis de paille et des écoliers terrifiés dans des uniformes trop grands, motivés par des sachets de bonbons. Les gestapistes, mieux équipés, passent le plus clair de leur temps à pendre des déserteurs de leur propre camp, souvent en préparant eux-mêmes leur fuite. Les Berlinois sont extrêmement vulnérables.

Les femmes ont tracé des croix au rouge à lèvres écarlate sur les draps, dans l'espoir que les Russes respecteront l'emblème international de la Croix-Rouge et les épargneront[2]. Mais les soldats s'attaquent à elles. Alors qu'ils prennent possession de la ville, ils prennent aussi possession de ses femmes, violant plus de cent mille d'entre elles – grands-mères, mères, enfants[3]. Les moins infortunées ne sont violées qu'une ou deux fois. Les autres subissent des viols collectifs à de multiples reprises, sont horriblement mutilées. Des milliers se donnent la mort – par peur du viol ou par honte d'en avoir été victimes. (Beaucoup de gens en Russie, même des vétérans de la guerre, persistent à nier ces viols de masse.)

Le 2 mai 1945, l'Armée rouge est maîtresse de la ville et ses soldats grimpent sur le Reichstag, le palais du parlement, où ils hissent, haut dans le ciel, leur drapeau orné de la faucille et du marteau. Au-dessous d'eux, les feux brûlent, alimentés par l'essence présente dans le matériel abandonné. Les bâtiments sont éventrés, leurs entrailles métalliques tordues et éparpillées sur le sol. La puanteur du chlore, de la poudre à canon et des cadavres pourrissants remplit l'air. La ville est presque entièrement détruite, ensevelie sous sept millions de mètres cubes de décombres, et les rues sont pleines de boue, de sang, d'eaux usées et même d'alligators, échappés du zoo. Puis il y a les corps : les corps enfouis sous les ruines auxquels on ne pourra jamais associer un nom, les corps de membres de l'élite nazie qui se sont suicidés après des orgies arrosées d'alcool, les corps d'enfants qui se sont noyés dans les tunnels alors qu'ils essayaient de fuir et, enfin, exhumé par des soldats russes, le corps calciné d'Hitler, une unique blessure par balle sur le crâne[4].

Mais incroyablement, bien que cent mille personnes aient été tuées durant la bataille, il y a des survivants. Sous le soleil de mai, tandis que les chênes et les érables se couvrent de feuilles, ces survivants errent dans les rues, spectres en vêtements déchirés, fouillant les poubelles pour trouver à manger, tâchant d'exister dans une ville où il n'y a ni hôpitaux, ni bus, ni trains, ni combustibles, ni eau potable.

Et pourtant, c'est vers Berlin que Joachim et sa famille marchent bientôt, après avoir été chassés de leur ferme. Cette fois, ils ne luttent pas contre le froid mais contre la chaleur. C'est l'été le plus chaud depuis des années, et chaque journée est ponctuée par la recherche d'eau. Ils deviennent très habiles à repérer des fermes où ils placent des seaux en fer-blanc sous les robinets et les mamelles gonflées des vaches abandonnées, cueillent prunes et pommes sur les arbres fruitiers, et inspectent les placards de cuisine en quête de fromage fondu et de viande en conserve. Ils traversent des villages bombardés et des villes fantômes, des routes marquées de brûlures noires dues aux roquettes qu'ont lancées les Katioucha. Partout, la terre est sèche et craquelée, paysage lunaire de cratères.

Parmi eux marchent les débris humains du conflit : soldats estropiés, commandants hébétés, nazis, communistes et criminels de guerre. Il y a aussi les autres réfugiés : des pères qui portent des enfants blessés sur des brancards et des mères qui poussent des landaus où des poulets criaillants sont coincés près de bébés ayant des journaux en guise de couches. Joachim garde les yeux baissés, loin de ces gens et des corps gonflés, aux yeux fixes, dans les fossés. Une fois qu'on les a vus, il est impossible de les oublier.

Ils cheminent pendant des jours, des semaines, si longtemps que Joachim, la peau désormais couverte de boue, a cessé de demander à sa mère quand ils atteindront Berlin. La nuit, ils dorment où ils peuvent, dans des pinèdes, des fossés ou, mieux, des granges, la paille serrée autour d'eux pour avoir chaud. Les fermes rappellent à Joachim la maison familiale, et des souvenirs remontent. La radio dans la cuisine qui déversait des discours ennuyeux qu'il ignorait, alors que, quand des chansons de marche étaient diffusées, il montait le volume et dansait, martelant le sol avec les pieds, remuant les hanches, face à sa mère qui le regardait, riant aux éclats. Le jour où la nouvelle batteuse mécanique était arrivée à la ferme et où il s'était tenu là, hypnotisé, tandis que le moteur se mettait à ronronner, que la courroie défilait, que les cylindres vrombissaient et que le blé battu passait à travers les grilles. Perdu dans ses souvenirs, Joachim finit par s'endormir et, à l'aube, ils reprennent la route.

Ils arrivent à Berlin par un radieux matin de novembre, cinq mois après être partis. Joachim n'a jamais rien vu de pareil. Les décombres, il s'y attendait, mais il n'avait pas imaginé les trams qui surgissent soudain en crissant, les voitures qui passent dans un grand vacarme, éclairant les rues de leurs phares. Le réseau ferroviaire aérien, le S-Bahn, fonctionne de nouveau et un train les emmène vers la Greifswalder Strasse, dans le nord-est de la ville. Là, un parent leur a trouvé un endroit où loger : un appartement avec deux chambres qui n'en compte en réalité qu'une, puisqu'une bombe a soufflé la fenêtre de l'une d'elles. Peu importe. Après des mois à dormir dans des granges et des fossés, sans jamais se sentir en sécurité, enfin, ils ont un foyer.

4

RENOUVELLEMENT

Novembre 1945

Debout dans la pièce, Joachim frissonne. Bras écartés, maigre comme un clou, il attend patiemment qu'un homme en blouse blanche pointe vers lui une grosse seringue en bois et le couvre d'une fine poudre claire. « Pour éliminer les poux », dit-il[1].

Ainsi commence la vie à Berlin. C'est l'hiver, leur appartement avec sa fenêtre détruite est glacial et ils n'ont rien à manger. Sa mère sort tous les jours pour chercher de la nourriture et quelque chose à brûler afin de chauffer le logement. Elle va dans les boutiques où traînent des soldats russes, leur quémande des cigarettes (la monnaie berlinoise d'après guerre), qu'elle échange ensuite contre du pain. D'autres jours, elle fait le ménage dans des maisons ou travaille dans une étable proche, rapportant de l'argent et des seaux de lait frais. Parfois, elle emmène Joachim et sa sœur Sigrid jusqu'aux forêts en bordure de la ville. Elles sont à nu : la plupart des arbres – chênes, conifères, érables, ormes et châtaigniers – ont été abattus et débités en bois de chauffage. Mais le bois ne les intéresse pas ; ils furètent plutôt dans les arbustes en quête de champignons à la peau soyeuse, marron et blanche, se remémorant les cueillettes autour de leur ferme, durant lesquelles ils avaient appris à reconnaître les espèces comestibles. Il y a également les cadeaux que de généreux voisins laissent sur le pas de leur porte : des têtes de hareng enveloppées dans du papier journal, que sa mère transforme en soupe de poisson, et dont les yeux noirs et brillants qui flottent à la surface dégoûtent Joachim.

Tandis que sa mère travaille, Joachim est censé rester à la maison avec sa grand-mère, mais il préfère explorer le terrain d'aventure qu'est le Berlin d'après guerre. Avec une bande de garçons, il parcourt au galop les bâtiments bombardés, bondit au-dessus de poutres métalliques et de madriers carbonisés, joue à cache-cache au son du poc-poc-poc des *Trümmerfrauen*, les « femmes des décombres », qui sondent la maçonnerie à l'aide de petits marteaux et dégagent les briques qu'elles placent dans des seaux, prêtes au troc contre des pommes de terre. Parfois, quand il se cache, le plancher s'effondre sous ses pieds et il tombe, se tordant une cheville, riant alors qu'il se relève pour se cacher à nouveau. Et puis il y a les belles trouvailles, ce que les garçons appellent les pétards, de petits explosifs utilisés durant la guerre pour déclencher les grenades. Avec des gestes délicats, ils mettent au jour les explosifs qu'ils déposent sur des rails de tramway, sautant et hurlant lorsqu'ils détonent. Longtemps après le coucher du soleil, Joachim arrive à l'appartement, affamé, heureux et exténué, zébré de cendre.

Pendant ce temps, autour d'eux, Berlin change. Au début, presque personne ne s'en aperçoit. Une horloge au-dessus du S-Bahn passe à l'heure soviétique. Un panneau en cyrillique apparaît dans une rue. Les kiosques vendent des journaux soviétiques, des affiches annoncent des pièces de théâtre russes et des musiciens soviétiques venus en avion de Moscou donnent des concerts. Les Russes font de Berlin une nouvelle ville : leur ville. Elle est incluse dans l'immense empire d'après guerre de Staline, qui s'étend depuis Moscou, en passant par la Bulgarie, la Roumanie, la Hongrie et la Pologne, jusqu'à l'Allemagne et la frontière avec l'Europe de l'Ouest. Vingt millions de Russes ont péri durant la Seconde Guerre mondiale et

Staline ne veut plus jamais d'une invasion. Tout ce territoire, tous ces villages entre l'Ouest et Moscou constituent pour lui un énorme glacis protecteur derrière lequel il se sent en sécurité.

Et même si Staline a accepté de partager Berlin avec les Britanniques, les Français et les Américains, puisqu'ils ne sont pas encore là il peut faire ce qu'il veut : ses soldats volent de l'argent et de l'or dans les banques berlinoises, s'emparent des tableaux exposés dans les musées et des millions de livres dans les bibliothèques de la ville, avant d'expédier l'ensemble vers Moscou. Ils dérobent de l'uranium dans les laboratoires de recherche nucléaire en vue de la première bombe atomique soviétique et démantèlent des milliers d'usines, mettant les métaux et les machines dans des trains à destination de Moscou. Après le départ des trains, ils arrachent les rails et les emportent aussi.

Enfin, Staline se tourne vers la politique. Car il y a une différence importante entre l'Allemagne et les autres parties de son nouvel empire. Ailleurs, en Ukraine ou en Pologne, si les gens n'obéissent pas, Staline peut tout simplement envoyer ses chars. Il n'a pas à se soucier de l'opinion publique ou des élections. Mais comme l'Allemagne doit être coupée par le milieu, avec l'Ouest qui tient à des choses gênantes telles que la démocratie, Staline ne peut compter sur l'usage de la force. Il lui faut gagner les Allemands à sa cause, les rallier au communisme. Mais comment ? Après la manière effroyable dont les soldats soviétiques ont imposé leur présence dans les foyers allemands, leurs violences envers les corps des femmes, beaucoup d'Allemands haïssent désormais tout des Russes, y compris leur politique.

Staline doit trouver un moyen de faire accepter le communisme sans le nommer ainsi, en renouveler l'image, et il a besoin d'un groupe de gens capables de le promouvoir à sa place, non pas des russophones mais des germanophones. Par bonheur, il a le groupe idéal pour ce travail : une poignée de communistes allemands ayant fui l'Allemagne nazie et passé la guerre dans de luxueux hôtels moscovites. Ces hommes appartenaient à un mouvement qui remontait à 1836, lorsque Karl Marx était arrivé à Berlin dans une voiture postale jaune. Les communistes allemands avaient noué des liens avec les communistes de Moscou, les Soviétiques leur ayant appris à se défendre contre une succession de dirigeants allemands qui les arrêtaient et les emprisonnaient, avant que Berlin ne devienne la plus grande ville communiste après Moscou.

Mais, à cette époque, le mouvement ouvrier allemand souffrait d'une division profonde : il y avait les modérés qui voulaient un changement progressif, et les radicaux qui voulaient la révolution. En 1933, ces querelles intestines eurent un résultat catastrophique : elles ouvrirent à Hitler le chemin du pouvoir, et celui-ci pourchassa tout à la fois communistes et socialistes, qu'il jeta dans des camps de prisonniers où la plupart furent torturés et tués. Quelques chanceux s'enfuirent dans des capitales européennes, dont Moscou, et maintenant, une guerre mondiale plus tard, les survivants avaient l'horreur nazie derrière eux, Hitler était mort et tous les espoirs étaient permis. Lorsque Staline posa son regard sur ces exilés communistes allemands à Moscou, l'un d'eux se distingua. Quelqu'un sur lequel Staline pensait pouvoir compter : Walter Ulbricht.

Petit, la voix aiguë (conséquence d'une maladie infantile), Walter Ulbricht était connu pour son manque de charisme et d'humour, ainsi que son opportunisme rusé. Il avait appris le métier de menuisier, combattu pendant la Première Guerre mondiale, puis était entré au parti communiste, taillant sa moustache et sa barbiche sur le modèle de Lénine. Il avait progressé vite, s'était rendu à Moscou où il avait rencontré des communistes soviétiques de haut rang (y compris

Lénine, ce qui lui valut d'être invité à dîner jusqu'à la fin de ses jours), et s'était fait un nom en tuant implacablement les opposants à Staline durant la guerre d'Espagne. Ce fut cette implacabilité que Staline admira tant : l'engagement d'Ulbricht à établir coûte que coûte le communisme.

Quelques semaines avant la fin de la guerre, assis autour d'une table dans la salle Art déco de l'hôtel Lux à Moscou, Walter Ulbricht et neuf autres communistes allemands avaient préparé leur retour en Allemagne avec le projet d'y construire un nouvel État stalinien. Ulbricht avait l'expérience de ce genre d'opérations – essayer de convaincre les gens concernant les mérites du communisme stalinien. Et il s'était montré épouvantable en la matière. Durant le conflit mondial, il était allé dans des camps de prisonniers de guerre en Russie et avait prononcé de longs discours sur le communisme devant des soldats allemands nullement intéressés[2]. À un certain moment, il avait même conduit un camion jusqu'au front russe et crié ses discours de propagande dans des haut-parleurs à destination des soldats allemands aux alentours. Depuis lors, Ulbricht avait appris qu'il y avait de meilleures façons de procéder. Que la meilleure propagande était invisible.

Le 30 avril 1945, le jour où Hitler se tira une balle dans la tête, deux avions soviétiques atterrirent sur une piste de fortune, non loin de Berlin. À leur bord, Walter Ulbricht et ses neuf camarades. Tandis que les feux de la guerre continuaient de brûler, ils se mirent au travail, appliquant le projet qu'ils avaient élaboré à Moscou. Deux principes le sous-tendaient : primo, en raison de la haine à l'égard de la Russie, ils ne parleraient jamais ouvertement de leur séjour dans la capitale soviétique ; secundo, ils ne se qualifieraient pas de communistes. Dorénavant, ils seraient connus sous le nom de socialistes[3].

Avec le soutien politique et financier de Moscou, ils commencèrent à créer une nouvelle administration stalinienne, veillant à ce que leur action n'ait pas l'air d'une prise de contrôle communiste. La stratégie était simple : pourvoir les autorités locales en administrateurs compétents et placer leurs chefs communistes les plus sûrs dans les positions clés : les finances et la police. Comme le disait Ulbricht : « Il faut que cela semble démocratique, mais nous devons tout avoir en main[4]. » Au bout de quelques courtes semaines, ils eurent constitué ce qui ressemblait à une administration, composée de gens appartenant à des milieux et des partis divers, avec le pouvoir concentré dans les mains des communistes.

Peu de mois auparavant, les communistes étaient encore le petit peuple, la vermine, écrasés sous les bottes noires des nazis. Désormais, ils étaient les puissants, ayant derrière eux tout le poids de l'Union soviétique et de ses chars. En 1848, Marx avait écrit que le communisme succéderait inévitablement au capitalisme. Aux moments les plus sombres de la Seconde Guerre mondiale, la réalisation de la prophétie de Marx avait paru inimaginable à ses disciples. Enfin, une centaine d'années après cette prédiction, leur heure était venue.

5

LE CONTREBANDIER

1949

Joachim fonce dans la rue. Pas très loin devant lui, le ballon rebondit le long de la chaussée. Il l'atteindra dans une poignée de secondes, ses jambes cèdent presque sous l'effort, mais à l'instant où il va s'en emparer un pied surgit du côté droit et l'en prive. C'est une sensation familière. Joachim est le plus petit de tous ses amis. Voilà pourquoi ils l'appellent *der Kleine*, « le petit »[1].

« Joachim ! crie sa grand-mère. Viens par ici ! »

Il se précipite vers elle, voit qu'elle a quelque chose dans les mains. Ça empeste. Un sachet de café fraîchement moulu.

Elle l'agite devant lui.

« Il faut que tu emportes ça à Wilmersdorf. »

Joachim lève des yeux interrogateurs. Il ne sait rien de Wilmersdorf, hormis que ça n'est pas à Berlin-Est où ils habitent, mais de l'autre côté de la frontière, à Berlin-Ouest.

Sa grand-mère lui explique qu'il doit prendre le train, traverser la frontière avec l'Ouest et retrouver un homme qui lui donnera de l'argent en échange du café. Ce ne sera pas facile : si les garde-frontières sentent le café, ils l'arrêteront. Sa grand-mère glisse le café dans un sac en caoutchouc pour masquer l'odeur, puis enferme le sac dans un cartable. Joachim se met en route. Rien chez lui n'éveille l'attention : il est un garçon décharné de onze ans qui porte un cartable.

Il marche jusqu'à la gare, l'odeur du métal et de l'huile emplit l'air. Il saute dans le train, trouve une place où s'asseoir et regarde les passagers autour de lui. Plusieurs tiennent, comme lui, un sac ou un cartable. Il se demande s'ils cachent des secrets eux aussi. Par la fenêtre, il observe les arbres, puis les bâtiments alors que le train approche de la frontière. Là, les gardes apparaîtront et Joachim sait qu'ils chercheront les contrebandiers.

À cette date, quatre ans après la fin de la guerre, Berlin-Est et Berlin-Ouest sont deux zones séparées. Les Berlinois peuvent passer de l'une à l'autre – en train, en voiture ou simplement à pied – mais, quand ils vont de l'Est à l'Ouest, ils subissent souvent la fouille des garde-frontières traquant le café, les cigarettes et les saucisses de contrebande. C'est un moyen aisé pour les Berlinois de l'Est de gagner de l'argent : acheter des produits pas chers au marché noir dans leur moitié de la ville et les vendre avec un bénéfice à Berlin-Ouest. Presque tout le monde le fait, exploitant l'immense écart économique entre l'Est communiste et l'Ouest capitaliste.

Cet écart se creusa juste après le conflit mondial, lorsque les Russes dépouillèrent l'Allemagne de l'Est de son or, de ses métaux et de ses machines. Pour un pays se relevant d'une guerre, ce fut une catastrophe. Puis la nouvelle administration socialiste établit sa nouvelle économie socialiste, allant plus loin que Staline lui-même ne l'avait escompté.

Walter Ulbricht nationalisa les banques, les usines et les entreprises, désormais appelées *Volkseigener Betrieb*, « entreprises appartenant au peuple ». Il s'attaqua ensuite aux fermes, dépossédant les propriétaires terriens et obligeant les petits paysans à rejoindre les coopératives agricoles, réunissant leurs cultures. Le terme technique est « collectivisation forcée », l'une de ces expressions qui, en quelque sorte, adoucissent la réalité des choses. Dans des lettres pleines d'angoisse, des fermiers racontent avoir vu leurs pommes de terre et leur blé pourrir dans les champs, et leurs « beaux chevaux » conduits à l'abattoir[2].

Vint le tour des boutiques et des supermarchés. L'administration déciderait désormais des marchandises qu'ils vendraient et pour quel montant. Tout aurait un prix fixe : la pomme de terre coûterait la même chose d'un magasin à l'autre, et les cartes de rationnement attribueraient une quantité hebdomadaire de nourriture et de vêtements. Les magasins nationalisés affichèrent bientôt les lettres *HO* (pour *Handelsorganisation*), représentant l'organisation du commerce d'État qui déterminait ce qu'ils pouvaient vendre.

Derrière tout cela se trouvaient des idéaux exaltants : la vie s'améliorerait. Il n'y aurait plus de pauvreté, plus de chômage. Les services médicaux et l'enseignement seraient gratuits pour tous. Ces idées tombaient dans des oreilles enthousiastes : beaucoup de gens désiraient le changement ; la promesse d'un nouveau système qui partagerait équitablement la richesse, procurerait à chacun une éducation gratuite et un endroit où habiter était grisante. Mais les rayonnages des magasins se vidèrent.

Walter Ulbricht assura que cela vaudrait la peine au bout du compte – que l'économie connaîtrait un essor et que les gens seraient plus prospères que leurs voisins d'Allemagne de l'Ouest. Pourtant, l'économie ne décolla jamais. Pire, il devint clair que l'administration était prête à tout pour maintenir le pays sous son autorité.

Staline et Ulbricht créèrent un nouveau parti politique, le Parti socialiste unifié d'Allemagne (SED). Staline espérait que le SED obtiendrait assez de suffrages pour prendre le pouvoir sans violence mais, aux premières élections de l'après-guerre, il fit un score désastreux. Staline et Ulbricht résolurent donc de tricher : s'ils ne pouvaient pas gagner des voix par la ferveur, ils les gagneraient par la peur.

Des unités de police furent créées, chargées d'interpeller dans les rues les ouvriers et militants antisoviétiques et de les emmener dans des camps de concentration nazis réaffectés. Par une effroyable ironie, tandis que, d'un côté, ils annonçaient fièrement arrêter et mettre à mort d'anciens nazis, les Soviétiques envoyaient au même moment cent cinquante mille personnes au moins à Bautzen, à Hohenschönhausen et dans d'autres prisons, réutilisant les instruments de torture nazis qui avaient été auparavant employés contre eux[3].

En 1948, trois ans après la fin de la Seconde Guerre mondiale, les relations entre l'Union soviétique et l'Ouest s'étaient rompues. Il était manifeste que Staline désirait la totalité de l'Allemagne, pas seulement la partie est, et qu'il essaierait de la conquérir sous peu.

En juin de cette année-là, il passa à l'action : il coupa l'électricité qui alimentait Berlin-Ouest, puis bloqua l'accès britannique et américain. Berlin se trouvant à cent cinquante kilomètres à l'intérieur de la zone orientale soviétique de l'Allemagne, la moitié occidentale de la ville dépendait entièrement des camions, péniches et trains en provenance d'Allemagne de l'Ouest pour sa nourriture et son charbon. Dès lors que l'accès serait bloqué, les deux millions et demi d'habitants de Berlin-Ouest mourraient de faim, comme le savait très bien Staline.

Au bout d'un mois exactement, les Berlinois de l'Ouest commencèrent à manquer de vivres. Ce qui les sauva fut l'une des opérations les plus ambitieuses de l'histoire : le pont aérien de Berlin. Pendant une année, des pilotes britanniques et américains transportèrent de la nourriture, des vêtements, des médicaments et des cigarettes jusqu'à Berlin-Ouest. Dans la période la plus intense, un avion atterrissait à l'aéroport Tempelhof toutes les soixante-deux secondes. Plus extraordinaire encore, les avions américains qui apportaient les vivres étaient ceux-là mêmes qui avaient largué des bombes quelques années plus tôt. Maintenant, au lieu de bombes, quand ils s'approchaient de l'aéroport, les pilotes lâchaient des colis faits main de bonbons et de chocolats pour les enfants, qui regardaient les appareils depuis le pourtour de l'aéroport. Les pilotes étaient surnommés les *Rosinenbomber*, les « bombardiers de raisins secs ».

Un an plus tard, après trois cent mille largages, Staline céda. L'Armée rouge supprima les barrières, permettant aux camions britanniques et américains de revenir dans Berlin-Ouest. Des dizaines de milliers d'habitants acclamèrent les soldats britanniques et américains à leur arrivée, lancèrent des fleurs sur leurs chars et agitèrent des pancartes qui disaient :

HOURRA ! NOUS SOMMES
TOUJOURS VIVANTS[4] !

Si l'on cherche un point de départ à la guerre froide, ce doit être celui-ci. L'Allemagne de l'Ouest et l'Allemagne de l'Est étaient désormais deux pays séparés, ayant deux idéologies irréconciliables : le capitalisme et le communisme. C'est en mai 1949 que la République fédérale d'Allemagne (RFA) fut officiellement créée, ses puissances d'occupation – les États-Unis, la Grande-Bretagne et la France – établissant un modèle occidental de démocratie, avec élections libres, médias libres et propriété privée. Six mois plus tard, les Soviétiques proclamèrent la naissance de la République démocratique allemande (RDA), un système communiste de parti unique, avec une économie gérée par l'État, sous contrôle soviétique.

Quelques années plus tôt seulement, l'Ouest et l'Union soviétique s'étaient unis pour vaincre Hitler. Ils étaient à présent des ennemis acharnés, avançant vers une nouvelle guerre qui se répandrait bientôt aux quatre coins du monde et le diviserait en deux, avec Berlin comme champ de bataille.

Néanmoins, un jeune garçon pouvait encore prendre un train et passer d'un système politique à l'autre dans l'espoir de gagner facilement un peu d'argent. À l'avant-dernière gare qui précède la frontière, Joachim fronce le nez. Dans un accès de terreur, il s'aperçoit qu'il sent l'odeur du café. Son cœur bat la chamade. Il serre le cartable contre lui et s'efforce de ne pas penser à ce qui risque de se passer quand les garde-frontières pénétreront dans le train s'ils détectent le café. Il essaie de ne pas imaginer à quoi ressemblerait la cellule de prison, combien de temps il pourrait y rester enfermé.

Joachim surveille les portières, sachant leur ouverture imminente. Alors, une idée lui vient à l'esprit. Courant vers elles, il se poste là, immobile, et lorsqu'elles finissent par s'ouvrir et que deux garde-frontières montent à bord, ils ne voient qu'un garçon maigre tenant quelque chose, l'odeur masquée par les fumées enveloppant le quai.

Le soulagement inonde le corps de Joachim. Arrivé à sa gare de destination dans Berlin-Ouest, il quitte le train d'un bond et apporte le café à l'adresse que lui a donnée sa grand-mère, où une poignée de pièces le récompense.

Cet après-midi-là, « le petit » est le héros de sa famille, et Joachim, âgé de onze ans, apprend que, même s'il est minuscule, il est solide, et que son esprit trouve des solutions à l'instant précis où il en a besoin.

6

LA RADIO

1952

Joachim chante. Il est huit heures et demie du matin, et il est à l'école, un bâtiment coupé en deux par une bombe. Les filles étudient dans une aile, les garçons dans l'autre. Chaque journée commence par une chanson, en général *Hoch auf dem gelben Wagen*, « Haut sur la diligence jaune[1] ». Pour éviter la lassitude, son instituteur leur demande à tous de la chanter lentement certains jours, rapidement d'autres matins. Cela fait rire les élèves. Un humour sain, approuvé par l'État.

J'entends des flûtes et des violons,
Des basses pleines de gaieté.
Des jeunes gens dansent
La ronde autour du tilleul,
Virevoltent comme des feuilles au vent,
Crient de joie, rient et s'amusent.
Je voudrais tant rester près du tilleul
Mais la diligence continue sa route.

Quand nous l'écoutons aujourd'hui, la chanson paraît nostalgique et semble nous ramener à une version idéalisée de l'Allemagne où il n'y a que voitures tirées par des chevaux, champs verdoyants et familles heureuses. Le paradoxe est que là, dans l'école de Joachim, on regarde peu en arrière : dans la nouvelle Allemagne de l'Est, l'école est l'endroit où l'avenir se construit, où le parti crée des citoyens socialistes modèles pour son pays socialiste modèle. Comme le dit le nouvel hymne national : « Ressuscitée des ruines et tournée vers l'avenir... »

Si le communisme est la nouvelle religion de l'Allemagne de l'Est, l'école est son église, son assemblée d'élèves assise sur des bancs, apprenant aux pieds d'enseignants-prêtres qui ont souvent une influence plus importante sur leurs vies que leurs parents. Six jours par semaine, les enfants sont confiés à des professeurs nommés par le parti, et ce dès le jardin d'enfants où les principes du socialisme sont inculqués aux petits de deux ans à travers les pauses collectives.

Joachim apprend par la répétition. Ses enseignants dissuadent en effet les élèves de poser des questions ou de développer une pensée critique, réprimandent ceux qui osent des questions provocatrices et menacent de les exclure. Dans les cas graves, les enfants qui manifestent des « comportements antisociaux » (qui volent, par exemple) sont envoyés dans des *Jugendwerkhöfe* – des maisons de correction où ils font un travail d'usine et sont « rééduqués », passant parfois des jours en isolement cellulaire.

Un après-midi, un homme vient dans la classe de Joachim et parle aux enfants d'un groupe de jeunesse extrascolaire particulier, qui organise des activités manuelles, des jeux, même du camping dans la campagne. Tous les élèves intéressés doivent s'inscrire sur une liste. Comme la plupart de ses camarades, Joachim, très excité, écrit son nom.

Lorsqu'il le raconte à sa mère ce soir-là, elle est furieuse. Elle lui explique que cet homme vient des *Junge Pioniere*, un mouvement de jeunesse comparable aux scouts soutenu par le parti, dans lequel les enfants, foulard rouge au cou et calot bleu sur la tête (tenue rappelant les jeunesses hitlériennes) sont initiés aux principes communistes et encouragés à dénoncer des attitudes antisocialistes chez leurs amis et professeurs, même chez leurs parents.

À onze ans, Joachim découvre que le parti se présente sous toutes sortes de formes, qu'il n'est pas toujours facile à reconnaître. Le lendemain, à l'école, Joachim raye son nom de la liste. Il ne sera jamais membre des jeunes pionniers, ni de la jeunesse allemande libre, dans laquelle passent les pionniers à partir de quatorze ans, où ils reçoivent *Le Capital* de Marx et apprennent « les dix commandements de la morale socialiste » énoncés par Ulbricht.

Mais il y a une matière que Joachim adore : la physique. Assis à son pupitre, jambes pendantes, il regarde son professeur (un double amputé de la guerre) écrire des équations à la craie sur le tableau. Là, on ne parle ni du parti ni des valeurs socialistes. Il n'y a que des chiffres, dont Joachim constate qu'il les comprend facilement. Dans la bibliothèque de l'école, il tire d'épais volumes des rayons et passe des heures à examiner de longues rangées de nombres entourés de parenthèses, à repérer des structures.

Bientôt, son professeur aborde l'électronique avec la classe, et Joachim est en extase devant les machines qui semblent fonctionner comme par magie. Il repense à la batteuse dans la grange de leur ferme, à ces nouvelles inventions qu'il commence à comprendre parce que les éléments de base sont les mêmes. Circuits. Moteurs. Conduction. Induction.

Il étudie des schémas de radios dans des manuels d'électronique, les dissèque en pensée, se procure des fils, des roues dentées et des piles pour expérimenter chez lui. À quatorze ans, il entreprend de fabriquer une radio. Dans un magasin d'électricité, il achète du fil, un redresseur et un condensateur ; à l'aide d'un fer à souder, il les raccorde autour d'un tube en carton. Enfin, il fixe un casque. Un bruit de parasites se fait entendre et son cœur bondit de joie lorsqu'il se rend compte qu'il est branché sur un émetteur voisin. Couché dans son lit, il écoute la station de radio est-allemande et, durant quelques semaines, cela lui suffit ; mais bientôt la curiosité le gagne et il veut savoir ce qu'il existe d'autre sur les ondes.

Un soir, Joachim fabrique une radio plus grosse, équipée de deux condensateurs en aluminium et donc capable de recevoir davantage qu'un seul émetteur. Il relie le fil de terre à un radiateur, déroule le fil d'antenne de dix mètres en serpentin sous son matelas, puis, assis dans sa chambre, explore l'ionosphère, plus loin que l'émetteur de Berlin-Est, à la recherche de sons venus de mondes au-delà du sien. Enfin, il trouve quelque chose, quelque chose qui vient assurément d'ailleurs. C'est une chanson, *Rock around the Clock*, et Joachim se plonge dans la steel guitar, le saxophone et la voix de Bill Haley, le présentateur arrivant en fond pour dire à ses auditeurs qu'ils écoutent *Schlager der Woche*, « Succès de la semaine ».

Joachim est tombé sur la station RIAS à Berlin-Ouest. Installée sur une hauteur près de la frontière entre Berlin-Est et Berlin-Ouest, la *Rundfunk im amerikanischen Sektor* (RIAS, « radio du secteur américain ») est financée par les États-Unis. Les diplomates la décrivent comme l'une des armes les plus puissantes de la guerre froide : en effet, grâce à l'émetteur de la RIAS, les Américains peuvent pénétrer dans les foyers est-allemands, déverser de la musique et des séries radiophoniques dans les oreilles des gens, leur donner une version sonore de la vie par-delà le rideau de fer[2]. Soir après soir, Joachim écoute des comédies et des satires politiques comme *Die Insulaner*, « les Insulaires », une émission qui se moque du communisme et de l'Allemagne de l'Est. À la fin de la soirée, Joachim se replace sur une station est-allemande, au cas où quelqu'un viendrait et s'apercevrait qu'il a écouté l'ennemi.

L'adolescent explore les limites, chez lui comme à l'école. Étant l'un des meilleurs élèves en sciences, il est responsable du placard de chimie, un lieu merveilleux rempli de pots de poudre blanche et de fioles contenant des liquides de toutes les couleurs. Il ne tarde pas à avoir un produit chimique préféré : le potassium, qui siffle et pétille au contact de l'eau. Un soir de Saint-Sylvestre, Joachim mélange du chlorate de potassium et du phosphore rouge pour fabriquer des pétards, qu'il allume avec des amis dans son arrière-cour après la tombée de la nuit. Parfois, il concocte des potions à l'école, les transvase dans des bouteilles en plastique et les lance par la fenêtre vers la cour de récréation, où il les regarde exploser. Incroyablement, il ne se fait jamais prendre.

Un après-midi, à l'école, son professeur de physique amputé lui parle du monde au-dessus de l'atmosphère terrestre, dans lequel les nations, les frontières et la politique ne signifient rien. Joachim se met à rêver de l'espace et décide que, plus tard, il sera astronaute.

Quelques semaines plus tard, un homme vient à la maison : il a une nouvelle pour Joachim et sa mère[3]. Il a été prisonnier de guerre dans un camp russe, raconte-t-il, et était là-bas avec le père de Joachim. Celui-ci est mort il y a plusieurs années.

Joachim écoute, le regard de plus en plus lointain. Il se retrouve dans la ferme où il a grandi. Par un dimanche matin de printemps, sous un soleil radieux, il marche dans la forêt avec son père lorsqu'un chasseur arrive en courant, leur demande s'ils ont vu un cerf qu'il a visé. Ils secouent la tête, le chasseur s'en va. Son père lui prend la main.

Joachim cligne des yeux, de retour à Berlin, le souvenir évanoui. Il n'a que de rares fragments comme celui-ci pour se le remémorer. C'est ainsi qu'il rejoint les rangs des enfants allemands orphelins de père et que, dans son ventre, naît une colère froide dont il ne sait pas encore quoi faire.

7

LE CHAR

Juin 1953

S'ils avaient su ce qui se passerait ce jour-là, ils n'y seraient peut-être pas allés. Ou peut-être que si. Parce que c'est à cette occasion qu'ils apprennent à quels excès le parti se livrera pour se protéger.

Tout a commencé en mars 1953, à la mort de Staline. En Allemagne de l'Est, il y a eu un élan d'espoir : les gens ont pensé que les choses pourraient être différentes, que le pays le plus stalinien du monde pourrait être obligé de changer, maintenant que l'homme derrière cette politique était mort.

Mais ils se trompaient. La police secrète continuait ses arrestations en pleine nuit, l'économie restait stagnante. Puis, en juin, Walter Ulbricht, désormais dirigeant de l'Allemagne de l'Est, annonça que les normes de production devaient augmenter. Encore. Il les avait déjà relevées, à plusieurs reprises, chacun recevant l'ordre de travailler plus dur sans être payé davantage. Cette fois, quelque chose dans l'âme des ouvriers est-allemands se rompit. Après huit années à subir le travail en usine débilitant, les heures innombrables, les accidents horribles, la peur continuelle d'une prison soviétique, c'en était trop.

Le 16 juin, quatre-vingts ouvriers d'un chantier de construction à Berlin-Est posèrent leurs outils et se mirent à défiler dans les rues. Des centaines de gens les rejoignirent, et ils furent bientôt des milliers à marcher, à réclamer en chœur des élections libres et la fin de la domination soviétique. Ce soir-là, les nouvelles de la manifestation et d'un projet de grève générale se répandirent, et arrivèrent jusqu'à la maison de Joachim. Il voulut participer.

Le lendemain, Joachim et ses amis se donnent rendez-vous à un coin de rue et partent retrouver les manifestants.

Ils les entendent avant de les voir : des dizaines de milliers de personnes qui chantent des vieux chants ouvriers en marchant vers la place Marx-Engels, au centre de Berlin-Est. Normalement, on ne voyait une telle foule que les jours de parade, quand la Stalinallee était inondée de gens brandissant des drapeaux et des torches, célébrant un parti politique qui réussissait toujours à gagner les élections sans que les résultats concordent. Mais aujourd'hui, pour la première fois depuis sa création, les gens sont dehors afin de renverser ce parti.

Joachim se faufile au milieu des manifestants, ravi de marcher aux côtés d'hommes et de femmes adultes. Il apprend que les manifestations se sont étendues au-delà de Berlin, que des travailleurs d'autres villes d'Allemagne de l'Est défilent aussi. Et si c'était le jour où le parti tombait ? pense-t-il, plein d'espoir. Au long du parcours, des gens se glissent hors des ateliers, des boulangeries, des écoles, et intègrent le cortège. Dans une usine de chaussures, des femmes se penchent aux fenêtres, applaudissent. Joachim leur fait un signe de la main : « Rejoignez-nous ! » Les femmes secouent la tête, désignant la porte. « Impossible ! On nous a enfermées ! » Joachim s'écarte de la foule et aide les femmes en tablier à sortir par les fenêtres, à escalader le portail d'acier.

Bientôt, Joachim est à l'avant, parmi ceux qui ouvrent la voie vers un bâtiment gouvernemental de la Rosenthaler Platz où, espèrent les manifestants, quelqu'un viendra s'adresser à eux. Mais les portes et les fenêtres sont closes : les membres du parti, terrifiés, se sont barricadés à l'intérieur. Joachim monte l'escalier au pas de course, tambourine contre les volets. Puis il voit un unijambiste clopiner sur ses béquilles jusqu'à une fenêtre. Un ancien soldat, devine-t-il. Le visage de l'homme est déformé par la colère ; il crie après les politiciens retranchés, lève une béquille et se met à marteler la vitre : bing, bing, bing, bing…

Crac !

Le verre vole en éclats, révélant un petit groupe d'officiels pétrifiés à l'intérieur.

Encouragés par ce succès, les manifestants continuent leur marche, scandent « Nous sommes des travailleurs, pas des esclaves ! », et ils arrivent sur la vaste avenue arborée Unter den Linden. Là, ils entonnent un autre chant ouvrier :

Frères, vers le soleil, vers la liberté,
Frères, levez-vous vers la lumière ;
Pointant hors du sombre passé,
L'avenir commence à briller[1].

Joachim est fasciné. Il n'a jamais rien vécu de pareil, le son de ce chant, les banderoles flottant haut dans l'air, le sentiment que c'est le début de quelque chose.

Mais soudain, l'atmosphère change. Alors que les manifestants attendent l'apparition de quelqu'un, d'un membre du gouvernement qui réponde à leurs demandes, l'impatience gagne. Des groupes d'hommes quittent le cortège et mettent le feu à des voitures, déchirent des drapeaux soviétiques et entrent par effraction dans des prisons.

Du gouvernement, toujours aucun signe.

Puis, audible tout à coup, un grondement sourd qui vient de l'est. Des murmures circulent à travers la foule : « *Die Panzer kommen ! Die Panzer kommen !* » – « Les chars arrivent ! Les chars arrivent ! »

Au loin, Joachim distingue un nuage de fumée bleue duquel émerge un char d'assaut, un commandant russe posté dans la tourelle, casque d'acier sur la tête, cape flottante. Il serre les poings, tord la bouche en crachant des mots furieux, des mots que recouvrent le fracas du char et, à présent, les hurlements. Car son tank a percuté les manifestants, on voit des membres d'adolescents réduits en miettes sous les bandes de roulement des chenilles. Deux hommes tentent de grimper sur le véhicule mais retombent, frappés par les balles de tireurs embusqués. Tandis que le char fauche la place, les manifestants jettent des briques, des pierres, poussent même des voitures en travers de sa route pour l'arrêter, mais c'est peine perdue. Tel un robot défectueux, il continue sa progression.

Joachim ne veut pas partir, il n'est pas prêt à accepter que c'est fini, mais alors, derrière le char, il en aperçoit huit autres. Dans les films d'archives, on voit des gens lancer des pierres sur les chars, qui avancent puis reculent, comme s'ils raillaient les manifestants, avant de foncer droit sur eux.

Joachim rentre chez lui à toute vitesse, sans se retourner.

Ce soir du 17 juin 1953, il regarde depuis sa fenêtre les chars patrouiller dans les rues vides, surveillant le couvre-feu qui vient d'être annoncé. Joachim règle sa radio sur l'Ouest et apprend ce qui s'est passé sur la place après son départ : des dizaines de personnes ont été tuées. La semaine suivante, des milliers sont jetées dans des prisons secrètes et des centaines sont mises à mort après des simulacres de procès.

Ainsi se termine le premier soulèvement antisoviétique en Europe de l'Est. Il n'y en aura plus durant trente années en République démocratique allemande.

8

MILLE PETITES CHOSES

Février 1960

Joachim est dans le train pour Berlin-Ouest. Cette fois, il n'y a pas de café de contrebande dans son cartable. Il est de sortie avec ses amis ; il économise pour cette soirée depuis des mois[1].

Il connaît bien le trajet, puisqu'il vient tous les week-ends. En général, ils se dirigent immédiatement vers le Kurfürstendamm – le Ku'damm, comme ils l'appellent –, un boulevard au cœur de Berlin-Ouest où ils achètent du Coca-Cola et des bonbons dans les rayons de Woolworths, observent devant les bijouteries des femmes séduisantes en manteaux de taupe et bas très fins, et convoitent les appareils exposés dans les vitrines des grands magasins : lave-linge, sèche-cheveux, aspirateurs. Joachim apporte toujours de quoi photographier les voitures dans les rues : les Coccinelles Volkswagen, les Borgward et, surtout, les berlines américaines, leurs portières fraîchement peintes miroitant au soleil. Chez lui, il développe les photos dans sa baignoire remplie de solutions chimiques maison et les épingle aux murs. Hommage à une vie qu'il peut aller voir mais ne peut pas vivre.

Par contraste avec Berlin-Est, où les bâtiments se résument au béton fonctionnel et au lino, Berlin-Ouest est ostentatoire et extravagante. La ville a connu une transformation dans les années 1950 : les vieux édifices prussiens ont été démolis pour essayer de se débarrasser d'un passé violent et de recommencer à la *Stunde Null*

– « l'heure zéro ». Maintenant, la ville est pleine de tours dans le style américain, par exemple le nouvel hôtel Hilton noir et blanc de treize étages. De toutes les manières possibles, les Berlinois de l'Ouest disent : nous sommes différents de Berlin-Est ; oui, nous sommes la même ville, mais nous sommes un autre pays.

Pour Joachim, venir à Berlin-Ouest est comme prendre un avion pour les États-Unis. Truffée de grands magasins, de boutiques de hamburgers et de clubs de jazz ouverts toute la nuit, Berlin-Ouest est désormais la ville la plus américaine hors du continent américain. C'est dû en partie au pont aérien, à ces pilotes qui ont sauvé les habitants de la famine. Comme une personne peut tomber amoureuse de celle qui lui porte secours, les Berlinois de l'Ouest se sont entichés de tout ce qui est américain, et il suffit aux Berlinois de l'Est de traverser la frontière pour goûter à une mini-Amérique.

Parfois, Joachim et ses amis viennent voir un film dans le cinéma qui vend des billets à prix réduit aux habitants de l'Est. Des westerns et des comédies romantiques américaines passent sur l'écran devant leurs yeux, aux antipodes des films soviétiques projetés dans les cinémas de Berlin-Est. Mais cette fois-ci, ils se rendent dans la plus grande salle de Berlin-Ouest, la Deutschlandhalle, pour une soirée dont ils se souviendront jusqu'à la fin de leurs jours.

Joachim guide le groupe. Il n'est plus l'avorton de la bande, depuis une poussée de croissance à l'âge de seize ans. Lors d'une sortie scolaire à la campagne, alors qu'il ramassait des pommes de terre pour des paysans qui n'arrivaient pas à satisfaire aux normes de production, Joachim avait attrapé le typhus et été placé à l'isolement dans une chambre à l'hôpital. Il était demeuré là quatre semaines, certains jours à délirer de fièvre, d'autres à écouter de la musique occidentale sur une radio clandestine fabriquée par un ami, cachée dans une boîte de cigares.

Quand Joachim était sorti de l'hôpital, le monde lui avait semblé plus petit, et lorsqu'elle l'avait placé près du dernier trait au crayon qu'elle avait tracé au-dessus de sa tête contre le mur de la cuisine, sa mère avait ri en voyant qu'il le dépassait largement. Une poussée de croissance exceptionnelle, avaient-ils supposé. Joachim n'était plus *der Kleine*, « le petit », néanmoins ce surnom lui était resté.

Dans la salle de concert à Berlin-Ouest, Joachim et ses amis zigzaguent entre des milliers de gens pour s'approcher de la scène et ils regardent de tous leurs yeux lorsqu'elle apparaît et que le public se déchaîne.

Ella Fitzgerald.

La batterie commence, puis c'est le piano – le refrain de trois notes de *Black Magic*, première chanson du concert de ce soir-là. Ella leur donne du romantisme dans *Love is Here to Stay*, elle se pavane dans *The Lady is a Tramp*, elle les amène tous au silence avec une version lente de *Summertime*, puis, d'une voix nerveuse, elle chante *Mack the Knife* pour la première fois. « J'espère que je vais me souvenir de toutes les paroles », plaisante-t-elle, mais elle les oublie et elle improvise dès le milieu de la chanson, et voilà l'ensemble de la foule ivre d'enthousiasme et d'amour pour elle. Le concert fini, Joachim flotte sur un petit nuage, jusqu'à ce qu'il se retrouve dans le train avec tous les autres passagers du wagon. Brutal retour à la réalité.

Il regarde autour de lui. La plupart des gens sont des *Grenzgänger*, des travailleurs frontaliers, qui habitent Berlin-Est mais occupent à Berlin-Ouest des emplois mieux rémunérés. Traversant la frontière le matin, ils regagnent leurs foyers le soir, mais il y a toujours moins de travailleurs lors du trajet de retour. Ensorcelés par Berlin-Ouest, beaucoup décident d'y rester au lieu de rentrer chez eux à la fin de leur journée. C'est comme une porte d'entrée dans la drogue : une fois que les gens ont goûté à Berlin-Ouest, il leur est difficile d'en revenir. Et depuis Berlin-Ouest, si on a assez d'argent, on peut acheter un billet d'avion et s'envoler pour n'importe quelle destination.

Dès qu'il arrive, Joachim s'effondre dans son lit. Sa mère, sa sœur et lui habitent désormais dans un nouvel appartement équipé d'un four, d'une télévision et même d'une baignoire. Une fois par semaine, Joachim dévale quatre volées de marches avec un seau en zinc et va chercher du charbon pour chauffer l'eau. Il essaie à chaque fois de battre son record, prenant des charges de plus en plus lourdes, après quoi il entre dans son bain, sa peau palpitant au contact de l'eau brûlante, et il se délecte.

Certains soirs, il sort sur la pointe des pieds rejoindre des amis. Assis sous des tapis étendus à l'air, une Chesterfield pendue à sa lèvre inférieure, il regarde la fumée monter dans la nuit et se sent pleinement adulte.

Ils en ont fait du chemin depuis l'époque de leur logement bombardé, où ils quémandaient de la nourriture et se nourrissaient de têtes de poisson. Comme la plupart des Allemands de l'Est, ils vivent beaucoup mieux qu'avant. Le parti a investi massivement dans l'industrie du plastique, si bien que les gens cuisinent avec des cuillères en plastique, mangent dans des assiettes en plastique et s'assoient sur des chaises en plastique sur des sols recouverts de Sprelacart. Ceux qui peuvent se le permettre remplissent leur maison de meubles et d'objets inspirés par le Bauhaus : des tabourets d'un jaune brillant, des lampes rouges. C'est un monde de plastique neuf et coloré dont Walter Ulbricht et son parti espèrent qu'il aura l'aspect et l'odeur de l'avenir. Donnons à la population assez de ces nouveaux objets éclatants, se disent-ils, et peut-être qu'elle n'émigrera pas.

Le parti cherche sans cesse des moyens de convaincre les gens de rester, de les persuader que l'Est possède tout ce qu'il leur faut. Il produit des spots de publicité qui montrent des clients souriants en train d'acheter dans des supermarchés est-allemands des raretés comme des décapsuleurs et des tuyaux souples. « *Tausend kleine Dinge !* » clame le slogan à la fin – « Mille petites choses ! »[2]. Mais il est inhabituel que les gens trouvent ces petites choses et, même quand ils réussissent à se les procurer, elles ne marchent jamais aussi bien que les objets de l'Ouest.

Le parti remplit les magazines de photos de saucisses, de bonbons, de biscuits et de fruits ; cependant, les quantités sont si limitées que, quand ils apparaissent en effet, les *Sozialistische Wartegemeinschaften* – « communautés d'attente socialistes » –, composées des amis et de la famille, se téléphonent les unes aux autres et se précipitent vers les magasins pour intégrer de longues files qui serpentent dans la rue. Il y a aussi les publicités pour voitures vantant des Trabant (Trabis, comme les appellent les Allemands de l'Est) aux jolies couleurs pastel. Les voitures paraissent formidables, mais le temps d'attente moyen est de sept ans, parfois quatorze, et de toute façon la majorité des gens ne peuvent pas se les payer. Et même si les vacances sont permises (des voyages en Hongrie ou à Prague, voire des croisières sur la mer Noire à bord d'un navire nommé *Völkerfreundschaft*, « amitié entre les nations »), le parti n'accorde des autorisations qu'aux personnes qu'il considère comme des citoyens socialistes exemplaires.

Et donc, au début des années 1960, le niveau de vie est certes bien meilleur que dans l'immédiat après-guerre, l'enseignement et les services médicaux sont gratuits, les loyers subventionnés, mais la comparaison avec l'Ouest donne aux Allemands de l'Est la sensation d'être pauvres. Quand ils regardent la télévision, les feuilletons de Berlin-Ouest leur rappellent comment on vit de l'autre côté de la frontière, les supermarchés qui ne vendent pas seulement des fruits, mais vingt fruits différents. Et même s'il n'y a presque pas de chômage à l'Est, les heures de travail inintéressant s'accumulent et les salaires sont maigres. En outre, la population a entendu les rumeurs sur les ministres : ils habitent dans des refuges idylliques entourés de murs au sein de régions boisées, disposent de chefs cuisiniers particuliers, de hangars à bateaux, de piscines et de cinémas ; ils font leurs achats dans des supermarchés spéciaux remplis de produits importés et passent leurs vacances dans des centres de villégiature luxueux.

Certains partagent les idéaux stalinistes du parti, croient que la promesse de créer une utopie socialiste vaut la peine de se battre, mais la plupart des gens éprouvent frustration et amertume quant à leur existence et à tout ce qu'ils ne maîtrisent pas. Et malgré la camaraderie dans les groupes de jeunesse et les équipes sportives des usines, comme le dit Joachim : « Quel genre de camaraderie est imposé ? »

Enfin, depuis ce jour où les chars ont écrasé les manifestants, en toile de fond la peur est omniprésente. Ceux qui critiquent le gouvernement perdent leur emploi, disparaissent dans la nuit. À jamais. Des murmures courent sur l'organisation qui se cache derrière ces disparitions, ces arrestations. Personne ne sait grand-chose d'elle ou des gens qui la dirigent. Rien que le nom.

La Stasi.

9

LA MAISON AUX MILLE YEUX

Il y a diverses manières de décrire la Stasi. L'armée intérieure de l'Allemagne de l'Est. Ou *die Firma*, « la firme », comme certains l'appelaient. Mais peut-être que le meilleur moyen de l'expliquer est de commencer par l'homme qui la dirigea pendant trente-deux ans, un homme dont le nom devint synonyme de la Stasi : Erich Mielke.

Comme Walter Ulbricht, Erich Mielke était étonnamment petit. Contrairement à Ulbricht, il était musclé et charismatique. Avec sa silhouette trapue et les plis de son cou qui débordaient sur sa chemise blanche ajustée, il avait l'air d'un bouledogue et, à de nombreux égards, il en était un. En 1931, le parti communiste, auquel il était inscrit, lui confia la mission de tuer deux policiers. Après avoir tiré à bout portant sur ces deux hommes avec un pistolet Luger 9 mm, Erich Mielke, alors âgé de vingt-quatre ans, prit l'avion pour Moscou. Là, il prouva sa loyauté au parti, apprenant le russe et devenant l'un des meilleurs étudiants de l'École léniniste internationale. Puis il y a une zone d'ombre. On sait que Mielke était en Espagne pendant la guerre civile, qu'il séjourna ensuite en France, mais le rôle qu'il y joua n'est pas clair, pas plus que celui qu'il tint durant la Seconde Guerre mondiale, qui demeure un secret bien gardé[1]. Néanmoins, il dut accomplir des choses impressionnantes puisque, une fois le conflit terminé, il reçut une série de médailles portant des titres communistes prestigieux : l'ordre du drapeau rouge, l'ordre de la guerre patriotique de première classe et l'ordre de Lénine, par deux fois. Lorsqu'il retourna en Allemagne, avec son russe impeccable et sa passion pour les chants de marche prussiens, Erich Mielke était un membre digne de foi de la police secrète soviétique, qui avait pour lui de grands projets.

Au bout de quelques mois, Erich Mielke commença à travailler pour la police soviétique à Berlin au sein d'une unité secrète appelée K-5. Elle était pleine de communistes allemands tels que lui : des gens qui avaient survécu aux camps des années nazies, ou qui avaient fui en Union soviétique et rentraient maintenant d'exil. Leur cercle de confiance était réduit et ils arrêtaient tous ceux qu'ils n'aimaient pas, non seulement des ex-nazis mais aussi des communistes, envoyant des centaines de milliers de personnes dans d'anciens camps de concentration.

Entre 1945 et 1950, Erich Mielke gravit les échelons de l'unité K-5, jusqu'à la création d'une nouvelle organisation : le ministère de la Sécurité d'État (MfS). Mais nul ne l'appelait vraiment ainsi. On disait la « Stasi », et en quelques années Erich Mielke accéda à sa tête et recruta des milliers de jeunes (dont un cinquième de femmes seulement). Ayant peu d'instruction, souvent privés de père depuis la guerre, ils considéraient Mielke et les autres vétérans communistes comme des figures paternelles.

Rapidement, Erich Mielke fit de la Stasi l'une des polices secrètes les plus puissantes de l'histoire et devint la personne la plus crainte du pays, dont le seul nom inspirait la terreur. Le travail de la Stasi avait un objectif simple : maintenir le parti – le SED – au pouvoir, ou, pour citer Mielke, la Stasi devait constituer « le bouclier et l'épée du parti », expression qu'il avait copiée sur la police secrète soviétique, le KGB, qui servait de modèle à la Stasi. C'était le travail de cette dernière de protéger le gouvernement des organisations clandestines et des militants d'opposition ; par exemple, les gens liés au groupe de combat contre l'inhumanité (le KgU), basé à Berlin-Ouest, qui encourageait la résistance à l'Est[2]. Une fois, le groupe envoya des milliers de ballons gonflés à l'hélium de l'autre côté de la frontière, larguant des tracts avec des messages anticommunistes. Outre qu'ils lancèrent des boules puantes dans les bureaux du parti communiste, les militants du KgU d'Allemagne de l'Est firent brûler des drapeaux communistes et allèrent jusqu'à bombarder un pont. La Stasi en arrêta des centaines, les condamna aux travaux forcés et en fit même décapiter deux.

Comme le KGB soviétique, la police secrète d'Allemagne de l'Est visait à défendre le parti contre la population, et le parti éprouvait le besoin impérieux d'être défendu – non seulement contre les militants qui menaient des actions violentes, mais aussi contre les gens ordinaires. Le parti ne se remettait pas du choc du soulèvement de 1953 auquel avait participé Joachim ; il reprochait à la police secrète de ne pas l'avoir prévu et était décidé à ce que jamais un tel événement ne se reproduise.

À ses débuts, la police secrète est-allemande avait été une force rudimentaire et brutale : si vous causiez des problèmes, elle vous arrêtait, il pouvait y avoir un simulacre de procès avec des aveux forcés, parfois une condamnation à mort. Mais lorsqu'il en prit les rênes, Erich Mielke voulut procéder différemment. Au lieu de vous appréhender après que vous aviez commis un crime, sa police à lui venait vous chercher dès l'instant où vous commenciez à comploter[3]. C'était la même philosophie que derrière les machines du film de science-fiction *Minority Report*, où la police emploie une technologie futuriste pour attraper des criminels avant qu'ils ne commettent un acte répréhensible. Mais dans l'Allemagne des années 1950, sans cette technologie, il n'existait qu'un moyen d'anticiper les crimes : par les informations.

Ainsi débuta le plus ambitieux projet de surveillance d'État. La Stasi voulait tout savoir sur tout le monde : où vous travailliez, ce que vous lisiez, ce dont vous vous inquiétiez, avec qui vous étiez marié, avec qui vous couchiez, ce à quoi vous rêviez, même l'odeur que vous aviez.

D'après une vieille blague est-allemande : pourquoi les agents de la Stasi font-ils de si bons chauffeurs de taxi ? Parce que, quand vous montez dans leur voiture, ils savent déjà comment vous vous appelez et où vous habitez. Les informations étaient tout pour la Stasi, et ses membres en devinrent les meilleurs chasseurs qui soient, achetant du matériel de l'Ouest et le disséquant afin de fabriquer des appareils d'écoute et des caméras d'espionnage. La Stasi inventait une raison pour vous faire sortir de votre appartement (un rendez-vous chez le médecin, par exemple), puis s'introduisait avec une petite équipe, prenait des polaroïds destinés à recréer les lieux par la suite et fouillait à la recherche de toute pièce compromettante : des lettres, de l'argent étranger, de la poésie dissidente. Elle dissimulait ses caméras et ses micros dans vos téléphones et appareils d'éclairage de manière à enregistrer chaque instant de votre vie éveillée ou endormie. Des milliers de ces enregistrements existent encore aujourd'hui dans les archives : on y entend des goûters d'enfants, des disputes entre amants, des ébats amoureux, des passages aux toilettes, toute la vie dans sa beauté, sa banalité et son absurdité enregistrée, cataloguée et classée.

Bientôt, un mot fut inventé pour décrire cette surveillance généralisée : *flächendeckend*, c'est-à-dire « couvrant la surface, le territoire ». Tout le territoire était couvert en effet, car la Stasi ne tarda pas à avoir un réseau d'espions surveillant le pays entier. Il y avait les « facteurs » du département M qui se tenaient dans une salle secrète à l'intérieur de chaque bureau de poste, passaient aux rayons X et décachetaient à la vapeur des milliers de lettres. Il y avait les agents du département 26 qui espionnaient les conversations téléphoniques. S'ils trouvaient assez d'éléments préjudiciables, ils venaient à votre travail et vous arrêtaient devant vos collègues, histoire de rappeler aux gens qu'ils les observaient. Une fois arrêté, vous étiez conduit au siège de la Stasi dans le quartier de Lichtenberg à Berlin-Est. « La maison aux mille yeux », comme la surnommait la population.

Le siège de la Stasi ne fut d'abord qu'un petit ensemble de bureaux dans la Magdalenenstrasse, un endroit où loger la force de police secrète naissante. Puis, au fil des ans, il devint une forteresse de béton, absorbant les maisons et les rues autour de lui comme un trou noir. Les fenêtres avaient toutes des volets, les murs en béton étaient hérissés de caméras de sécurité et l'entrée obscurcie par de l'acier épais si bien que personne ne voyait à l'intérieur. Le complexe abritait toutes les activités imaginables d'une police secrète : des salles d'interrogatoire, des prisons, un centre de formation et des milliers de bureaux, mais aussi des cafés, des magasins vendant des produits de luxe importés de l'Ouest, un hôpital et même un salon de coiffure, de sorte que, une fois au travail, les employés de la Stasi n'aient jamais à le quitter. Pas question d'aller chercher un sandwich dehors pendant la pause-déjeuner.

Au cœur de ce complexe, parmi le dédale de couloirs en lino, se trouvait Erich Mielke, le magicien d'Oz de la police secrète, organisant tout depuis son cabinet, un buste de Lénine veillant sur lui. Depuis ce lieu, Erich Mielke dirigeait les opérations de la Stasi ainsi que ses universités, sans oublier son équipe de football, le BFC Dynamo, qui l'obsédait et dont il truquait les matchs à l'aide d'arbitres affiliés.

Bien sûr, toutes les personnes amenées ici pour être interrogées ne voyaient rien de cela. Elles étaient conduites directement dans la *Hundekeller*[4], « la cave à chiens », nom que les prisonniers donnaient aux salles d'interrogatoire où les gens disparaissaient définitivement. Il existe des histoires horrifiantes sur la torture physique et sexuelle qui se déroulait là pendant les années 1950 : des prisonniers gardés à l'isolement dans des cellules sans fenêtre avant des procès secrets au terme desquels ils pouvaient être condamnés à mort, ou à des travaux forcés dans des prisons comme Bautzen, où les conditions étaient si épouvantables que seize mille détenus environ y moururent[5].

Mais la Stasi expérimentait aussi des méthodes plus sophistiquées, telles que la *Zersetzung*, la « décomposition ». Il s'agissait d'un art subtil que l'institution perfectionnait et enseignait dans son centre de formation, consistant à exercer des pressions continuelles sur les gens qui lui déplaisaient, afin de leur donner le sentiment que leur vie se désagrégeait. La Stasi surveillait la plupart des emplois, non seulement dans l'armée ou l'administration, mais aussi dans les usines et les universités. Un simple coup de fil à votre chef ou votre conjoint pouvait mettre un terme à votre carrière, briser votre mariage, jusqu'au moment où vous vous sentiez totalement impuissant, ce qui poussait certains au suicide. La Stasi appliquait cette stratégie de *Zersetzung* si efficacement qu'il devenait impossible de faire confiance à qui que ce soit : vous ne saviez jamais qui en était membre, vous imaginiez donc que la Stasi était partout, à écouter chacune de vos conversations téléphoniques (alors que, bien sûr, l'organisation n'avait pas les effectifs pour cela), à ouvrir chacune de vos lettres. L'Allemagne de l'Est devint par conséquent le pays des voix étouffées, des regards soupçonneux et de l'autocensure.

Les agents de la Stasi étaient dehors, à tirer sur les manifestants, lors du soulèvement de 1953. Et cette année-là, pour ceux qui en avaient assez de la peur, qui n'avaient plus le courage de chanter en chœur et de défiler dans les rues, il n'y avait qu'une solution : partir.

Rien qu'en 1953, trois cent trente mille habitants quittèrent le pays[6]. Et, chaque année, de nouvelles personnes s'exilaient. Bientôt, Walter Ulbricht fut si inquiet qu'il fit de ces départs un crime et forgea un mot pour les désigner: *Republikflucht*, « désertion de la République ». Toute personne prise en train de passer la frontière sans autorisation était arrêtée, jugée, jetée en prison.

Pourtant, les gens continuaient de partir.

Les chauffeurs de bus partaient, les infirmières partaient, les ingénieurs, les dentistes et les avocats partaient tous. Certaines villes d'Allemagne de l'Est ne tardèrent pas à se retrouver sans le moindre médecin ou enseignant. Puis il y eut des défections plus embarrassantes: des soldats soviétiques, des fonctionnaires de l'État et, en 1961, humiliation particulièrement médiatisée, Marlene Schmidt, une belle ingénieure blonde qui avait fui l'Est (décrite dans un journal ouest-allemand comme ayant un « cerveau d'ingénieure sur un corps à la Botticelli ») devint Miss Univers. Après qu'elle eut marché à petits pas sur un podium à Miami Beach, sa couronne de Miss Univers sur la tête, lors d'une cérémonie retransmise partout dans le monde, y compris en Allemagne de l'Est, le magazine *Times* publia un article s'étonnant que les garde-frontières est-allemands n'aient pas repéré la souple et gracieuse Marlene d'un mètre soixante-douze… L'Ouest, lui, n'avait pas manqué de la remarquer[7].

Walter Ulbricht découvre alors qu'il peut y avoir pire, pour son pays, que d'être un paria international: l'Allemagne de l'Est devient la risée du monde.

La RDA a maintenant perdu trois millions d'habitants, un cinquième de sa population environ. En cette année 1961, tous les mois, les chiffres augmentent: en juin, ils sont vingt mille à partir; en juillet, trente mille. La foule des gens qui s'exilent devient si énorme que l'on parle de *Torschlusspanik*, « précipitation pour sortir avant la fermeture de la porte ».

Et voici la question qui se pose présentement à Ulbricht : comment peut-il non seulement fermer cette porte, mais la verrouiller afin que plus personne ne puisse s'enfuir ? Il y a déjà une clôture de barbelés tout le long de la frontière est-allemande pour empêcher les gens de passer à l'Ouest, mais il leur suffit d'aller jusqu'à Berlin-Est, et là, de sauter dans un train à destination de Berlin-Ouest. Le problème, il le sait bien, c'est Berlin-Est. C'est une issue de secours.

Ainsi Walter Ulbricht conçoit-il un projet : puisqu'il ne peut pas convaincre les gens de rester à l'Est, il va bâtir un mur et les enfermer derrière. Mais quand il soumet son idée aux commissaires du peuple soviétiques, ceux-ci sont effarés : ce sera une catastrophe en termes de relations publiques ! Comment pourront-ils persuader le monde que le communisme vaut mieux que le capitalisme si l'Allemagne de l'Est doit construire un mur pour empêcher ses habitants de fuir ce prétendu paradis ? Et le pouvoir soviétique donne à Walter Ulbricht des instructions surprenantes : s'il veut empêcher les gens de partir, qu'il améliore leur existence. Après tout, à cette période, l'URSS est en train de s'ouvrir, elle commence à se réformer, or la RDA continue dans la voie stalinienne de manière plus obsessionnelle que n'importe quel autre pays de l'Empire soviétique.

Mais Walter Ulbricht n'entreprend aucune réforme ni ne change de cap. Et, plus tard dans l'année, tandis que l'hémorragie des plus jeunes et brillants Allemands de l'Est se poursuit, tandis qu'Ulbricht harcèle ses interlocuteurs, leur envoyant des cartes qui présentent le tracé du mur, l'Union soviétique cède.

Walter Ulbricht aura son mur.

10

L'OPÉRATION ROSE

Samedi 12 août 1961

C'est le crépuscule à Berlin-Est. Les rues sont couvertes de serpentins et de taches de glaces couleur pastel après la *Kinderfest* – la « fête des enfants » – annuelle. Le ventre rempli de sucre, les petits ont été autorisés à veiller et ils tendent le cou vers le ciel pour regarder le feu d'artifice.

Alors que les fusées sifflent et éclatent au-dessus d'eux, plus loin à l'est, dans le quartier général de l'armée populaire, les chefs militaires les plus gradés du pays se gavent à un luxueux buffet. Il comprend toute la nourriture qu'on ne peut généralement pas se procurer en Allemagne de l'Est : saucisson, veau, saumon fumé, caviar. Les commandants n'ont aucune idée de ce qui a causé ce festin, de ce qui va se produire. Tout ce qu'ils ont entendu dire, c'est qu'une opération secrète aura lieu cette nuit. À vingt heures précises, les commandants ouvrent des enveloppes cachetées et lisent les instructions détaillées exposant ce qui doit se dérouler au cours de la nuit à venir[1].

Pendant ce temps, le cerveau de l'opération, Walter Ulbricht, accueille une garden-party[2]. Ce n'est pas dans ses habitudes – il est sérieux, très peu doué pour les menus propos et il n'a pas d'amis, mais le voici, entouré de ses ministres, dans sa retraite forestière. On y entend de la musique, une comédie soviétique passe à l'arrière-plan – tentative de divertissement léger – mais l'atmosphère est pleine de gêne. Aucun d'eux ne sait pourquoi il est ici et ils voient des soldats rôder parmi les bouleaux[3].

Après le dîner, aux alentours de vingt-deux heures, tandis que des centaines de chars et de véhicules blindés de transport de troupes roulent vers Berlin-Est, prêts à attraper tous les fuyards éventuels, Walter Ulbricht entraîne ses invités dans une salle. C'est alors qu'il le leur annonce : il est sur le point de fermer la frontière entre Berlin-Est et Berlin-Ouest. Si quelqu'un voulait l'en empêcher, avertir des amis ou même s'échapper, c'est trop tard. Ils sont enfermés. Tout est en place.

L'opération Rose peut débuter.

Elle commence par les lampadaires.

À une heure du matin, on les éteint. Personne ne doit voir ce qui va se passer. Des dizaines de milliers de soldats prennent alors position, forment un cercle autour de Berlin-Ouest pour rendre impossible tout départ de dernière minute. Cela met une demi-heure.

Maintenant, c'est le coup d'envoi de la construction. Walter Ulbricht l'a déléguée à ses unités les plus fiables : sa police des frontières, la police antiémeute, les policiers ordinaires, la police secrète et, enfin, douze mille membres des *Betriebskampfgruppen*, « groupes de combat d'entreprises », une milice d'ouvriers spécialement entraînés[4]. Ulbricht a prévu les moindres détails : le nombre d'hommes à chaque point de passage, la quantité de munitions que chacun reçoit – assez pour faire fuir les gens mais pas une abondance telle qu'il y ait des bavures.

Les camions avancent jusqu'aux points de passage, déposent des soldats armés de mitrailleuses qui s'accroupissent dans les rues, canons pointés vers l'Ouest. Derrière eux, un second groupe de soldats descend discrètement des véhicules et en sort de gigantesques rouleaux de barbelés.

Il y en a cent cinquante tonnes, achetées en secret au cours des semaines précédentes à des fabricants d'Allemagne de l'Ouest et même de Grande-Bretagne, stockées par des unités de police qui ne savent pas du tout à quel usage elles sont destinées[5]. Ensuite, les soldats apportent des poteaux de bois et, se servant de tiges d'acier, ils déroulent les barbelés, les tendent entre ces poteaux et bouchent ainsi les points de passage frontaliers.

Le premier est le plus emprunté entre Berlin-Est et Berlin-Ouest, sur la Potsdamer Platz. À partir de là, les soldats se déplacent vers d'autres postes de contrôle, s'assurant que la clôture de barbelés suit très exactement la frontière et n'empiète pas d'un millimètre sur l'Ouest : ils ne veulent pas provoquer la guerre. Ainsi les barbelés traversent-ils les parcs, les cours de récréation, les cimetières, les places, sans dévier pour quoi que ce soit. Il n'y a pas de mauvaise surprise, rien que les soldats ne puissent maîtriser. Chaque centimètre de la frontière intérieure, longue de quarante-trois kilomètres[6], et de la frontière extérieure, longue de cent dix kilomètres, séparant Berlin-Ouest de la campagne est-allemande, a été cartographié. Ils savent précisément ce qui est requis.

Par ailleurs, dès une heure trente, des unités armées arrêtent tous les transports publics menant à l'Ouest. Ils sectionnent les voies ferrées et ferment les gares, tant souterraines que de surface. C'est un dur labeur, mais la nuit est calme. Walter Ulbricht a choisi le moment idéal pour cette opération : un dimanche matin au milieu de l'été, quand beaucoup de Berlinois de l'Est, comme Joachim, sont en vacances. Ulbricht savait que la réussite de l'opération dépendait de l'effet de surprise. Il ne voulait pas de désordre, de tentative d'intervention pendant le verrouillage de la ville.

Le dimanche 13 août à six heures du matin, les soldats ont fini de fermer cent quatre-vingt-treize rues, soixante-huit points de passage et douze gares.

Leur travail est terminé.

11

SOURICIÈRE

C'est l'aube du dimanche 13 août et les travailleurs de la ville sont les premiers à se lever. Ils savent immédiatement que quelque chose s'est produit. Dans le demi-jour, ils aperçoivent des hommes en uniforme dans les rues – des soldats, des policiers, des garde-frontières – et, derrière eux, la silhouette massive et menaçante des chars. Puis, à la frontière, ils les voient : les barbelés.

Au début, ils ne savent pas quoi en penser. Déambulant le long du fil de fer, ils essaient de comprendre d'où il vient, où il va. Tandis que d'autres se réveillent et se dirigent vers la frontière, un groupe d'hommes se forme ; ils crient après les militaires, demandent ce qui s'est passé, de plus en plus furieux, jusqu'au moment où les garde-frontières se tournent et lancent des gaz lacrymogènes. Toussant et postillonnant dans la fumée chimique, les yeux pleins de larmes, les hommes battent en retraite.

Puis les camionnettes surgissent. Sillonnant les rues, elles diffusent par haut-parleurs l'annonce officielle de la fermeture de la frontière.

C'est la panique.

Des parents bouclent leurs valises et traînent leurs enfants vers les gares, en espérant que les trains continuent de rouler à destination de Berlin-Ouest. Entassés dans les compartiments, ils font le trajet que Joachim a fait de nombreuses fois étant petit mais, à la gare de la Friedrichstrasse, ils entendent une nouvelle annonce : « *Der Zug endet hier* » – « Le train s'arrête ici ». Dans les trains montent alors les Vopos (abréviation de

Volkspolizei, « la police du peuple », appellation des forces armées est-allemandes défendant la frontière). Les Vopos font descendre tous les passagers et les rassemblent sur le quai, qui déborde maintenant de gens. Assis sur des valises, des femmes, des enfants et des hommes adultes pleurent devant l'irréalité de la situation. Une vieille dame s'approche d'un Vopo, demande quand partira le prochain train pour Berlin-Ouest. Le policier la regarde et rit. « Tout ça, c'est terminé, dit-il, sarcastique. Vous êtes tous pris dans une souricière[1]. »

Là-bas près des barbelés, des milliers de Berlinois de l'Est sont immobiles, abasourdis. Des mères avec des bébés calés sur la hanche, des enfants tenant des ours en peluche, des groupes de grands adolescents maigres. Certains mentionnent les Américains : assurément, ils vont faire quelque chose. Démolir les barbelés avec leurs tanks ? Mais les chars américains ne viennent pas. À un moment, quelques Jeeps britanniques apparaissent ; après un temps d'observation, elles s'en vont.

De l'autre côté de la frontière, à Berlin-Ouest, de jeunes hommes à moto filent vers la porte de Brandebourg, où des soldats est-allemands défoncent la chaussée au marteau-piqueur et plantent des poteaux en ciment. « Ulbricht, assassin[2] ! » scandent les jeunes, d'autres hommes les rejoignent, et bientôt ils sont des centaines à hurler et à conspuer les soldats. Finalement, alors que la virulence de leurs protestations ne cesse de croître, la police anti-émeute ouest-allemande les oblige à reculer.

C'est à cet instant que les Berlinois comprennent ce que la barrière signifie.

Des mères à Berlin-Est sont désormais coupées de leurs bébés nouveau-nés à Berlin-Ouest, des frères coupés de leurs sœurs ; des amis, des amoureux, des grands-parents, tous séparés par le fil de fer barbelé. Les gens de Berlin-Est qui ont un téléphone essaient de contacter leurs enfants ou leurs amis à Berlin-Ouest, ils composent les numéros mais...

Rien.

Les lignes téléphoniques entre l'est et l'ouest de la ville ont été rompues. Walter Ulbricht a pensé à tout.

Et donc, tandis que l'après-midi s'achève, les Berlinois de l'Est en sont réduits à faire des signes de la main : faire signe depuis le toit des voitures, faire signe aux fenêtres des appartements, mouchoirs blancs à la main. Ils ne savent pas du tout s'ils reverront un jour leurs parents, leurs enfants.

S'il existe quantité de photos de cette journée, l'une d'elles se distingue. Une mère et son bébé se trouvent derrière le fil barbelé à Berlin-Est. Les membres restants de la famille sont de l'autre côté et la mère tend son bébé à bout de bras pour qu'ils voient l'enfant, pendant que la barrière entre eux ne cesse de s'élever.

Ce soir-là, au coucher du soleil, toute l'horreur de la situation éclate.

Et maintenant, alors que Joachim et ses amis, rentrés de leurs vacances à la plage, fixent des yeux ces barbelés, une seule question se présente.

Va-t-on tenter de fuir ?

12

NEIGE

Pour Joachim, la question est compliquée. Il sait tout des tentatives de fuite, de la facilité avec laquelle elles peuvent capoter. Des souvenirs refont surface. Le cheval et la charrette. Le vacarme de l'Armée rouge. Les heures passées dans le placard, les bras protecteurs de son père. La vue de son père entraîné au loin. L'impression que sa vie s'était déséquilibrée.

Aujourd'hui, quinze années plus tard, Joachim doit décider s'il faut à nouveau tout risquer. Alors qu'il se tient près des barbelés, les maisons, les voitures et les lampadaires de Berlin-Ouest à quelques mètres de lui, extrêmement attirants par leur proximité, Joachim sent qu'il doit rester de ce côté-ci de la frontière. Il a appris comment se comporter à Berlin-Est, éviter les ennuis et ne pas trop s'exposer. Pour l'instant, il doit continuer ainsi.

Et donc Joachim, l'amoureux des équations, l'amoureux des chiffres qui ne réservent jamais de mauvaises surprises, Joachim tourne le dos à la frontière, aux barbelés, et rentre chez lui pour une première nuit de sommeil dans la ville désormais divisée.

13

LES ÉVASIONS

15 août 1961, quinze heures
(deux jours après la construction du Mur)

Le garde-frontière patrouille le long des barbelés, apparemment semblable à n'importe lequel de ses camarades, mais il n'en est rien. Une idée le préoccupe. Hans Conrad Schumann a tout juste dix-neuf ans ; quelques mois plus tôt seulement, il a quitté la campagne pour Berlin-Est. Il y a de nombreux Vopos comme lui ici, peu familiers de la capitale. Walter Ulbricht pense que les garde-frontières originaires d'ailleurs sont moins susceptibles de se monter indulgents envers ceux qui essaient de fuir – moins de chance qu'ils s'apitoient sur des gens qu'ils ne connaissent pas.

Face aux barbelés, Hans se sent très loin de chez lui. Il vient d'une famille d'éleveurs de moutons et il n'est ni soldat ni socialiste dans l'âme, pourtant le voici, au cœur d'une ville inconnue, à garder une frontière à laquelle il ne croit pas. Il a l'ordre d'empêcher les gens de passer, parce que tout le long des barbelés des gens essaient de les franchir. Le premier jour, huit cents personnes se sont enfuies[1]. Il y a eu des ouvriers du bâtiment qui élevaient la barrière sous la menace des armes et qui, lorsqu'on les a laissés sans surveillance, ont saisi leur chance et sauté de l'autre côté. Il y a eu des adolescents courageux qui se sont avancés furtivement à la recherche d'un point faible dans la clôture, un trou peut-être, ou une section non gardée, et se sont faufilés entre les barbelés. Et il y a eu des familles qui se sont glissées jusqu'aux fils de fer, ont lancé leurs valises par-dessus puis ont bondi dans Berlin-Ouest.

Hans sait que son travail consiste à faire obstacle aux fugitifs, mais il se retrouve à espérer leur succès. La veille, il a vu une petite fille essayer de ramper sous les barbelés pour être avec ses parents. Ceux-ci se tenaient à quelques mètres, de l'autre côté de la clôture, et appelaient leur fille en ouvrant les bras. Les Vopos avaient obligé la fillette à reculer, l'avaient empêchée de les rejoindre. Maintenant, elle risque de finir dans un orphelinat ou une famille adoptive. Hans ne supporte pas de participer à cela.

Lorsqu'il atteint l'extrémité de sa section de barbelés, il se rapproche, tend la main et pousse. Pour voir s'ils rouillent, dit-il à l'autre garde-frontière en faction.

Depuis Berlin-Ouest, un photographe observe. La presse occidentale verse de grosses sommes pour des photos d'évadés, et le photographe regarde Hans tester à nouveau la clôture, le regarde une heure durant tantôt se rapprocher des barbelés, tantôt s'en éloigner, plein d'hésitation.

Puis, à seize heures précises, Hans se décide : jetant sa cigarette, il prend son élan et saute par-dessus les barbelés, bras écartés comme s'il volait, et…

Clic !

Le photographe appuie sur le déclencheur, figeant pour toujours Hans en l'air au-dessus des barbelés, quelque part entre l'Est et l'Ouest, créant l'une des images les plus iconiques du mur de Berlin. Il suffit d'une poignée d'heures pour que la photo soit en première page des journaux du monde entier ; l'une des légendes dit :

LES PROPRES TROUPES DE LA RDA
S'ENFUIENT

Hans est le premier garde-frontière à se sauver, mais pas le dernier. Soixante-sept autres ne tarderont pas à s'échapper[2]. Sur toute sa longueur, des gens se faufilent à travers la clôture, bondissent vers la liberté, et ce sont les chanceux car, à cette heure même, sans que nul le sache hormis ses plus proches conseillers, Walter Ulbricht projette de transformer ces barbelés, d'en faire une ligne qui sera presque infranchissable.

14

LE GARÇON EN CULOTTES COURTES

Le président Kennedy se relaxe à bord du *Marlin*, le yacht glissant sur l'eau à Hyannis Port au Cap Cod. L'océan est calme, Kennedy aussi. Il est venu ici avec sa famille pour s'éloigner de tout, pour reprendre des forces après son premier semestre de présidence à Washington.

Autour de midi, la radio crépite sur le bateau : c'est le conseiller militaire de Kennedy, qui a un message urgent. Il s'agit de Berlin, dit-il au président ; la frontière a été fermée, il faut qu'il revienne.

Kennedy redoutait un événement de ce genre. Lorsqu'il a accédé à la présidence sept mois plus tôt, ses conseillers lui ont dit que Berlin était le lieu à surveiller, le lieu où une nouvelle guerre mondiale pouvait éclater à tout moment. Les États-Unis et l'Union soviétique étaient maintenant engagés dans une nouvelle guerre froide, chacun d'eux disposant d'armes nucléaires capables d'anéantir les villes de l'adversaire. Berlin était le point d'embrasement, le seul endroit de la planète où des soldats de chaque camp se faisaient face, nez à nez. Une mauvaise manœuvre suffirait à provoquer une guerre atomique.

Dix années auparavant, le monde avait vu combien un pays divisé pouvait facilement sombrer dans la guerre. En 1950, les soldats nord-coréens (soutenus par l'Union soviétique) se mirent à tirer sur la Corée du Sud (soutenue par les États-Unis). Il en résulta un conflit de trois ans dans lequel des millions de gens périrent. On craignait que l'Allemagne ne suive le même chemin.

Malgré ces mises en garde, durant les premiers mois de son mandat, le président Kennedy avait largement ignoré Berlin, en partie parce qu'il estimait que c'était un problème insoluble. L'Union soviétique avait désormais à sa tête Nikita Khrouchtchev ; celui-ci n'avait pas caché vouloir le départ des soldats britanniques, américains et français de Berlin-Ouest. Au cas où Khrouchtchev enverrait des soldats soviétiques à Berlin-Ouest pour s'en emparer, Kennedy serait dans un dilemme effroyable : s'il ordonnait aux forces occidentales de riposter, elles perdraient, puisque leurs effectifs n'étaient que de douze mille hommes contre trois cent cinquante mille soldats soviétiques[1]. La seule guerre que Kennedy pourrait gagner était une guerre atomique, mais il ne voulait pas provoquer un conflit nucléaire à Berlin. Il aurait le choix entre la défaite et une destruction mondiale.

Et donc, en juin 1961, Kennedy était allé à Vienne pour rencontrer Khrouchtchev, avec l'espoir de réussir à le persuader de ne plus parler de guerre atomique. Les deux hommes n'auraient pas pu être plus différents l'un de l'autre.

Le président Kennedy, ou « le garçon en culottes courtes » comme l'appelait son état-major, était charismatique et cultivé, mais jeune et inexpérimenté. Cet été-là, il avait été humilié après avoir donné son aval à une opération de débarquement d'exilés cubains dans la baie des Cochons ayant pour objectif de renverser Fidel Castro. L'opération s'était soldée par un désastre : l'armée de Castro avait tué certains des exilés, capturé les autres, et Kennedy avait eu l'air dépassé.

Khrouchtchev, de vingt ans son aîné, était son opposé. Sans instruction proprement dite, il avait commencé dans les mines de charbon puis était entré au parti communiste, dont il avait gravi les échelons jusqu'au sommet. La figure camuse et les dents écartées, il était impulsif, imprévisible, et avait un sens de l'humour malveillant. Khrouchtchev savait que l'Ouest était terrifié par ce qui pourrait se passer à Berlin et se délectait de retourner le couteau dans la plaie. Pour citer ses propos, Berlin était « les testicules de l'Ouest. Chaque fois que je veux faire hurler l'Ouest, j'appuie sur Berlin[2] », martelait-il. Lors des cocktails et des ballets, Khrouchtchev se glissait jusqu'aux diplomates européens[3] et leur rappelait combien de missiles il faudrait pour détruire leurs capitales. Puis il les regardait se tortiller de gêne en l'écoutant expliquer que la Russie produisait en série des missiles à longue portée « comme des saucissons sur une chaîne de montage ». Depuis qu'ils avaient testé leur première bombe atomique en 1949, les Soviétiques avaient construit un énorme arsenal nucléaire, dont douze missiles en Allemagne de l'Est. D'une pression du doigt, Khrouchtchev pouvait rayer de la carte Paris et Londres ; sous peu, les missiles soviétiques seraient en mesure d'atteindre New York.

Avant la rencontre de Kennedy avec Khrouchtchev à Vienne, les agences de renseignements américaines avaient chargé des psychiatres de rédiger un rapport sur le dirigeant russe : quel était le degré de folie de cet homme avec ses armes nucléaires ? Les experts avaient étudié des séquences filmées de Khrouchtchev, avaient même analysé des photos de ses artères pour voir s'ils pouvaient déterminer sa tension. Dans un rapport classé secret, les psychiatres décrivaient les sautes d'humeur de Khrouchtchev, sa dépression et ses abus d'alcool, concluant qu'il était un « opportuniste incorrigible[4] » qui savait choisir le bon moment sur le plan politique, avait l'art de la mise en scène et une « pointe d'instinct du joueur ». Pas le genre d'homme dont on voudrait qu'il ait la responsabilité d'armes nucléaires.

Kennedy devait déployer tous les arguments possibles devant Khrouchtchev, parvenir à une sorte d'accord.

À Vienne, il alla droit au but, parla des dangers d'un basculement dans la guerre atomique. Ils s'entretenaient depuis une heure lorsque Khrouchtchev « devint fou furieux[5] » (selon les mots de Kennedy). Criant contre son interlocuteur, Khrouchtchev fit des bonds, tapa du poing sur la table, menaça de déclencher la guerre. Le dirigeant soviétique se sentait invincible avec son stock grandissant d'armes nucléaires ; il n'allait pas se laisser contraindre par ce nouveau président juvénile[6].

Kennedy était sous le choc. C'était la première fois qu'un dirigeant soviétique menaçait un président américain de cette façon. Chancelant, il répliqua, affirma à Khrouchtchev qu'il n'abandonnerait pas Berlin. Mais alors, il ajouta quelque chose qui donna l'avantage à son adversaire : Kennedy déclara qu'il ne voulait pas entreprendre une guerre à cause de Berlin, que Khrouchtchev ne devait pas intervenir à Berlin-Ouest mais – c'était là le point crucial – qu'il pouvait faire ce qu'il voulait de Berlin-Est. Au plus fort de cette partie de poker, Kennedy avait abattu ses cartes et montré son jeu à Khrouchtchev.

Certains historiens disent que Kennedy avait cédé trop facilement, d'autres considèrent qu'il était acculé et n'avait pas le choix. Quoi qu'il en soit, Kennedy lui-même pensait avoir lamentablement échoué. Comme il le confia ensuite, Khrouchtchev « [l]'avait battu à plate couture », ce fut « la chose la plus violente de [s]a vie »[7]. Le jeune président se sentait mortifié ; pire, il s'en alla avec la conviction que Khrouchtchev pourrait bien être assez insensé pour déclencher une guerre atomique. De retour à Washington, il pleura même sur l'épaule de son frère Robert à cette idée[8]. Berlin ne suscitait plus son indifférence. La ville allemande était maintenant son obsession.

Comme un amant qui vient de s'éprendre, Kennedy griffonnait sans cesse le mot *Berlin* sur un bloc-notes jaune pendant les réunions à la Maison Blanche[9]. Il lisait tous les rapports qu'il pouvait trouver (ce qui lui valut un nouveau surnom, le « responsable de secteur de Berlin ») et il invitait l'état-major de la Maison Blanche à des week-ends de canotage durant lesquels ils discutaient de Berlin en barbotant dans l'océan.

Tout ce travail aboutit à un discours que Kennedy prononça le 25 juillet, moins de trois semaines avant que Walter Ulbricht n'installe les barbelés. Dans ce discours, le président américain réaffirmait sa position controversée : si Khrouchtchev touchait à Berlin-Ouest, les États-Unis riposteraient, mais il avait les coudées franches à l'Est. Quelques jours plus tard, l'un des plus hauts collaborateurs de Kennedy s'exprima à la radio et se demanda pourquoi l'Union soviétique n'avait pas déjà fermé la frontière pour empêcher les gens de quitter l'Allemagne de l'Est. « Je pense qu'elle a le droit de le faire à tout moment[10] », dit-il.

Il semble que Khrouchtchev l'écoutait. Pendant longtemps, celui-ci était resté irrésolu sur cette idée de mur à propos de laquelle Walter Ulbricht le harcelait. Puisque Kennedy lui laissait explicitement le champ libre à Berlin-Est, Khrouchtchev donna le feu vert à Ulbricht.

Maintenant, assis dans le bateau qui le ramène vers son cottage familial à Hyannis Port, Kennedy doit prendre une décision. Comment réagir à la clôture de barbelés ? Ni lui ni ses conseillers ne se doutaient que les Allemands de l'Est s'apprêtaient à la construire ; ils ont déjà treize heures de retard sur l'information qui s'est diffusée à toute allure par les dépêches de presse.

Et les alliés de Kennedy ne sont pas d'un grand secours : le Premier ministre britannique Harold MacMillan chassait le lagopède dans le Yorkshire lorsqu'il a découvert la construction de la barrière, tandis que le président français, Charles de Gaulle, était en vacances dans sa maison de campagne. Malgré la multitude d'informateurs à Berlin, capitale mondiale de l'espionnage, personne à l'Ouest (pas même les Allemands de l'Ouest) ne savait que la RDA était sur le point de dresser la clôture. C'était l'un des pires fiascos de la guerre froide.

Cela était en partie dû à la préparation méticuleuse de Walter Ulbricht. Il s'était assuré qu'il n'y avait aucun appel téléphonique, aucun télégramme au sujet de la clôture. Des photos du ciment et du fil barbelé entassés près de la frontière étaient apparues, mais les agents secrets américains ne savaient pas ce que cela signifiait. Certains avaient suggéré qu'il pourrait s'agir des matériaux de construction d'un mur, mais les analystes avaient rejeté cette hypothèse : c'était vraiment trop farfelu.

Maintenant que les barbelés étaient installés, les Britanniques, les Français et les Américains étaient pris au dépourvu et perplexes.

De retour dans sa maison du Cap Cod, le président Kennedy parle à son secrétaire d'État Dean Rusk. Les deux hommes sont calmes. Après tout, les Russes n'ont pas porté atteinte à Berlin-Ouest. Nul besoin d'une réponse spectaculaire.

À Berlin, tout le monde attend une réaction de l'Ouest. Les Berlinois savent que leur plus grand espoir se trouve du côté des États-Unis, le seul pays qui puisse se mesurer avec l'Union soviétique. Mais jusqu'à présent…

Silence.

Walter Ulbricht observe aussi, attendant de voir si les chars américains vont se montrer. Ils ne bougent pas. Mais il ne peut pas déjà entamer la phase suivante de son projet. C'est trop dangereux. Il doit patienter.

Le lendemain, il n'y a toujours aucune réaction de Kennedy, ni le surlendemain. Le 16 août, les journaux de Berlin-Ouest publient des manchettes s'exclamant :

L'OUEST NE FAIT RIEN !

De la part de Kennedy, silence persistant. Ce même jour, deux cent cinquante mille Berlinois de l'Ouest se rassemblent devant l'hôtel de ville et brandissent des pancartes demandant :

OÙ SONT LES AMÉRICAINS ?

C'est une bonne question. Ayant désormais regagné Washington, Kennedy continue de réfléchir à ce qu'il faut faire. Les barbelés l'ont surpris, néanmoins, dans les réunions avec ses conseillers, il est soulagé au lieu d'être inquiet. Sa plus grande peur concernant Berlin était d'être forcé à une décision susceptible de mener à une guerre atomique. Les barbelés sont certes une provocation, mais ils suivent la frontière avec exactitude, ne débordent pas dans Berlin-Ouest, ce qui le dispense de représailles. Il avait clairement signifié à Khrouchtchev où se situait la ligne rouge et il était heureux que le dirigeant soviétique ne l'ait pas franchie – pour un président s'inquiétant d'une guerre nucléaire, une clôture de barbelés comptait peu. Ou, comme il le formula, « un mur vaut sacrément mieux qu'une guerre[11] ». En outre, soutenaient certains de ses conseillers, les barbelés constituaient une victoire pour l'Ouest capitaliste sur le plan de la propagande : ils montraient à merveille combien les gens étaient désireux de fuir le communisme.

Mais les Berlinois ont une autre vision des choses. Le silence assourdissant des États-Unis sent la défaite. La défaite pour l'Ouest.

Willy Brandt, maire de Berlin-Ouest, adresse une lettre furieuse à Kennedy, lui reproche d'avoir sapé le moral des habitants et encouragé les autorités est-allemandes par son silence. Puis, à l'hôtel de ville, Willy Brandt prononce un impressionnant discours devant des milliers de Berlinois de l'Ouest, décrivant le mur comme *die Schandmauer*,

« le mur de la honte », disant que « Berlin attend plus que des paroles. Berlin attend une action politique ! »

Des Berlinois vont jusqu'à envoyer des parapluies noirs à la Maison Blanche, référence au parapluie que portait Chamberlain après avoir apaisé Hitler – un symbole de faiblesse.

Kennedy finit par charger un conseiller d'éplucher les dossiers du ministère des Affaires étrangères pour y chercher des idées. Le conseiller trouve un dossier à l'air prometteur, intitulé « Division de Berlin ». Il est vide. « Pourquoi, demande le président Kennedy, avec tous ces plans d'urgence, n'en avez-vous jamais un pour ce qui se produit réellement[12] ? »

À Berlin, Walter Ulbricht patiente toujours. Lorsque vient le jeudi 17 août, cinq jours après ce que les Berlinois appellent maintenant « le dimanche des barbelés », il sait qu'il a suffisamment attendu. Si Kennedy n'a rien fait à l'heure qu'il est, il ne fera rien.

Dans la soirée, Ulbricht envoie des équipes d'ouvriers à la frontière avec des dizaines de milliers de blocs de béton. À l'aide de grues gigantesques, les ouvriers soulèvent des camions les éléments de béton préfabriqué grands d'un mètre, puis les déposent sur la ligne de séparation, où des maçons les joignent avec du mortier qui coule goutte à goutte le long des bords[13].

Tandis qu'ils édifient ce nouveau mur de béton, des milliers de soldats américains les regardent. Ils se tiennent là, silencieux, impuissants, ayant reçu l'ordre de ne pas intervenir. Les ouvriers posent bloc après bloc, nombre d'entre eux horrifiés par ce qu'ils sont en train de faire. Car ils construisent les murs de leur propre prison.

Au bout d'un temps, l'un des ouvriers est-allemands se hasarde à interpeller un officier de la police militaire américaine. « Lieutenant ! dit-il. Regardez comme je travaille lentement ! Qu'attendez-vous ?[14] » Un policier est-allemand renchérit, disant aux Américains que son arme n'est pas chargée. Les deux Allemands de l'Est veulent bel et bien que les Américains les empêchent de poursuivre leur tâche. L'officier américain transmet l'information à ses supérieurs.

La réponse arrive : ne faites rien.

Pendant que les ouvriers assemblent les blocs, à Washington, Kennedy réfléchit encore. S'il envoie des chars vers la barrière, il risque de provoquer une guerre terrestre dont il sait que l'Ouest la perdra. Et il n'est pas prêt à brandir la menace nucléaire à propos de ce qui est qualifié, dans sa note de synthèse quotidienne ultra-secrète, de simples « nouvelles restrictions de circulation à Berlin ». Alors qu'il hésite, Edward R. Murrow, un journaliste américain chevronné qu'il admire, et qui se trouvait à Berlin le jour de l'installation des barbelés, écrit au président. Il compare la clôture d'Ulbricht à l'occupation de la Rhénanie par Hitler en 1936 et dit à Kennedy qu'il doit faire quelque chose.

Six jours après l'édification de la barrière, Kennedy agit enfin. Il envoie son vice-président, Lyndon B. Johnson, à Berlin. Mais c'est trop peu, trop tard.

Johnson, quand il arrive, découvre un immense mur de béton qui s'étend à travers la ville. La chose est évidente pour tous ceux qui le voient : Berlin est désormais divisée.

Voici l'un des plus gros points d'interrogation du XXe siècle : et si Kennedy et l'Ouest avaient fait davantage ? Au fond, en dressant cette clôture, Walter Ulbricht avait enfreint l'accord d'après guerre que les États-Unis avaient signé avec l'Union soviétique. Kennedy était parfaitement en droit de riposter[15].

Et si Kennedy avait au moins posté des chars devant les barbelés ? Si les Britanniques avaient envoyé des troupes ? Walter Ulbricht aurait-il bâti son mur en béton ? Le diplomate américain le plus expérimenté à Berlin, le général Clay, pensait que non. « Je ne crois pas que nous aurions dû entrer en guerre pour empêcher la création du mur », écrivit-il à Kennedy dans une lettre postérieure au bétonnage, toutefois « nous aurions pu parcourir la zone frontalière à des endroits choisis avec des camions militaires non armés ; cette action limitée aurait été susceptible d'éviter le mur »[16].

À présent, il est trop tard. Un énorme mur gris traverse une large partie de Berlin, entoure la vieille ville à l'est, puis longe les quartiers de Wedding, Moabit et Tiergarten à l'ouest, jusqu'au cours de la Spree. Comparé aux autres murs historiques, le mur de Berlin des débuts est très médiocre, une honte pour le génie de la construction. Un spectateur dit qu'il donne l'impression d'avoir été assemblé par « des tailleurs de pierre ivres[17] ». Mais il est unique à un égard : dans l'histoire, la plupart des murs ont été construits pour maintenir des ennemis à l'extérieur. Celui-ci est l'un des seuls érigés pour retenir des gens à l'intérieur.

Lorsque les barbelés sont apparus, la majorité des gens les ont décrits comme une barrière. Dorénavant, on l'appellera « le Mur ». Et quiconque voudra s'échapper devra trouver un moyen par lequel le franchir.

15

LA VALLÉE DES IGNORANTS

Septembre 1961

Joachim ouvre la fenêtre et regarde dehors. L'Elbe coule plus bas ; le soleil matinal éclatant brille sur l'eau, des arbres d'un vert délicieux couvrent les berges. Cela fait un mois que Joachim est rentré du camping et qu'il a découvert les barbelés. Il est maintenant de retour à l'université de Dresde, à deux heures de voiture au sud de la capitale.

Regardant par-dessus les toits, il se sent loin de Berlin et de son Mur, assez loin pour pouvoir presque l'ignorer. Presque. Bien qu'il ait vu des photos du nouveau mur en béton et qu'il sache à quel point ce serait difficile de le franchir, il s'imagine de temps en temps vivre de l'autre côté. Il pourrait étudier la matière qui lui plaît, l'ingénierie, plutôt que les transports, qui ne l'intéressent pas. Malgré ses excellents résultats scolaires, à cause de son dossier socialiste insuffisant (le fait qu'il ne soit pas membre de la jeunesse allemande libre, en particulier), il n'a pas eu la permission d'étudier ce qu'il voulait[1]. Il sait qu'il n'arrivera jamais à grand-chose en Allemagne de l'Est. C'est le lot des gens comme lui.

Et il a entendu les rumeurs : le parti s'en prend à ceux qui ont passé du temps à Berlin-Ouest avant l'érection du Mur. Comme par vengeance, le parti a en effet envoyé les *Grenzgänger*[2] – les gens qui habitaient à l'Est mais travaillaient à l'Ouest – travailler dans les usines, dit aux professeurs qui avaient exercé leur métier dans des établissements de Berlin-Ouest qu'ils ne pourraient plus jamais enseigner, et exclu des universités de l'Est les étudiants auparavant inscrits à Berlin-Ouest, les contraignant à de basses besognes en usine. Maintenant que le Mur était là pour encager la population, le SED n'avait plus autant besoin de s'évertuer à conquérir les cœurs. Même si le parti s'était toujours montré très dur envers quiconque le critiquait, le nombre de militants politiques arrêtés monta en flèche après la construction du Mur. Durant le premier semestre 1961, mille cinq cents Allemands de l'Est furent appréhendés pour crimes politiques. Au cours du second, il y en eut presque cinq fois plus : sept mille deux cents[3].

Outre les arrestations, le parti inventait sa propre version de l'histoire du Mur. Au début, ce mot-là ne fut jamais employé. Dans des articles publiés par le journal du parti, *Neues Deutschland*, Ulbricht l'appela *der antifaschistischer Schutzwall*, « le rempart antifasciste »[4]. Ce n'était pas un mur pour retenir les citoyens à l'intérieur, écrivait Ulbricht ; il était destiné à maintenir les indésirables dehors, à protéger les Allemands de l'Est contre « la vermine, les espions, les saboteurs, les trafiquants d'êtres humains, les prostituées, les adolescents hooligans trop gâtés [qui] sucent le sang de notre [...] république telles des sangsues fixées sur un corps vigoureux ».

Dans son récit mensonger, Ulbricht était le protecteur de l'Allemagne de l'Est, car celle-ci était sous la menace constante de l'Ouest. Le parti alla jusqu'à financer un film diffusé peu après l'édification du Mur, au titre étrangement semblable à celui d'un livre sorti en 1960, écrit par Ian Fleming, *For Your Eyes Only*. Dans le film est-allemand, *For Eyes Only*, un espion de RDA découvre un complot américain visant à envahir son pays. Le message des journaux d'État, de la télévision et du film était clair : l'Allemagne de l'Ouest grouille d'individus malfaisants et seul le Mur peut vous en préserver.

Alors que certains fidèles du parti gobaient cette histoire fallacieuse et se sentaient bel et bien protégés, la majorité des gens n'y croyaient pas. Ils avaient vu les Vopos patrouiller sur la frontière avec leurs casques et leurs hautes bottes noires, et avaient remarqué que leurs kalachnikovs ne pointaient pas vers les « hooligans et saboteurs » de l'Ouest. Leurs armes étaient tournées vers eux, les Allemands de l'Est.

Les choses changeaient. Vite. Dans cette ville nouvellement divisée, chacun choisissait son camp et, même si Joachim avait résolu de rester, il n'était pas sûr que ce soit la bonne décision. Il venait d'apprendre que le parti avait institué la conscription forcée : avec un mur aussi long à protéger, il fallait plus de Vopos, et on lui avait dit qu'il devrait bientôt s'engager. Joachim s'imagine en train de patrouiller le long du Mur, kalachnikov prête à faire feu, avec l'ordre de tirer sur toute personne tentant de s'échapper. Cette idée l'horrifie.

Jusqu'à présent, sa seule expérience militaire a consisté en deux périodes obligatoires parmi les réservistes les deux étés précédents. Il avait passé des heures à marcher au pas lors des exercices et à courir en tous sens pendant les manœuvres sur le terrain. Étant un champion en technologie, il avait été placé dans le groupe des télécommunications, son sac à dos rempli de radios. Vêtu d'un uniforme kaki, casque de métal tremblant sur la tête, masque à gaz devant le visage, Joachim fuyait d'imaginaires soldats étrangers, se jetait au sol pour éviter un avion fictif, se relevait et se jetait de nouveau à terre, et encore, et encore, au point d'avoir mal partout. Il avait détesté ça et eu de grosses disputes avec des officiers supérieurs. Il avait toujours obéi, mais il trouvait plus difficile de tenir sa langue. Son meilleur ami, Manfred, devenait encore plus belliqueux : il avait récemment refusé de prêter le serment d'allégeance et avait été chassé de l'université.

Joachim promène son regard sur Dresde, la vallée de l'Elbe. *Das Tal der Ahnungslosen*, la surnomme-t-on – « la vallée des ignorants ». Car à Dresde, contrairement à Berlin-Est, il est presque impossible de capter un signal venu d'Allemagne de l'Ouest. Les habitants sont limités à la Deutscher Fernsehfunk, l'unique chaîne de télévision est-allemande, célèbre pour son émission hebdomadaire *Der schwarze Kanal* – « le canal noir »[5]. Elle commence par un thème électro-pop qui évoque la tonalité de l'Internet des années 1990 ; puis, après une séquence de titre où figure un aigle, un homme dodu portant d'énormes lunettes aux verres épais, vêtu d'un costume et d'une cravate ternes, apparaît. Il s'appelle Karl-Eduard von Schnitzler et il est là pour mettre les gens en garde contre les eaux usées nocives qui se déversent depuis l'Ouest par ses chaînes de télévision. D'où le titre, le canal noir, nom que les plombiers allemands donnent aux égouts. Karl-Eduard von Schnitzler sélectionne des extraits de la télévision ouest-allemande et explique d'un ton affable pourquoi ce ne sont que des saletés. Avec un si long temps d'antenne, il est maintenant le visage du parti, et tous ceux qui détestent le parti le détestent désormais autant que Walter Ulbricht.

La seule façon pour les gens de Dresde d'échapper à von Schnitzler et à la télévision est-allemande était de grimper sur leur toit et de tourner leur antenne vers l'Ouest. Mais c'était dangereux. Ulbricht était déterminé à empêcher la population d'écouter les informations de l'Ouest ; il avait conscience que la télévision était un puissant outil de propagande. Son parti essayait de brouiller le signal, mais les gens le trouvaient quand même. Il avait donc rendu délictueuse l'écoute d'informations de l'Ouest : toute personne prise sur le fait encourait une amende ou une arrestation. Et le parti avait toujours des moyens de savoir. Si des élèves dessinaient les logos des chaînes d'informations télévisuelles de l'Ouest, les enseignants le signalaient et leurs parents pouvaient être arrêtés. À Dresde, des informateurs de la Stasi se postaient aux fenêtres et scrutaient la ligne des toits aux jumelles à la recherche d'antennes tournées vers la RFA. Les yeux fixés sur ces antennes, pensant aux gens qui risquent la prison parce qu'ils regardent la télévision de l'autre côté de la frontière, Joachim réfléchit aux années à venir et se demande s'il peut encore courber la tête alors que le parti devient toujours plus dominateur et le prive de ses choix, les uns après les autres.

Il empoigne son sac et part pour son premier cours de la journée. Il marche d'abord jusqu'au kiosque, où il prend un journal. Et là, en première page, il l'aperçoit : l'article qui change tout. C'est la liste complète des habitants de Dresde surpris à pointer leur antenne vers l'Allemagne de l'Ouest, avec une photo de leur appartement. Joachim n'avait jamais rien vu de pareil et, tandis qu'il tient le journal, il sent la colère monter en lui. Il se voit, jeune homme de vingt-deux ans avec toute la vie devant lui, installé dans un pays où l'on ne peut ni dire ce qu'on veut, ni penser ce qu'on veut, ni regarder ce qu'on veut. Tout ce à quoi il s'est habitué – les compromis, les règles tacites – lui saute maintenant aux yeux et, redécouvrant sa vie d'un œil neuf, Joachim n'aime pas le tableau qui apparaît. Un tableau privé de couleur.

Chacun a ses points de rupture, et c'est là le sien. Ainsi le Mur impose-t-il une décision à Joachim, comme il l'a fait pour d'autres : des gens qui pensaient pouvoir tenir le coup s'ils restaient discrets firent de nouveaux calculs. À travers l'Allemagne de l'Est, dans l'ombre du Mur, des prises de conscience émergent : des adolescents qui savent que l'armée va bientôt les appeler, des filles qui veulent sentir de nouveau les bras de leurs mères autour d'elles, des agriculteurs qui veulent être en mesure de vivre grâce à leurs propres terres, des médecins qui veulent une vraie carrière – tous expriment les mêmes craintes, et arrivent à cette conclusion à laquelle aboutissent fréquemment les gens partout dans le monde, chaque fois que le lieu où ils vivent devient impossible à supporter.

Ils décident de partir.

16

JUMELLES

Joachim entend des pas dans l'escalier. C'est Manfred, qui vient pour leurs préparatifs du matin : tous deux ont décidé de s'enfuir ensemble et ils doivent trouver une issue qui ne leur vaudra pas la mort[1]. Ils se sont renseignés sur les évasions à la frontière, ils savent que des gens ont sauté par-dessus les barbelés, mais franchir le nouveau mur en béton est une autre affaire.

Ils ont lu des descriptions de tentatives réussies : il y eut un livreur qui fonça à travers le mur avec sa camionnette, un couple et son bébé qui fracassèrent le mur dans un tombereau de sept tonnes rempli de gravier[2]. Mais, à chaque évasion, les Vopos avaient gagné en habileté : ils avaient bouché les trous dans le mur, ajouté des miradors, des sentiers pour chiens, des fossés antivéhicules, puis créé un no man's land, une bande de terrain longeant le côté est du Mur. C'était à la faveur de la nuit que la plupart tentaient leur chance ; des projecteurs balayaient le Mur, puis s'élevaient les cris et les hurlements de gens qui disparaissaient dans les ténèbres.

Certaines des évasions les plus extraordinaires se produisaient dans une rue longue de un kilomètre et demi, la Bernauer Strasse, désormais célèbre dans le monde entier puisque le Mur passait au beau milieu. Les espaces d'habitation des maisons étaient à l'Est, les trottoirs à l'Ouest. Il suffisait donc aux habitants d'ouvrir leur porte et de s'en aller. Alors, les Vopos arrivèrent, expulsèrent des milliers d'entre eux sous la menace de leurs armes, puis murèrent portes et fenêtres.

Seule une poignée d'habitants fut autorisée à rester, ceux qui logeaient dans les étages supérieurs. Leurs fenêtres donnaient sur Berlin-Ouest et ils faisaient signe à des membres de la famille ou à des amis sur le trottoir, lançaient des mots manuscrits et des cadeaux. Un après-midi, une mariée en robe de dentelle blanche et son futur époux s'arrêtèrent sur le trottoir et les parents de la jeune femme, qui regardaient par la fenêtre en contre-haut, firent descendre vers le couple des fleurs dans une corbeille. Il y avait aussi des adolescents qui apparaissaient aux fenêtres, tenant des pancartes pour leurs petites amies à Berlin-Ouest, et des parents qui montraient des bébés nouveau-nés à leurs grands-parents.

Mais bientôt, tout cela fut interdit. Walter Ulbricht promulgua de nouvelles règles qui criminalisaient n'importe quel genre de contact par-dessus le Mur, y compris les conversations et les gestes de la main, et l'existence dans ces appartements s'assombrit encore. Tandis que les garde-frontières patrouillaient le long des immeubles, surveillant ce que faisaient les gens à leurs fenêtres, ceux qui se trouvaient à l'intérieur se désespéraient de plus en plus, au point de décider que s'ils ne pouvaient pas fuir par la porte d'entrée, ils prendraient un autre chemin.

Des fenêtres s'ouvraient aux troisième et quatrième étages, des fenêtres qui n'avaient pas été murées parce que les garde-frontières pensaient que nul ne serait assez fou pour s'évader par là, et des silhouettes se découpaient dans l'embrasure. Chancelant sur le rebord, certains descendaient le long de draps noués, d'autres se jetaient dans le vide avec l'espoir que des gens sur le trottoir les rattraperaient. Parfois, des morceaux de papier voletaient depuis les fenêtres, avec un numéro d'étage, un numéro de fenêtre et une date griffonnés dessus. Le jour convenu, à l'heure convenue, des pompiers de Berlin-Ouest se regroupaient sous la fenêtre et tendaient une solide bâche prête à recevoir la personne qui sautait.

Frieda Schulze, âgée de soixante-dix-sept ans, décida de sauter le 24 septembre. Ce jour-là, elle lança quelques biens précieux, dont son chat, par la fenêtre, puis grimpa sur le rebord. Des équipes de journalistes de l'Ouest filmaient la scène et, sur les images, on voit Frieda vêtue d'une longue robe noire suspendue à sa fenêtre, ses cheveux blancs et courts brillant au soleil.

Et subitement, on aperçoit deux bras qui la saisissent depuis l'intérieur. Des garde-frontières ont pénétré dans l'appartement de la vieille dame et ils lui tirent les bras, essaient de la ramener vers eux, tandis que des gens dans la rue au-dessous bondissent et lui empoignent les jambes.

L'Est et l'Ouest se disputent une femme.

Au bout d'un moment, une chaussure de Frieda tombe et elle-même pend par un seul bras, donnant l'impression que son corps va se briser. Un garde-frontière envoie une bombe lacrymogène vers les gens en dessous, mais ils ne renoncent pas. Suffoqués par le gaz, gorge brûlante, ils tirent sur les jambes de Frieda, de plus en plus fort, jusqu'à ce que son bras se libère soudain et qu'elle tombe dans la bâche, sous les hourras et les bravos. Les garde-frontières quittent la fenêtre. Ils ont perdu cette fugitive-là.

La Bernauer Strasse fut aussi le théâtre de la première mort enregistrée près du Mur. Ida Siekmann vivait dans un appartement de cette rue ; elle avait cinquante-huit ans et, avant la construction du Mur, elle allait une fois par semaine à l'Ouest rendre visite à sa sœur. Des photos montrent une femme au visage doux, rebondi, sans rien d'anguleux. Après l'édification du Mur, Ida se trouva coupée de sa sœur. Elle savait qu'elle risquait de ne jamais la revoir. Le jour où les Vopos murèrent la porte de son immeuble, la situation devint intolérable. Ida jeta sa literie et quelques effets par sa fenêtre du troisième étage, puis sauta.

Il n'y avait pas de bâche.

Elle mourut en chemin pour l'hôpital, la veille de son anniversaire[3]. La police est-allemande consigna sa mort en quelques lignes, ajoutant que la tache de sang avait été recouverte de sable[4]. Quelques jours après, un monument de fortune apparut à l'endroit où Ida avait péri, son nom gravé dans un morceau de bois. À côté, une guirlande de fleurs.

Même s'ils rédigeaient de méticuleux rapports sur les tentatives d'évasion, les policiers essayaient de tenir les morts secrètes. Ils ne voulaient pas de cette mauvaise publicité, en particulier dès lors que les meurtres commencèrent. Le 22 août, le parti donna de nouvelles instructions aux garde-frontières : dorénavant, quiconque « violait les lois de la RDA pouvait être rappelé à l'ordre, si nécessaire par l'usage des armes »[5]. Si l'on vous surprenait en train de fuir, vous risquiez d'être abattu. Deux jours plus tard, les garde-frontières montrèrent qu'ils obéissaient aux instructions.

Günter Litfin était un tailleur de vingt-quatre ans aux yeux marron et aux abondants cheveux bruns et bouclés. Il habitait à Berlin-Est mais travaillait à l'Ouest comme costumier de théâtre. Il s'en sortait bien : il avait confectionné de beaux costumes pour certaines des plus grandes comédiennes de l'époque et il projetait de s'installer à Berlin-Ouest. Lorsque le Mur fut bâti, Günter perdit non seulement son travail, mais toute la vie qu'il avait construite.

Juste après seize heures, le 24 août, Günter se glissa jusqu'à la berge de la Spree. La rivière était une voie d'évasion bien connue : l'autre côté n'était qu'à trente mètres, et des centaines de gens s'étaient enfuies par là, notamment un couple qui avait réussi à traverser à la nage tout en poussant leur enfant de trois ans dans une baignoire.

Mais Günter fut moins chanceux. Les Trapos (la police des transports) le repérèrent avant même qu'il n'entre dans l'eau. Ils lui crièrent de s'arrêter, mais il continua de courir vers la jetée pendant les tirs de sommation. Bondissant dans l'eau, Günter nagea comme un forcené en direction de l'Ouest tandis que les Trapos tiraient avec leurs mitraillettes, les balles criblant l'eau. Il persévéra, et avait presque atteint l'autre berge lorsqu'une balle le toucha. Plongeant sous l'eau, Günter essaya de se cacher, mais il finit par être obligé de remonter à la surface et, à l'instant où il prit une respiration affolée et leva les mains dans un geste de quasi-reddition, un policier tira une dernière balle, qui lui troua l'arrière de la tête.

Günter coula. Son cadavre fut repêché trois heures plus tard. Entre-temps, des centaines de Berlinois de l'Ouest avaient appris ce qui se passait et s'étaient précipités vers la rivière, regardant en criant son corps être sorti de l'eau. Le lendemain, les journaux de Berlin-Ouest publièrent la nouvelle :

LES CHASSEURS D'HOMMES D'ULBRICHT
SONT DEVENUS DES ASSASSINS[6]

Le parti savait qu'il ne pouvait empêcher la diffusion de cette histoire à l'Est, mais il pouvait la manipuler. Il fit paraître un article dans son journal, *Neues Deutschland*, décrivant Günter comme un criminel homosexuel, puis se servit de son propagandiste préféré, Karl-Eduard von Schnitzler, présentateur du « canal noir », pour déprécier Günter à l'antenne. Quelques jours après, la police secrète fouilla l'appartement de sa mère et interrogea son frère, Jürgen, sans leur dire ce qui était arrivé. Ce fut par la télévision de Berlin-Ouest que sa famille découvrit le drame. Plusieurs centaines de personnes vinrent à son enterrement, des gens qui ne le connaissaient pas ; sous leurs yeux, Jürgen sauta dans la tombe et arracha le couvercle du cercueil pour voir Günter une dernière fois[7].

Le parti suivait la même procédure pour la plupart des morts à proximité du Mur. Il ne reconnut jamais sa politique de tirs destinés à tuer, si bien que ces morts étaient des événements délicats qu'il fallait gérer. Il autorisait rarement les familles à voir les corps, même s'il finançait parfois les obsèques, utilisant l'argent trouvé dans les poches du fugitif abattu. Ce n'était pas par charité mais parce que les enterrements étaient une excellente occasion de recueillir des informations. Pendant que la famille pleurait près de la tombe, la police secrète rôdait à l'arrière-plan et tentait de repérer de futurs fauteurs de troubles[8]. Les Vopos tués durant leur service bénéficiaient d'un tout autre traitement : ils avaient des funérailles avec les honneurs militaires, des rues et des écoles recevaient leurs noms. Mais les familles des gens tués en essayant de fuir imaginèrent bientôt leur propre façon d'exprimer leur chagrin : elles écrivaient les noms de leurs morts sur des morceaux de papier qu'elles fixaient aux barbelés, puis plantaient de petites croix blanches là où ils étaient tombés.

Joachim et Manfred ont vu ces petites croix blanches et savent que, si leur tentative tourne mal, il y en aura une pour eux. Ils doivent trouver une issue, et rapidement. C'est déjà la mi-septembre, un mois et quatre assassinats après l'installation de la clôture. Plus ils tarderont, plus leur projet deviendra difficile à réaliser.

Joachim se dirige vers la télévision et l'allume. Sur la chaîne ouest-berlinoise, une émission montre différentes sections de la frontière et met les téléspectateurs au courant des lieux sur le point d'être fermés. C'est ainsi que Joachim et Manfred commencent leur recherche matinale quotidienne : assis tout près du poste, ils regardent très attentivement l'émission, guettant un endroit où ils pourraient passer discrètement à l'Ouest. Quand ils voient quelque chose d'intéressant, ils entourent le nom de la rue ou de la place sur les plans étalés devant eux. Mais, au fil des jours, le nombre d'endroits diminue, à mesure que de nouveaux barrages sont érigés, de nouvelles parties de la frontière interdites d'accès.

Le lendemain, Joachim et Manfred enfourchent leurs vélos et roulent jusqu'aux lieux qu'ils ont identifiés afin de les examiner : des coins tranquilles de Berlin-Est, des endroits où ils pensent pouvoir passer furtivement. Mais aucun ne paraît sûr, il y a trop de Vopos alentour. Et ils ne peuvent pas traverser la rivière à la nage, car les Vopos ont déroulé des barbelés sous l'eau.

À leur retour, ils se penchent de nouveau sur les plans. Joachim suit des yeux les rues, les places et les voies ferrées, en quête d'inspiration. Alors, une idée lui vient : jusqu'à présent ils ont cherché des itinéraires d'évasion à l'intérieur de Berlin-Est, mais il y a peut-être de meilleures chances de s'enfuir à l'extérieur de la ville.

Lorsqu'ils partent à nouveau en reconnaissance, ils laissent Berlin-Est derrière eux pour rouler dans la campagne. Ils arrivent à un petit village composé d'un groupe de maisons. Tout au bout, il y a un panneau :

GRENZGEBIET ! BETRETEN VERBOTEN !
ZONE FRONTALIÈRE ! DÉFENSE D'ENTRER !

C'est prometteur. Contournant le panneau, ils atteignent un champ qui descend, puis remonte au loin. Dans la partie de ce champ la plus éloignée, ils voient de petits points bouger. Des vaches ? Manfred sort une paire de jumelles, regarde et arbore un large sourire. « Des tracteurs ! »

Il inspecte leurs roues, leurs portières, leur peinture, et pour lui, formé à la mécanique pendant son service militaire, c'est une évidence. « Des tracteurs ouest-allemands ! »

S'ils peuvent atteindre ce champ, ils réussiront. Manfred promène ses jumelles sur l'horizon. Ils ont besoin de savoir ce qu'il y a d'autre là-bas, ce dont il faut se méfier. Dans le voisinage des tracteurs, se trouve une ligne d'arbres. Des bottes de foin. Des vaches. Une étable. Puis, soudain : une masse de béton gris. Manfred a un mouvement de recul, il tourne la molette avec le doigt, essaie de régler la netteté… À cet instant, il comprend ce qu'il regarde : une tour de guet.

Levant ses jumelles avec lenteur, effrayé par ce qu'il pourrait découvrir, Manfred plisse les yeux derrière les lentilles et monte, monte jusqu'à apercevoir une fenêtre. Il règle à nouveau la netteté avec la molette, et c'est alors qu'il les distingue : deux yeux braqués droit sur lui à travers une paire de jumelles.

Un garde-frontière.

Sautant sur leurs vélos, le cœur cognant dans la poitrine, Manfred et Joachim contournent le panneau à toute vitesse, rejoignent la route, s'attendent à un bruit – un véhicule envoyé pour les intercepter ou un tir de sommation – et jettent des coups d'œil incessants en arrière pour voir s'ils sont suivis, mais non. Ils rentrent chez eux quelques heures plus tard.

Ce soir-là, ils décident que ce champ avec sa tour de guet est leur meilleure chance. C'est trop dangereux de continuer les sorties en reconnaissance et il n'y aura jamais de voie d'évasion parfaite. Ils se disposent à partir, réfléchissent à ceux qu'ils doivent avertir, ce qu'ils doivent emporter. Puis ils attendent. Il leur faut une nuit très sombre, c'est la seule manière de dépasser cette tour de guet.

Et donc, pour la troisième fois de sa jeune existence, Joachim prépare sa fuite.

17

LA TOUR DE GUET

C'est le crépuscule du 28 septembre, deux semaines après cette reconnaissance. Joachim et Manfred boivent au pub avec des amis et, lorsqu'ils s'en vont, Joachim lève la tête vers le ciel. « Oh, regarde ! Les nuages s'amoncellent[1]. »

Il sait que l'heure est venue.

Chez lui, il se change, met deux pantalons l'un par-dessus l'autre, trois pulls et un manteau doublé – des vêtements pour son premier hiver à Berlin-Ouest. Puis il place quelques affaires dans un sac en plastique : ses attestations de diplômes, son certificat de naissance, sa carte d'identité. Il fait tout cela en secret, n'en parle ni à sa mère ni à sa sœur ; ce chemin d'évasion est trop périlleux pour elles, il ne veut rien révéler qui pourrait leur attirer des ennuis quand la police viendra. Si sa mère a des soupçons en raison de toute son activité dans les semaines précédentes, elle garde le silence. Elle a appris qu'il y a des choses qu'il vaut mieux ne pas savoir.

Un ami emmène en voiture Joachim et Manfred dans la campagne, les dépose juste derrière le panneau de défense d'entrer. Ils avancent à pas de loup en direction du champ, se couchent dans l'herbe et attendent que leurs yeux s'habituent à l'obscurité. Ils ont bien choisi leur nuit : les ténèbres sont denses, les nuages qui filent au-dessus de leurs têtes cachent la lune et les étoiles. Les Vopos ne les repéreront pas facilement. L'inconvénient, c'est que Joachim et Manfred voient à peine où ils vont.

Alors qu'ils descendent la pente, ils ne distinguent rien au-delà de dix mètres, et ils ne font que penser à cette tour de guet. S'accroupissant, l'un surveille tandis que l'autre progresse à quatre pattes, et vice versa – leur entraînement militaire s'avère utile, au bout du compte –, et ce jusqu'à ce qu'ils atteignent enfin le bas du champ, leurs vêtements imbibés de rosée.

Joachim regarde sa montre : trois heures du matin. Cela fait quatre heures qu'ils rampent.

La nuit est tranquille. Joachim n'entend que son propre souffle. Tendant ses mains devant lui, il fouille la végétation à la recherche de ce qui doit être là, et frissonne de peur lorsqu'il ne les trouve pas. « Les barbelés – où sont-ils ? »

Il s'attend à quelque chose pour marquer la frontière, une clôture, du fil de fer barbelé, bref quelque chose pour indiquer qu'ils passent à l'Ouest, mais il ne trouve rien. Uniquement des ronces et des buissons. Et... de l'eau. Joachim y pose doucement un pied. C'est une rivière ; peut-être que la frontière est juste au-delà. Il met son autre pied dans l'eau, puis *VLAN ! VLAN ! VLAN ! VLAN !* Un bruit assourdissant éclate, qui ressemble à une explosion ou à un tir de mitrailleuse, mais il en voit soudain la cause : des centaines d'oies sauvages s'envolent dans la nuit, tournoient et planent dans le ciel, le battement de leurs ailes produit un vacarme terrible, si retentissant que Joachim et Manfred sont certains que les garde-frontières dans la tour de guet l'entendront.

Scrutant l'obscurité, le cœur battant à tout rompre, Joachim cherche à discerner le moindre mouvement. Il ne voit que les silhouettes des arbres ; derrière n'importe lequel d'entre eux, un Vopo pourrait se cacher. Il fait trop noir pour qu'ils sachent s'ils sont seuls, mais ils sont déjà trop loin pour revenir en arrière. Joachim s'avance donc dans la rivière, la froideur de l'eau lui coupant le souffle. Manfred et lui entreprennent la traversée à gué, sans connaître la profondeur de la rivière. Ils lèvent leurs sacs tandis qu'ils se fraient un chemin dans l'eau et, à leur grand soulagement, au moment où elle leur arrive aux cuisses, le sol remonte. Ils se hissent sur la berge et se mettent à courir, le dos courbé, les muscles des jambes tremblants, leurs pantalons mouillés fouettant leurs mollets. Ils ne savent pas vers quoi ils courent, ils ne voient pas les tracteurs, ne voient presque rien, mais ils courent, courent, courent jusqu'à ce que le jour commence enfin à poindre.

Dans la lueur de l'aube, un sentier de gravier apparaît, bordé d'arbres. Instinctivement, ils le rejoignent, le suivent à pas lourds et, bientôt, dans la brume rose, se dessine un groupe de bâtiments. Quand ils atteignent le premier, Joachim aperçoit une lumière bleue qui brille à une fenêtre. Une caserne de pompiers ? se demande-t-il.

Il n'a pas le temps de se livrer davantage aux suppositions : lorsqu'il lance un coup d'œil par la fenêtre ouverte, il constate qu'il regarde le contour d'une tête d'homme, un homme endormi, le menton calé sur les mains. C'est seulement à cet instant que Joachim prend conscience qu'il ignore de quel côté ils se trouvent, s'ils ont atteint l'Ouest ou s'ils sont encore à l'Est, si l'homme devant eux est un Vopo.

Quelque part dans le brouillard de ses rêves, l'homme a dû entendre un son, car le voici qui ouvre les yeux. Éberlué, il se ressaisit vite et, tandis que les poils se dressent sur la nuque de Joachim, l'homme se penche vers eux.

« Eh bien, les garçons, d'où êtes-vous venus en pleine nuit ? »

18

LE CAMP

Ils bredouillent, ne sachant que dire.

L'homme les dévisage, un sourire joueur sur les lèvres. « Les garçons, arrêtez de chercher une réponse. Je sais exactement d'où vous venez. Deux gars comme vous sont arrivés ici avant-hier. Ils s'étaient échappés aussi. Félicitations, vous avez réussi ! »

Joachim tombe dans les bras de Manfred et ils s'effondrent à terre de soulagement. Étendu là, Joachim s'aperçoit que son cœur paraît léger, comme s'il avait été délivré d'un poids[1].

Ils lèvent les yeux et lisent les mots sur la banderole, loin au-dessus d'eux :

DIE FREIE WELT HEISST SIE WILLKOMMEN ![2]
LE MONDE LIBRE VOUS SOUHAITE
LA BIENVENUE !

C'est l'entrée du camp de réfugiés de Marienfelde, dans le secteur américain de Berlin-Ouest. L'endroit où tous les gens qui s'enfuient à Berlin-Ouest viennent après avoir franchi la frontière. En effet, même s'ils n'ont parcouru qu'une poignée de kilomètres pour gagner l'autre côté de la ville, c'est ce qu'ils sont désormais : des réfugiés.

Il est maintenant huit heures du matin, et les deux amis sont fatigués, mouillés et transis de froid. Ils aimeraient des vêtements chauds, un repas et un lit, mais ils doivent rejoindre la file des réfugiés qui attendent que le personnel du camp (principalement des dames de charité et des épouses de soldats de l'Ouest) s'occupe d'eux. Il y a ici vingt-cinq immeubles d'habitation, hauts de trois étages, et la plupart sont pleins en raison de l'afflux de gens dans les mois qui ont précédé la construction du Mur. Ils ont été jusqu'à deux mille par jour à cette période: des agriculteurs, des enseignants, des médecins, des ouvriers, des parents, des enfants en pleurs, des grands-parents.

Cachés au milieu d'eux, il y a des espions envoyés par le parti pour découvrir ce qui se passe à l'Ouest. Ils sont très nombreux ici, de même que les agents de la CIA américaine et du MI6 britannique, prêts à interroger les arrivants et à tirer d'eux des informations sur l'Allemagne de l'Est. Avec la menace de guerre atomique, l'Ouest et l'Union soviétique veulent absolument en connaître plus l'un sur l'autre: forces militaires, armes, possibles plans d'attaque. Mais comme le monde est découpé en deux blocs, il est presque impossible d'introduire des espions sur le territoire adverse... sauf à un endroit: Berlin. Soixante-dix agences de renseignements opèrent dans la ville[3]. Toutes recrutent et instruisent des informateurs, affectent des postes d'écoute et des zones de largage, puis envoient leurs espions à l'Est ou à l'Ouest. Cependant, depuis que le Mur existe, Berlin-Ouest ne reçoit plus beaucoup d'informations: il est devenu plus difficile pour les espions d'entrer dans Berlin-Est et d'en ressortir; en outre, le nombre de fugitifs décroît. Quiconque réussit à traverser est une précieuse ressource.

Joachim se trouve maintenant en tête de file. Il donne son nom et son âge, puis un homme l'entraîne dans un couloir jusqu'à une petite pièce. À l'intérieur, un homme en pantalon noir et chemise blanche impeccable est assis à un bureau.

« Comment êtes-vous arrivé ici ? » demande-t-il, sans se présenter, lorsque Joachim s'assoit face à lui. Joachim est intrigué : cet homme parle allemand à la perfection, mais avec un léger accent.

Il raconte son histoire, explique qu'il a grandi à l'Est et qu'il voulait partir.

« Et que faisiez-vous avant votre départ ? »

Le revoici, cet accent, ce parfum d'étranger. *Un Américain ? La CIA ?*

Il a deviné juste. La CIA vient de prendre l'initiative de placer des officiers germanophones dans le camp pour interroger tous les nouveaux venus. Joachim décrit sa fuite à l'officier de la CIA : le champ, la rivière, la tour de guet. L'homme a un air d'ennui ; il a entendu cent fois ces histoires d'évasion. Puis, lorsqu'il demande à Joachim ce qu'il faisait quand il vivait à l'Est, celui-ci parle de ses cours à l'université avant d'ajouter : « Il y a aussi eu mes périodes à l'armée parmi les réservistes. »

Le gars de la CIA lève les yeux. « Quelle unité ?

— De Torgelow, dans le Mecklembourg. »

L'officier de renseignements semble désormais intéressé : voici quelqu'un qui s'est trouvé récemment dans l'armée est-allemande. Il sait peut-être des choses, même minimes, susceptibles d'être utiles. L'officier se lève, marche vers le fond de la pièce. « Quelle compagnie militaire était-ce ?

— Les télécommunications, répond Joachim. La division de l'information. »

L'Américain s'approche d'un gros meuble métallique et ouvre le tiroir du haut. Une rangée de fiches bien alignées apparaît. Il en sort une. « Le chef de compagnie dans cette unité est-il toujours le lieutenant Schmidt ? »

Joachim est impressionné : l'homme de la CIA connaît les noms de tous les officiers supérieurs de l'unité dans laquelle il a reçu son instruction militaire, bien que leurs grades ne soient plus d'actualité.

« Il est désormais commandant », répond-il, se sentant utile.

L'Américain le regarde et sourit pour la première fois. « Il y a une maison pas loin d'ici. Nous pouvons vous y loger durant quelques jours. La nourriture est meilleure là-bas. Vous aurez une pièce à vous, un endroit où dormir. Je vous poserai juste quelques questions supplémentaires. »

Joachim refuse, il veut aller retrouver son oncle et sa tante à Berlin-Ouest, mais l'officier de la CIA est convaincant, il le met dans une voiture et l'emmène, avec son sac en plastique et ses vêtements mouillés, jusqu'à une petite maison à Grunewald, une zone boisée dans l'extrême ouest de Berlin.

Joachim ne sait pas pourquoi il est ici, quel est ce lieu entouré de pins, mais il y a un lit où dormir et, pour l'instant, cela lui suffit. Il s'écroule dedans, bientôt ses yeux se ferment, sa respiration ralentit, et il dort enfin. Sa première nuit à Berlin-Ouest.

Le lendemain, à son réveil, il sent une odeur de pain grillé. Au rez-de-chaussée, le petit déjeuner est servi sur une petite table ; un homme et deux enfants y sont assis en silence. Plus tard, Joachim découvrira que l'appartement est un lieu sûr de la CIA, l'homme attablé un haut fonctionnaire de Berlin-Est qui est passé à l'Ouest, mais, ce matin, il s'en soucie peu. Son attention est attirée par ce qui se trouve sur la table : une magnifique abondance de céréales, de pain et de confiture. Prenant une tartine, Joachim la beurre, étale dessus une confiture inconnue, mord dedans...

Tout fond à l'intérieur de lui.

C'est de la marmelade, mais elle ne ressemble à rien de ce qu'il a pu goûter jusqu'à présent. Il prend une deuxième bouchée. C'est de l'ananas, lui dit l'homme. Joachim n'en a jamais mangé – il n'avait vu des ananas que sur des photos. Le voici en train de manger une version sucrée, collante, de ce fruit rare, et il est conquis. Il en mange au petit déjeuner, au déjeuner aussi, au dîner encore, il répond à quelques questions supplémentaires, puis va se coucher, et rêve de marmelade.

19

L'ESPION

29 septembre 1961

Pendant que Joachim dort, à quelques kilomètres de là, un coiffeur nommé Siegfried fait la queue à un poste de contrôle, attendant de pouvoir entrer dans Berlin-Est. Siegfried serre fortement son sac contre lui avec l'espoir de passer sans attirer l'attention. Autour de lui, les trains sifflent et grincent, les sons sont amplifiés par la couverture métallique de la gare de la Friedrichstrasse et tournoient dans le labyrinthe des quais[1].

La Friedrichstrasse est le point de passage le plus emprunté entre Berlin-Ouest et Berlin-Est. Par une bizarrerie des règles est-allemandes, les autorités permettent aux titulaires d'un passeport ouest-allemand de se rendre à Berlin-Est pour aller voir des amis ou de la famille. Leur visite terminée, ils doivent regagner Berlin-Ouest. Des Vopos patrouillent sur les quais, mitraillettes en main, et observent les gens qui se dirigent vers le poste-frontière jouxtant la gare, un immense espace surnommé *Tränenpalast*, le « palais des larmes ». Car c'est ici que les visiteurs disent au revoir aux gens coincés à l'Est – des femmes laissent leurs maris, des frères leurs sœurs, des mères leurs filles. Sous le haut plafond de verre trapézoïdal, les petites silhouettes des gens qui veulent traverser sont canalisées dans d'étroites cabines où ont lieu les contrôles de sécurité.

Siegfried se tient dans la file, son sac alourdi par un contenu prohibé. Lorsque c'est son tour, il se faufile dans l'étroite cabine. Au Trapo (membre de la police des transports) en uniforme vert qui surveille derrière la vitre, Siegfried présente son passeport ouest-allemand, puis attend, comme tous, la sonnerie annonçant l'ouverture imminente de la porte vers l'Est. Mais le signal ne vient pas : en effet, le Trapo montre le sac de Siegfried.

Le cœur battant à toute vitesse, Siegfried s'exécute : des centaines de cigarettes de contrebande et plusieurs bouteilles d'alcool apparaissent.

Dans une salle annexe, Siegfried répond aux questions du Trapo sur l'alcool et le tabac clandestin. Il prétend aller à une fête, tout en sentant le ridicule de son histoire. Au bout d'une heure, le Trapo le conduit dans une autre salle, et là, derrière un bureau, est assis un homme. Sans uniforme.

L'accablement saisit Siegfried.

L'homme face à lui est un agent de la Stasi, un parmi les centaines de milliers d'employés répartis entre les quatorze bureaux régionaux de l'organisation. Comme la plupart, il a reçu une formation en arts martiaux, appris à utiliser des déguisements (des perruques et des fausses moustaches, surtout) pour filer des suspects, ainsi qu'à mener des interrogatoires. Il a une vie plutôt enviable : il touche un salaire élevé, il s'approvisionne dans des supermarchés spéciaux remplis de nourriture de l'Ouest, et il sait que s'il fait du bon travail il pourra bénéficier de vacances luxueuses, peut-être devenir un jour propriétaire d'une villa au sein d'un complexe privé avec piscine et salle de cinéma. Mais pour conserver ces avantages et avoir une chance de promotion, il doit atteindre un objectif : recruter vingt-cinq nouveaux informateurs par an[2]. S'il échoue, il risque d'être rétrogradé. Car ce sont ses informateurs qui distinguent la Stasi de toutes les autres polices secrètes de l'histoire.

Les *Inoffizielle Mitarbeiter* ou IM – les « collaborateurs non officiels » – ne sont pas des employés de la Stasi travaillant dans ses bureaux, mais des gens ordinaires qui espionnent leurs collègues, leurs amis, leurs époux ou épouses, leurs parents, jusqu'à leurs propres enfants. Ces informateurs ont une si grande valeur pour la Stasi qu'elle parle d'eux, assez poétiquement, comme de ses « organes respiratoires »[3]. Et ils sont partout : dans les hôpitaux, les écoles, les universités, les œuvres de bienfaisance, les entreprises, les associations écologiques, les hôtels, les bars, les clubs de tricot, même l'Église (d'après certaines estimations, 65 % des responsables religieux travaillaient pour la Stasi)[4].

Les informateurs sont rangés dans différentes catégories en fonction de leur importance : il y a les IM, les FIM (collaborateurs non officiels qui en dirigent d'autres), les GMS (IM subalternes), les IMPB, les IME, les IMK, qui tous envoient des informations à la ZAIG, l'instance centrale de synthèse de la Stasi à Berlin[5].

Ce qui rend ce réseau d'informateurs aussi efficace, ce sont simplement ses effectifs : cent soixante-treize mille. Dans l'Allemagne hitlérienne, il y avait un agent de la Gestapo pour deux mille habitants ; en Union soviétique, un agent du KGB pour cinq mille huit cent trente habitants ; en Allemagne de l'Est, il y avait un informateur pour soixante-trois habitants – voire pour six habitants, affirment certains, si l'on inclut les informateurs à temps partiel[6]. Même la police, les unités de soldats et de garde-frontières étaient truffées d'informateurs. Ils étaient là durant la nuit où la clôture de barbelés fut installée, disséminés parmi les ouvriers de chantier et les militaires, pour s'assurer qu'ils obéissaient aux ordres, et c'étaient des informateurs de la Stasi liés au département XX qui avaient grimpé sur les toits de Dresde pour repérer les antennes tournées vers l'Ouest et dresser la liste de noms que Joachim avait vue dans le journal.

Pour aider les agents de la Stasi à atteindre leur objectif et enrôler vingt-cinq informateurs par an, on les forme à la science du recrutement. La directive 1/79 expose différentes tactiques qu'ils peuvent utiliser. D'abord, essayer de s'appuyer sur la conviction politique afin d'obtenir une adhésion par la loyauté. Si cela ne fonctionne pas, corrompre l'informateur potentiel en lui offrant de l'argent ou des médicaments. Si cela ne fonctionne toujours pas, recourir au moyen le plus puissant : le chantage.

L'agent de la Stasi sait qu'il a de bonnes chances de réussite avec Siegfried, surpris en train de passer des cigarettes en contrebande. La menace de la prison suffira sans doute à le persuader. Mais l'agent est sur le point de découvrir quelque chose d'encore plus intéressant. Il demande à Siegfried où il transportait ces cigarettes :

« Elles sont pour une femme à l'Est, répond Siegfried.

— Pourquoi ? » demande l'agent de la Stasi.

C'est à cet instant que Siegfried s'effondre et avoue : toutes les semaines, il apporte à cette logeuse une bouteille de vermouth et deux paquets de cigarettes, afin d'être autorisé à passer la soirée dans la chambre qu'elle loue à la personne qu'il aime.

Siegfried s'interrompt. Puis, dans un moment de franchise inexplicable, il précise : à l'homme qu'il aime.

Ce détail change tout. Siegfried est non seulement coupable de contrebande, mais d'une chose plus grave : l'homosexualité. Dans la RDA des années 1960 (comme dans la plupart des pays), celle-ci est illégale. Quelques décennies plus tôt seulement, Berlin avait été la capitale homosexuelle de l'Europe, le Ku'damm était rempli de bars et de clubs privés où il était bien vu d'arriver avec quelqu'un du même sexe. Quarante ans après, dans l'Allemagne entière, l'homosexualité est considérée comme un comportement bourgeois déviant, une menace pour l'État.

Siegfried sait qu'il va avoir des ennuis. Il attend que l'agent de la Stasi l'arrête, le conduise en prison. Mais l'agent n'en fait rien. Au contraire, il dit à Siegfried qu'il existe une issue.

20

LE DOSSIER

Nous savons tout cela par les dossiers que la Stasi a écrits sur Siegfried Uhse après son premier interrogatoire. Ils sont conservés dans une cave, à côté de millions d'autres, dans l'ancien siège de la Stasi.

Il faut faire un trajet long et compliqué pour atteindre cette cave, suivre des couloirs éclairés au néon qui sentent le renfermé et descendre par des ascenseurs poussifs jusqu'au moment où l'on arrive, enfin, devant des doubles portes fermées à clé. Ces portes franchies, en haut d'un escalier, on découvre au-dessous de soi une pièce contenant des rangées et des rangées de lourdes étagères rétractables, chacune chargée de milliers de dossiers. La pièce évoque une morgue, blanche et propre, empestant l'eau de Javel. Le seul bruit est le vrombissement de la climatisation : il faut maintenir une température constante de dix-huit degrés pour éviter que le papier ne se désintègre.

Tout, dans la manière dont ces dossiers sont archivés, est aussi méticuleux que la température de l'air. Ils ont fait l'objet d'un catalogage rigoureux, afin que n'importe lequel d'entre eux puisse être trouvé si quelqu'un demande à le consulter. Et les dossiers à l'intérieur de cette cave ne représentent qu'une fraction de ce qui existe.

Quand le Mur est tombé, des manifestants sont entrés par effraction dans les bâtiments de la Stasi à travers le pays et, tels des enquêteurs sur une scène de crime, ont fouillé chaque pièce, à la recherche d'objets révélateurs des activités qu'avait menées la Stasi durant quarante années.

Ils ont découvert des vidéos de manifestations, de rassemblements et de réunions dans des églises. Ils ont trouvé des échantillons d'écriture des gens, prélevés sur des lettres et des affiches, ainsi que des rapports graphologiques analysant leur style, puis, découverte la plus étrange, des centaines de bocaux, tous numérotés, renfermant des bouts de tissus déchirés. Ces morceaux de tissus avaient été placés sous les aisselles ou entre les cuisses des suspects pendant les interminables interrogatoires, où ils suaient beaucoup, puis mis dans des bocaux hermétiques, tous numérotés; si besoin était de retrouver un suspect, le tissu imprégné d'odeur était présenté à un chien renifleur.

Outre ces bocaux, les échantillons d'écriture et les vidéos, les manifestants trouvèrent des milliers de sacs remplis de papiers en lambeaux: les restes des dossiers de la Stasi. Dans les ultimes heures de l'organisation, quand ses membres savaient la fin proche et que des manifestants cernaient leurs bureaux, ils se mirent à déchiqueter les documents. Lorsque les déchiqueteuses se cassèrent, ils déchirèrent les dossiers à mains nues. Les manifestants emportèrent ces sacs à Berlin, où ils restèrent entreposés, sous la protection du nouveau gouvernement, durant cinq années, pendant que le pays débattait de la conduite à tenir. Fallait-il lire les dossiers, ou cela rouvrirait-il de vieilles blessures et empêcherait le pays de guérir du passé ?

Finalement, on convint qu'il était nécessaire de connaître le passé, dans ses moindres détails, et ainsi commença la tâche exaspérante de reconstituer les dossiers déchiquetés. Dans un bâtiment d'un village près de Nuremberg, un petit groupe d'hommes et de femmes assis à des tables commencèrent à recomposer les pages disloquées, assemblant les puzzles au format A4 des vies surveillées des gens.

Ce fut à ce moment qu'ils se rendirent compte du nombre de dossiers: il y en avait des centaines de milliers, le premier datant du 17 juin 1953 (le soir du soulèvement auquel participa Joachim), le dernier de novembre 1989, peu avant que tout ne se termine. Mis bout à bout sur le sol, les papiers s'étendraient sur plus de deux cents kilomètres[1].

Lorsque j'ai entrepris ma recherche, j'ai demandé aux archives de la Stasi tout ce qu'ils avaient sur Siegfried Uhse. En deux mois, ils ont réuni les dossiers. Pas moins de deux mille sept cent trente-cinq pages. Je les ai examinées avec ma traductrice allemande Sabine. Nous nous sommes appliquées à comprendre de qui et de quoi parlait chacune d'elles, travail rendu plus difficile par les noms que des employés des archives avaient barrés d'un trait noir. Mais nous avons bientôt repéré la longueur de certains noms, déduisant de cette longueur et d'une lettre visible, çà et là, au-dessus ou au-dessous du trait noir, à qui renvoyait le dossier entre nos mains.

Le premier rapport sur Siegfried Uhse date du 2 octobre 1961[2]. C'est le récit, sur six pages, de son arrestation et de son interrogatoire, mené par l'agent de la Stasi Hans Joachim.

La première page mentionne le département qui l'interrogea : département principal II, contre-espionnage. Elle expose ensuite son identité. Ses nom et prénoms complets : Siegfried Alfred Helmut Uhse. Sa date de naissance : 9 juillet 1940 – il avait donc vingt et un ans. Sa profession : coiffeur.

Puis son physique : il mesure un mètre soixante-sept, a une charpente mince, des cheveux blond cendré peignés en arrière, des yeux gris, un « nez pointu », une « bouche large », et il est précisé que ses yeux sont « légèrement enflammés ». Viennent ensuite les questions sur son enfance qui, par coïncidence, ressemble étonnamment à celle de Joachim Rudolph.

Siegfried Uhse a grandi en Allemagne de l'Est dans une famille ouvrière et été chassé de sa maison par des soldats, comme Joachim, pendant la guerre. À l'âge de quatre ans, il est arrivé à Berlin avec ses parents, mais son père est mort quand Siegfried avait quatorze ans. (Cause du décès rayée.) En 1958, trois ans avant la construction du Mur, Siegfried a suivi sa mère qui allait s'installer en RFA ; détail important, car cela signifie qu'il a la citoyenneté ouest-allemande et peut donc se rendre à Berlin-Est. Il a récemment emménagé à Berlin-Ouest, où il vit maintenant seul. Il loue un petit appartement tout près du Ku'damm.

L'interrogateur de la Stasi le questionne sur son métier.

Siegfried indique tous les salons de coiffure où il a travaillé, leur adresse et son salaire mensuel.

Ses économies ?

Siegfried dit qu'il a 60 deutsche Marks dans son appartement (soit 74 francs français en 1961, l'équivalent de 15 euros actuels). Puis Siegfried vide ses poches pour montrer à l'interrogateur les quelques pièces de monnaie qu'il a sur lui.

Quand il pose ces questions, Hans suit la formation que lui a donnée la Stasi sur le recrutement des informateurs. Il a dû apprendre le « système en 101 points[3] » selon lequel les agents évaluaient les recrues potentielles. Il s'agissait d'investiguer dans tous les domaines de la vie du futur collaborateur : sa famille et ses amis, son métier, son statut social, ses opinions politiques, ses passe-temps, ses livres, son langage corporel, son goût vestimentaire, ses ressources intellectuelles, ses humeurs, ses compétences, ses conditions de vie et, pour finir, son comportement sexuel. Rien n'était interdit, tout comptait. De nouveau, ce principe de surveillance généralisée, *flächendeckend*, « couvrir le territoire, l'ensemble des domaines ».

Quand on lit le rapport, à travers l'interrogatoire minutieux d'Hans Joachim, Siegfried Uhse prend vie : un homme qui arrose ses plantes adorées tous les matins, lit beaucoup et collectionne des dessins qu'il transporte dans un petit carnet. Hans ajoute : « il y a une certaine douceur en lui », avant de suggérer avec dédain que c'est sans doute en raison de son homosexualité. Le soir, Siegfried va dans des bars et des restaurants avec des amis, fume des cigarettes (Stuyvesant), se permet des repas dispendieux toujours accompagnés de sa boisson préférée, le cognac.

Siegfried déclare qu'il ne s'occupe pas de politique, mais Hans Joachim a dû être content lorsque Siegfried lui dit qu'il a été membre de la jeunesse allemande libre dans son enfance et, plus important, qu'il lit le journal du parti quand il est à Berlin-Est. Et c'est là qu'on voit Hans Joachim, l'interrogateur de la Stasi, commencer à éprouver de la sympathie pour lui.

« Quand on converse plus longuement avec Uhse, il apparaît qu'il n'est pas sans intelligence. Sur les questions politiques, il n'est pas ignorant », écrit-il en employant les litotes caractéristiques de la Stasi.

Le milieu de la nuit est arrivé ; l'interrogatoire de Siegfried dure depuis deux heures et c'est là que le tournant se produit.

Après la politique, Hans aborde, sans avertissement, un sujet plus intime.

« Quand avez-vous découvert que vous étiez homosexuel ? »

Siegfried observe un silence. « Au moment de la puberté.

— Êtes-vous déjà sorti avec une femme ? »

Un autre silence. « Non. Je les ai toujours fuies.

— Quel genre d'hommes aimez-vous ?

— Les hommes beaux, dit Siegfried, comme les acteurs et les chanteurs.

— Couchez-vous pour de l'argent ?

— Non.

— Pratiquez-vous la sodomie ?

— Non, la masturbation.

— Avez-vous des rapports sexuels avec des enfants ?

— Non.

— Où rencontrez-vous des hommes ?

— Par mes clients du salon de coiffure ou dehors dans la rue, mais je veux une relation stable.

— Pensez-vous à votre homosexualité comme à un crime ?

— Non.

— Avez-vous déjà essayé de guérir votre "maladie" ?

— Oui, dit Siegfried, j'ai plusieurs fois consulté des médecins pour me guérir, mais j'ai toujours rechuté. Ma mère ne le sait pas. »

Lire cette partie du rapport donne une sensation de voyeurisme. Les questions sont indiscrètes et offensantes mais dans le dossier il n'y a qu'un seul moment où l'on a une idée de ce que Siegfried devait éprouver. Hans note : « Cela prend du temps pour que Siegfried commence à se confier sur "son problème". »

Ce n'est guère étonnant. Assis en pleine nuit face à un agent de la Stasi, Siegfried répond à des questions sur les aspects les plus intimes de sa vie, parle de choses qu'il ne pouvait même pas avouer à sa mère. Et l'ombre planant derrière ces questions était la menace de la prison – chose sur laquelle Siegfried savait tout. Le rapport note qu'en Allemagne de l'Ouest quelqu'un avait découvert que Siegfried fréquentait des hommes, l'avait dit à la police et qu'il avait été arrêté et condamné avec sursis. Siegfried sait où il pourrait se retrouver aujourd'hui s'il ne fait pas ce que veut l'agent de la Stasi.

C'est maintenant le matin. Siegfried a répondu à des questions la nuit entière. Ni sommeil, ni repos, ni nourriture, ni eau. Mais à présent, enfin, Hans offre un petit déjeuner à Siegfried. Une fois que celui-ci a terminé de manger, Hans émet la proposition vers laquelle il s'est progressivement dirigé durant la nuit : venez travailler pour nous.

Tenir le compte rendu de cet interrogatoire, c'est comme regarder une version de Siegfried figée dans l'ambre, une version inachevée de l'homme qu'il aurait pu devenir s'il n'avait pas été pris ce soir-là. Je me l'imagine : un coiffeur amateur de plantes, à la voix douce, juste vingt et un ans et exténué, contraint à un choix terrible.

Comme des milliers avant lui, et plusieurs dizaines de milliers après, Siegfried doit choisir un camp. C'est une chose à laquelle excellait la RDA : c'est ce qu'elle avait fait en construisant le Mur, forcer les gens à choisir entre l'Est et l'Ouest, et c'est ce qu'elle faisait chaque fois qu'elle demandait à quelqu'un de devenir un informateur. L'alternative était simple : devenir collaborateur ou dissident. Refuser signifiait risquer la prison, mettre en danger sa carrière, sa famille. Accepter signifiait être désormais l'un d'eux.

Il n'y a aucun détail dans le dossier concernant la réaction de Siegfried, ses émotions. Après toutes les questions sur sa sexualité, s'était-il senti honteux ? Pensait-il à la menace implicite d'une peine de prison, en se demandant ce que serait la vie d'un homosexuel dans une geôle de la Stasi ? Ou Siegfried a-t-il vu là sa chance de se venger de la RFA, le pays qui l'avait arrêté pour son homosexualité ?

Impossible de le savoir, puisque rien de cela n'a été consigné. En revanche, dans une écriture noire soignée, dactylographiée au bas de la page, le dossier enregistre la fin de son interrogatoire :

« La conclusion fut fructueuse. À dix heures dans la matinée du 30 septembre, Siegfried Uhse déclara de son plein gré qu'il travaillerait pour nous. »

La page suivante contenue dans ce dossier est manuscrite – d'une écriture élégante. C'est la « lettre d'engagement » de Siegfried Uhse ; tout nouvel informateur en écrivait une. Mesure habile : les recrues devaient se sentir membres de quelque chose, pas de retour en arrière. Autre point relevant d'une fine psychologie, la Stasi autorise même Siegfried à choisir son nom de code ; elle veut que ses informateurs aient un sentiment d'appartenance à l'égard de leur nouvelle identité. Le nom que Siegfried se choisit est tellement incongru qu'il en est presque comique[4].

Moi, Siegfried Uhse, accepte volontairement de soutenir activement les forces de sécurité de la RDA dans leur juste combat. En outre, je promets de garder un silence absolu envers tous sur ma coopération avec les forces du ministère de la Sécurité d'État. Si je manque à cet engagement, je pourrai être puni selon les lois en vigueur de la RDA. Pour ma coopération avec les forces du ministère de la Sécurité d'État, je choisis le nom de code Fred[5].

Puis, enfin, on le laisse partir.

Quelques jours plus tard, la Stasi envoie un enquêteur jusqu'au domicile de Siegfried pour vérifier ses propos. L'enquêteur parle à un groupe de vendeurs de cigarettes dans la rue, à des amis de Siegfried, à d'autres locataires du bâtiment. Il est content de ce qu'il trouve. Il note dans son rapport que Siegfried mène une vie tranquille, que c'est un homme propre et poli, que ses comptes sont en bon ordre et qu'il ne cause pas d'ennuis. Le recrutement de Siegfried est approuvé et la Stasi fixe son premier rendez-vous avec lui : le 4 octobre à vingt heures au Presse Café de Berlin-Est.

Siegfried Uhse avait pris sa décision, choisi un camp. Il faisait maintenant partie de la Stasi[6].

21

EVI ET PETER (ET AUSSI WALTER ET WILHELM)

Décembre 1961

Evi et Peter Schmidt sont assis dans leur salle de séjour à Wilhelmshagen, une banlieue calme, verdoyante, de Berlin-Est. C'est quelques jours après Noël, un feu crépite dans l'angle. Ils viennent de coucher leur bébé, et deux amis sont assis avec eux près de la cheminée : Luigi (Gigi) Spina, un grand et bel étudiant en art, et son copain plus petit, plus drôle, Domenico (Mimmo) Sesta. Mimmo et Gigi sont italiens. Arrivés à Berlin-Ouest avant la construction du Mur, ils avaient fait la connaissance de Peter à l'école des beaux-arts. Maintenant que le Mur était là, ils étaient séparés : les deux Italiens à Berlin-Ouest, Peter et Evi à l'Est. Néanmoins, étant étrangers, Mimmo et Gigi étaient autorisés à traverser la frontière quand il leur plaisait. Ils se rendaient à Berlin-Est presque toutes les semaines, essayant de convaincre Peter de fuir de l'autre côté[1].

Peter disait toujours non. Le Mur ne tiendrait pas, avait-il affirmé, il fallait seulement attendre. Bientôt cinq mois plus tard, Mimmo et Gigi voyaient qu'il souffrait. Il était distrait et anxieux – pareil à un animal en cage, pensaient-ils[2]. Peter avait auparavant travaillé comme graphiste pour un journal de Berlin-Ouest ; une fois le Mur construit, il avait perdu son emploi, et lui et Evi avaient maintenant des problèmes financiers. Peter passait la plupart de ses journées à la maison, à jouer avec Annet, leur bébé de huit mois, et à gratter sa guitare. Un après-midi, il avait appris qu'il devrait bientôt rejoindre l'armée est-allemande et cette perspective le terrifiait – garder la frontière, tirer sur des fugitifs. Il voulait se sauver avant que l'armée ne l'enrôle.

Evi voulait partir aussi. Excepté ses grands-parents, il n'y avait pas grand-chose qui la liait à Berlin-Est. Elle avait six ans quand sa mère avait contracté la tuberculose et, pour l'empêcher de tomber malade à son tour, l'avait emmenée vivre chez ses grands-parents – elle-même s'isolant dans une véranda de leur jardin. Au bout de quelques mois, elle était morte. Son père (le divorce de ses parents remontait à plusieurs années) était alors venu la chercher. Mais lorsque ce dernier révéla qu'il prévoyait de la vendre à un commandant américain habitant Munich, ses grands-parents le mirent dehors et élevèrent Evi comme leur propre fille.

Ils étaient gentils, aimants, mais s'inquiétaient de qui s'occuperait d'elle quand ils ne seraient plus là. Lorsque Evi avait eu quatorze ans, quand bien même elle était brillante, rêvait d'aller à l'université et de devenir enseignante, ses grands-parents avaient dit qu'elle devait quitter l'école et commencer un apprentissage pour gagner sa vie. Elle était devenue bibliothécaire et avait appris à cataloguer des milliers de livres, d'une écriture enfantine soignée, dans une bibliothèque universitaire. Mais, tandis qu'elle marchait jusqu'à son travail, et partout où elle allait dans Berlin-Est, Evi sentait l'ombre du Mur. Elle voulait s'enfuir[3].

Cette fois, quand Mimmo et Gigi posent la question, alors que plane au-dessus de Peter la menace de sa conscription, lui et Evi donnent une réponse différente : ils disent oui. Le moment est venu.

Mais comment ? Si s'échapper avait été dangereux en septembre, quand Joachim s'était glissé à travers le champ, s'évader de Berlin-Est quelques mois plus tard était presque impossible. Le Mur montait plus haut et son dispositif de surveillance s'était alourdi : à l'avant, il y avait des fossés remplis de *Höckersperren* (des éclats de métal surnommés « dents de dragons ») et des fils de détente qui déclenchaient des alarmes et des projecteurs. Il existait aussi des dizaines de miradors du haut desquels les Vopos scrutaient la frontière, à la recherche des fugitifs, avec l'ordre de tirer. Les évasions devaient donc être toujours plus inventives.

Harry Deterling, un cheminot, avait pris les commandes d'un train à vapeur et, avec sa femme et leurs quatre enfants, ainsi que vingt-cinq autres personnes, avait roulé à toute vitesse jusque dans Berlin-Ouest. « Le dernier train vers la liberté », l'avait-il appelé, et il avait raison : les soldats fermèrent la ligne ferroviaire le lendemain. D'autres passèrent par les égouts ou franchirent la rivière munis d'un équipement de plongée. Au terme de l'année 1961, plus de huit mille habitants de l'Est s'étaient échappés (dont soixante-dix-sept garde-frontières), mais les risques augmentaient[4].

Des dizaines de milliers de Vopos patrouillaient maintenant le long de la frontière, interpellant et arrêtant tous ceux qu'ils trouvaient. Il y avait eu treize morts au total : quatre personnes étaient tombées d'un toit ou par une fenêtre, six avaient péri en essayant de traverser la rivière à la nage (parmi elles, un champion de plongée sous-marine qui avait gelé dans l'eau) et trois avaient été abattues. Le parti voulait à tout prix que moins de gens s'échappent en 1962 et le nombre de tentatives réussies avait chuté.

Peter et Evi doivent imaginer une voie d'évasion d'un nouveau genre, inattendue pour les Vopos, et envisageable avec un bébé. Ils lancent des idées : peut-être qu'ils pourraient louer un camion et défoncer la barrière ? Ou recourir à un hélicoptère ? Puis Mimmo suggère quelque chose de plus subtil : un tunnel. Mais il ne faudrait pas le creuser depuis l'Est en direction de Berlin-Ouest, comme les garde-frontières le prédiraient. Au contraire, le tunnel devrait partir de Berlin-Ouest et progresser vers l'Est. Du monde libre vers le monde répressif. C'est la seule solution qui paraît un tant soit peu judicieuse et ils conviennent d'en reparler bientôt.

Après le départ de Mimmo et Gigi, Evi s'approche de la fenêtre. Son ventre frémit de fébrilité ; avoir pris cette décision est un soulagement, mais quelle impression étrange de ne rien pouvoir faire pour sa propre évasion, d'attendre qu'une galerie soit creusée !

Immobile derrière la fenêtre, Evi regarde les maisons de ses voisins. Ils se connaissent bien, ils discutent, partagent leurs problèmes, s'entraident. Mais elle ne leur parlera pas de ce projet.

Ce qu'elle ignore, tandis qu'elle fixe la nuit qui s'épaissit, c'est que deux de ses voisins les espionnent, elle et sa famille, depuis des mois. Leurs noms de code sont Walter et Wilhelm, ils sont informateurs pour la Stasi et ont pour instruction de les épier. En permanence[5].

Walter et Wilhelm sont appliqués. Ils disent tout à leurs officiers traitants de la vie que mènent Evi et Peter à Berlin-Est, du fait qu'ils vivent au-dessus de leurs moyens, et ont même révélé la grossesse d'Evi dès qu'ils en ont eu connaissance. Ils surveillent la porte d'entrée avec soin, relèvent chaque jour les moments auxquels le couple sort de la maison et y rentre. Dans les rapports les plus récents, ils ont particulièrement détaillé les « amis de Berlin-Ouest en visite ». Ils vont essayer de découvrir ce qu'ils mijotent[6].

Il est tard maintenant. Evi tire les rideaux, les mettant tous trois à l'abri dans une maison qu'elle espère quitter sous peu et ne jamais revoir.

22

LE GROUPE GIRRMANN

Janvier 1962

Joachim frissonne. C'est son premier hiver à Berlin-Ouest et il gèle, les rues sont couvertes de verglas. Il se félicite du manteau qu'il a apporté clandestinement de Berlin-Est il y a trois mois ; il l'a gardé tout ce temps avec lui, du camp de réfugiés de Marienfelde à la maison de la CIA, et maintenant ici, dans la résidence de l'université technique de Berlin où il s'est inscrit pour étudier l'ingénierie des télécommunications[1].

Ç'avait été des mois difficiles. Après son arrivée à Berlin, sa mère et sa sœur lui manquaient tant qu'il en souffrait, surtout quand il avait appris combien elles avaient été courageuses lorsque les agents de la Stasi s'étaient présentés à leur appartement. Sa mère les avait calmement éloignés d'un revers de la main : « Oh, il est à Dresde pour ses études. Pourquoi donc le chercheriez-vous ici ? » Malgré le harcèlement, les questions et les menaces, sa mère avait tenu bon et ils avaient fini par s'en aller. Cela manquait à Joachim. La force morale de sa mère. Mais il ne voyait absolument pas comment la faire venir à Berlin-Ouest.

C'est alors qu'il avait entendu parler du groupe Girrmann. Un groupe formé durant la nuit d'installation des barbelés, quand un étudiant en droit nommé Detlef Girrmann et plusieurs de ses condisciples décidèrent d'aider les gens à quitter l'Est. En quelques mois, ils en avaient aidé des centaines : empruntant des passeports à des amis ouest-allemands, ils les attribuaient à des habitants de

Berlin-Est qui avaient des traits similaires, puis des coursiers introduisaient les documents de l'autre côté de la frontière.

Quelqu'un à l'université mit Joachim en contact avec les membres du groupe, à qui il demanda s'ils pouvaient aider sa mère et sa sœur à s'enfuir. Oui, répondirent-ils, mais ils devaient essayer une nouvelle méthode. La police des frontières avait percé la combine des passeports, ses agents recevaient maintenant des manuels qui contenaient des dizaines de photos de nez, d'yeux, de lèvres et de joues de formes différentes, grâce auxquelles ils discernaient les dissemblances entre la photo du passeport et la personne face à eux. Ils avaient ainsi arrêté des centaines de personnes et les avaient envoyées en prison.

Le groupe Girrmann expérimentait donc un nouveau système. Au lieu d'utiliser des passeports d'emprunt, ils achetaient des passeports vierges à des relations aux ambassades d'Autriche, de Belgique et de Suisse. Ainsi pouvaient-ils ajouter directement la photo du futur fugitif – moins de risque qu'un Vopo s'aperçoive que le passeport était faux. Un mois plus tard, le groupe Girrmann avait trouvé deux passeports vierges pour la mère et la sœur de Joachim qu'il introduisit à Berlin-Est. Comme c'étaient des passeports viennois, elles glissèrent dans leurs bagages des schillings et des tickets de tram autrichiens, apprirent quelques expressions autrichiennes, puis franchirent la frontière.

Maintenant réunis à Berlin-Ouest, ils essayaient de s'y construire une nouvelle vie, mais ce n'était pas facile. Joachim avait passé tellement de temps à réfléchir au moyen de franchir le Mur qu'il n'avait guère pensé à l'existence au-delà. Il avait laissé un monde où sa vie lui échappait presque complètement pour un monde où il pouvait faire tout ce qu'il voulait, quand il le voulait, et c'était vertigineux. Il savait comment se comporter quand il y avait un obstacle qu'il fallait contourner, mais ici, à l'Ouest, tel un animal de zoo libéré de sa cage, il n'était pas sûr de ce qu'il fallait faire. Et à présent qu'il habitait à Berlin-Ouest et n'y était plus un simple visiteur du week-end, Joachim voyait les failles sous la surface.

En effet, le Mur avait aussi changé Berlin-Ouest. Quand il avait édifié son Mur pour empêcher les habitants de l'Est de partir, Walter Ulbricht avait de fait encerclé l'autre partie de la ville, puisqu'elle se trouvait à cent soixante kilomètres à l'intérieur de la zone soviétique. Beaucoup décrivaient Berlin-Ouest comme une « île de liberté dans un océan communiste ». Désormais, cette île de liberté était cernée par un mur.

Immédiatement après sa construction, les Berlinois de l'Ouest montrèrent ce qu'ils en pensaient en le couvrant de graffitis, tels que l'inscription « *Es gibt nur ein Berlin* » – « Il n'y a qu'un seul Berlin » – et les lettres « *KZ* », abréviation de *Konzentrationslager*, « camp de concentration ». Même si, en théorie, les habitants de Berlin-Ouest étaient libres de prendre la voiture ou l'avion pour se rendre en RFA, avec le Mur qui les dominait de sa hauteur ils se sentaient piégés. À moins de détenir un passeport ouest-allemand, ils ne pouvaient traverser la frontière pour aller voir famille ou amis, quantité d'eux estimaient donc qu'il n'y avait aucune raison de rester. Chaque jour, ils étaient des centaines à partir pour d'autres villes d'Allemagne, au point que Berlin-Ouest eut bientôt l'un des taux de natalité les plus bas au monde[2]. Le gouvernement était si épouvanté par cet exode qu'il versa du *Zittergeld* (« l'argent de la peur ») aux gens qui acceptaient de rester ou d'emménager à Berlin-Ouest. Tandis que les ambitieux et conformistes s'installaient à Francfort ou Hambourg pour y mener des carrières traditionnelles, les contestataires, les marginaux et les miséreux venaient à Berlin-Ouest, y compris ceux qui voulaient échapper à la conscription, car vivre à

Berlin-Ouest signifiait être exempté. Et c'était ici, dans cette ville schizophrène et chaotique, que Joachim devait bâtir une nouvelle vie.

Ses premiers mois à l'université avaient été un choc culturel. À l'Est, sa vie d'étudiant était strictement contrôlée : les cours lui étaient imposés, il n'y avait aucun choix personnel. Ici, il devait décider lui-même et se sentait submergé. C'était la liberté, mais une liberté si vaste qu'il était difficile d'y faire face.

Étranger aux lieux, il s'était naturellement dirigé vers d'autres Berlinois de l'Est dans la résidence universitaire. Ils mangeaient ensemble dans les cuisines communes, faisaient office de coiffeurs les uns pour les autres et bavardaient le soir autour d'une bière. Un jour, il allait sortir pour rejoindre quelques-uns d'entre eux lorsqu'on frappa à la porte.

Joachim l'ouvre et voit trois de ses amis sur le seuil. Il y a Wolfhardt (Wolf) Schroedter, grand, blond et charmant, toujours en train de rire. Wolf avait grandi en Allemagne de l'Est et son père, comme celui de Joachim, était mort après la guerre. Adolescent, Wolf avait été un citoyen socialiste modèle : il était membre de la jeunesse allemande libre, chantait toutes les chansons attendues avec l'enthousiasme attendu. Mais, à l'âge de dix-sept ans, après de longues nuits à écouter la radio de Berlin-Ouest et à remettre en question ce qu'on lui avait enseigné, Wolf avait résolu de s'enfuir. Il avait pris un train pour Berlin-Est, puis traversé la frontière (c'était avant que le Mur n'existe) et vécu dans une pension religieuse pour garçons alors qu'il terminait le lycée. Il faisait maintenant des études d'ingénieur.

À côté de Wolf se trouvent les deux étudiants italiens, Mimmo et Gigi. S'asseyant sur le lit de Joachim, tous trois lui expliquent pourquoi ils sont venus. Ils lui parlent d'Evi et de Peter, qui ont besoin de fuir Berlin-Est le plus tôt possible, et de leur idée d'une voie d'évasion originale :

un tunnel. Ils veulent utiliser ce tunnel pour permettre à d'autres de s'enfuir aussi. Ils ont l'ambition de réaliser la plus grosse opération d'évasion depuis que le Mur existe. Et ils aimeraient qu'il leur prête main-forte. Ils ont confiance en lui, qui a fui Berlin-Est ; de plus, ses connaissances en matière de télécommunications seront précieuses.

Joachim regarde, par la fenêtre, les rues en contrebas pleines d'étudiants, libres comme lui de faire ce qu'ils veulent. Il pense aux risques. Les Vopos ne visent pas uniquement les fugitifs : ils ont déjà tué des Berlinois de l'Ouest qui les aidaient.

Quelques semaines auparavant, un membre du groupe Girrmann avait participé à une évasion qui avait horriblement mal tourné. Âgé de vingt ans tout juste, Dieter Wohlfahrt était étudiant en chimie dans la même université que Joachim et, depuis l'édification du Mur, il avait aidé des centaines de personnes à s'enfuir. Un soir, il avait roulé jusqu'à la frontière pour permettre à la mère d'un ami de passer. Muni de coupe-boulons et de pinces, il avait tranché deux épaisseurs de barbelés. Il était sur le point de récupérer la femme lorsque celle-ci avait appelé sa fille qui l'attendait dans Berlin-Ouest. Les Vopos avaient entendu, couru vers Dieter, tiré sur lui, leurs balles lui trouant la poitrine. Il resta là, à perdre son sang, sous les yeux des policiers britanniques et ouest-berlinois impuissants, trop effrayés pour pénétrer à l'Est. Enfin, au bout d'une heure, des garde-frontières est-allemands avaient emporté son corps sans vie[3].

Joachim savait que, s'il était blessé par les Vopos, la police de l'Ouest ne lui porterait pas secours. Il y avait aussi un autre risque, presque trop horrible à envisager : et si le tunnel s'écroulait et l'ensevelissait vivant ?

Joachim pense à sa mère et à sa sœur. Et voici ces étudiants qui lui demandent de creuser un tunnel en direction du pays dont il vient de s'échapper, pour secourir des gens qu'il ne connaît même pas. Il y a mille raisons de dire non, toutes plus logiques que les raisons de dire oui, mais Joachim, qui a vu à l'âge de six ans combien les tentatives de fuite pouvaient être désastreuses, Joachim qui déteste l'eau froide, Joachim qui adore les chiffres, les circuits et l'électricité et qui rêve encore parfois d'être astronaute, Joachim leur répond.

Il dit oui.

23

LA MAISON DE L'AVENIR

Siegfried Uhse, le coiffeur, se tient devant la maison[1]. Un édifice magnifique, imposant, auquel il ne s'attendait pas. Il pousse la porte pour voir s'il peut entrer subrepticement, jeter un coup d'œil à l'intérieur. Mais non, le verrou est mis. Il se fige un instant. C'est sa première mission et il ne veut pas la gâcher.

Peu après être devenu informateur pour la Stasi, il avait reçu de son officier traitant, Lehmann, la demande d'infiltrer le réseau d'étudiants de Berlin-Ouest qui aidait les gens à fuir l'Allemagne de l'Est. *Fluchthelfer*, les appelait-on – « passeurs ». Faire obstacle aux départs obsédait la Stasi. Erich Mielke avait dit à ses employés qu'ils avaient tous la responsabilité d'empêcher les gens de fuir, et il avait même créé un nouveau service pour coordonner le travail. Au début, la Stasi s'appliquait à déjouer les projets d'évasion qui se préparaient à l'Est ; elle voulait désormais infiltrer les réseaux d'évasion à Berlin-Ouest[2].

Il est difficile de savoir ce que Siegfried pensait de sa tâche. Au fond, il avait choisi de vivre en Allemagne de l'Ouest, et voilà qu'il traquait des gens qui comme lui voulaient une vie différente. Mais s'il avait des scrupules à ce sujet, il ne pouvait en parler à personne : les espions qui se démasquaient risquaient d'être traduits devant des tribunaux militaires et les infractions graves menaient à une décapitation ou une balle dans la nuque. Deux cents agents de la Stasi avaient déjà été exécutés[3].

Au bout de quatre mois, Siegfried n'était pas arrivé à grand-chose. Puis, un soir, dans un de ses clubs de jazz préférés, il avait eu un tuyau. Un type avec lequel il bavarda lui conseilla d'aller dans un bar étudiant, le Berliner Wingolf. Siegfried s'y rendit et raconta qu'il voulait faire sortir de Berlin-Est sa petite amie et sa mère. Connaissaient-ils quelqu'un qui pourrait l'aider ? Oui, répondirent-ils, et ils lui dirent tout du quartier général du plus grand réseau d'évasion à Berlin-Ouest : *das Haus der Zukunft*, « la maison de l'avenir ».

« Tu trouveras le gars qui s'en occupe sur place dans l'après-midi », lui avait indiqué un étudiant. Ce jour-là, le 18 mars 1962, Siegfried avait découvert que la Maison de l'avenir était à Zehlendorf, l'un des quartiers les plus riches de Berlin-Ouest. À sa descente du train à la gare du Krumme Lanke, il avait marché d'un pas vif dans les rues pavées, levant les yeux vers les hôtels particuliers au milieu d'arbres et d'espaces verts, jusqu'au moment où il était arrivé à la Maison de l'avenir, une demeure si vaste qu'elle ressemblait à un petit château. Derrière s'étendait un lac entouré de saules pleureurs, d'érables, de rhododendrons et de prés. C'était le cœur du Berlin-Ouest libéral : des musiciens de la Philharmonie donnaient ici des concerts, on y jouait des pièces de Shakespeare et maintenant il se trouvait là, espion de la Stasi, à essayer d'infiltrer ce monde.

Siegfried appuie sur la sonnette et, quelques instants plus tard, un homme portant des lunettes à monture sombre ouvre la porte. « Le genre éternel étudiant », dira ensuite Siegfried à son officier traitant. Il ne le sait pas encore, mais il a décroché la timbale. L'homme est Bodo Köhler, l'un des trois fondateurs du groupe Girrmann. Bodo avait quitté l'Allemagne de l'Est plusieurs années auparavant et étudiait la théologie à l'université libre. Pendant ses moments de loisirs, il contribuait à diriger le réseau d'évasion le plus fructueux de Berlin-Ouest.

Siegfried le suit dans le couloir. Il n'a jamais rien vu de tel : des dizaines d'étudiants rassemblés en petits groupes, parlant des langues différentes. Outre un lieu de rencontres, la Maison de l'avenir est un foyer. Des jeunes du monde entier logent ici, entassés dans des pièces du rez-de-chaussée au grenier, et certains participent à l'organisation des évasions de l'Est.

Parmi les volontaires étrangers, il y a une Américaine nommée Joan Glenn. Originaire de l'Oregon, elle avait étudié dans une antenne de l'université Stanford à Stuttgart. Puis elle était venue à Berlin-Ouest, où le Mur l'avait tellement affectée qu'elle avait abandonné ses études et décidé d'aider les candidats au départ. Avec son allemand impeccable, Joan était très douée, et avait été pionnière d'un système efficace qui sortait des centaines de personnes de l'Est[4].

Le matin, les étudiants volontaires traversaient la frontière. « Les testeurs », comme les appelait Joan, se promenaient un peu à Berlin-Est, puis repassaient par le poste de contrôle frontalier, mémorisant les procédures des Vopos ce jour-là. Dès leur retour, ils transmettaient ces informations à un deuxième groupe : les coursiers. Ceux-ci introduisaient alors clandestinement à Berlin-Est les passeports vierges (le plus souvent suisses ou belges) et les donnaient en mains propres aux fugitifs, les avertissant de toute nouvelle mesure de vérification des Vopos à la frontière qu'ils devaient connaître. Puis ils répétaient ensemble les détails de leurs prétendues origines : cela consistait en général à réciter des noms de villes situées en Suisse ou en Belgique. Dernière étape de ce service d'évasion de luxe, les volontaires suivaient chacun des partants jusqu'au poste de contrôle, en laissant quelques personnes entre eux dans la file d'attente. « Pour que le fugitif se sente rassuré », expliqua plus tard Joan.

Mais ce niveau de soutien avait un coût. Quelques mois auparavant, l'un des amis américains de Joan se tenait derrière l'un de ses protégés lorsque ce dernier fut arrêté.

Le Vopo avait découvert que son passeport était faux et mystérieusement deviné que l'homme placé trois rangs derrière lui était impliqué. Le candidat à l'évasion écopa d'une peine avec sursis. L'étudiant américain, lui, fut condamné à quinze mois de prison ferme. Le message était clair : les passeurs seraient traités plus sévèrement que les fugitifs eux-mêmes. Pourtant, Joan continuait[5]. Le bruit courait qu'elle et Bodo étaient amoureux. C'était dans ce monde que Siegfried posait le pied, avec Bodo comme guide.

Bodo emmène Siegfried jusqu'à un petit bureau où ils peuvent s'entretenir en toute discrétion. Là, Siegfried lui parle de ses mère et petite amie fictives, mais Bodo ne se montre pas intéressé. Ils n'ont pas d'évasion prévue, dit-il ; leur dernière opération vient de tomber à l'eau.

Siegfried précise alors qu'il a la citoyenneté ouest-allemande, et Bodo dresse l'oreille : voici quelqu'un qui peut entrer dans Berlin-Est quand il le souhaite, ce qui fait de lui une recrue précieuse. Il pourrait devenir coursier, apporter des messages et des passeports à Berlin-Est. Bodo tend un formulaire préimprimé (c'est dire à quel point son réseau était bien organisé) et lui demande d'indiquer son nom, son adresse, son numéro de téléphone. Puis Bodo le salue et Siegfried s'en va.

Siegfried s'est bien débrouillé. Non seulement il s'est glissé au cœur du plus grand réseau d'évasion, mais en plus ils le contacteront lorsqu'ils prépareront leur prochaine opération.

Toutes ces précisions proviennent du rapport rédigé le lendemain par Lehmann après son rendez-vous avec Siegfried, à dix heures, dans le lieu sûr de la Stasi nommé « Marienquell »[6]. Et c'est ici, dans ce document, que l'on s'en s'aperçoit : Siegfried prend goût à sa nouvelle vie d'espion. En effet, la même semaine, il fait une autre découverte intéressante. Il invite une de ses connaissances

– un ouvrier métallurgiste blond, musclé – au Dandy Club, un bar de musique jazz de Berlin-Ouest. Ils s'enivrent, le métallurgiste ne se rend pas compte que son interlocuteur cherche à lui tirer des informations. Le métallurgiste raconte avoir un ami qui travaille dans le contre-espionnage américain, dont il lui montre même la photo.

Puis, troisième succès consécutif, Siegfried dit à Lehmann qu'il a repéré dans le *Berliner Morgenpost* une offre d'emploi pour une place de coiffeur à la base américaine McNair de Berlin-Ouest. Lehmann, enchanté, lui dit de postuler.

Le rapport se termine par une courte liste de tâches pour l'informateur :

1. Retourner dans deux semaines à la Maison de l'avenir.
2. Entretenir l'amitié avec l'ouvrier métallurgiste pour en apprendre plus sur l'espion américain.
3. Obtenir le poste de coiffeur à la caserne américaine.

S'avérant l'espion parfait, Siegfried accomplit les trois.

24

L'USINE

Questions : comment perce-t-on un tunnel dans le pays le plus étroitement surveillé du monde ? comment trouve-t-on un endroit sûr à partir duquel creuser et un endroit sûr vers lequel déboucher ? comment faire quand on ne peut utiliser des engins de crainte que la police secrète n'entende, ni acheter des outils faute d'argent ? comment éviter de mourir noyé en heurtant une canalisation ? comment s'éclairer quand il n'y a pas de lumière ? comment respirer quand l'air se raréfie ?

Et si, malgré tous ces obstacles, on réussit à atteindre son but, que faire si la police secrète vous attend de l'autre côté ?

Cela commence par des cartes[1].

Wolf en obtient plusieurs d'un ami qui travaille à la municipalité et, avec Mimmo et Gigi, ils les étalent sur les bureaux de leurs chambres à la résidence universitaire. Du doigt, ils sillonnent les rues, suivent les rivières, examinent le tracé des canalisations souterraines et la hauteur des niveaux d'eau, et essaient de trouver le meilleur endroit pour commencer à creuser dans Berlin-Ouest. Trop loin du Mur et il faudrait creuser durant des mois. Trop près et des Vopos pourraient les repérer. Il faut aussi penser au terrain : le sous-sol berlinois est en majeure partie friable et sablonneux, sujet aux éboulements. Ils doivent trouver un site avec un sol argileux où un tunnel aura des chances de tenir. Enfin, il y a l'eau. La nappe phréatique de Berlin est haute, parfois à un mètre seulement de la surface. S'ils ne trouvent pas une élévation dans laquelle creuser, le tunnel risquera l'inondation, et eux, la noyade. Avec leurs crayons, ils entourent les sites potentiels le long de la frontière, mais ils ne peuvent tirer des cartes que des informations limitées.

Quelques jours plus tard, au volant de sa camionnette Volkswagen crème et marron, Wolf les conduit tous les trois à travers Berlin-Ouest pour inspecter des sites le long de la frontière avec Berlin-Est. Ils ne s'interdisent rien : ils trottent autour du Reichstag – l'arrière du parlement de la RFA donne sur la frontière – et même de la porte de Brandebourg. Mais ni l'un ni l'autre ne conviennent : soit le sol est trop fragile, soit le niveau hydrostatique est trop haut. Alors, ils ont une autre idée. Quelque chose qui, à première vue, paraît fou.

La Bernauer Strasse.

C'est de la folie parce que cette rue n'est pas du tout située dans un coin tranquille de Berlin. En 1962, elle contenait l'attraction touristique la plus célèbre de la ville : le Mur. Côté Est, elle est désertée, les pavés disparaissent sous l'herbe, des garde-frontières y patrouillent jour et nuit. Mais côté Ouest, le lieu fourmille de touristes venus de tous les continents. Des bus à impériale suivent la longue rue pour leur permettre de voir le Mur de près. Régulièrement, les véhicules s'arrêtent et les touristes débarquent. Du haut de plates-formes d'observation spéciales qui donnent sur le Mur, ils sortent leurs appareils et zooment sur les visages sans expression tournés vers eux : les pensionnaires du plus grand zoo humain du monde.

Outre les touristes, la Bernauer Strasse est pleine de ceux qui habitent sa moitié ouest. Elle est le centre d'activités d'un quartier appelé Wedding (surnommé « Wedding rouge » par certains), à population ouvrière, ancien cœur du mouvement communiste de la ville. Une animation permanente y règne : des familles se promènent avec des landaus, des groupes de femmes en robes légères achètent des produits d'épicerie, des enfants en tablier jouent dans des bacs à sable de fortune et se balancent, la tête en bas, sur des cages à poules, des ouvriers d'usine à casquettes fument une cigarette pendant leur pause-déjeuner et regardent la foule vaquer à ses occupations. Depuis les miradors par-delà le Mur, les hommes en vert et noir scrutent chacun d'eux – les Vopos, avec leurs jumelles et leurs kalachnikovs.

Et c'est ici que Wolf, Mimmo et Gigi veulent commencer à creuser. En raison du sol notamment : il est ferme, il y a donc moins de risque d'être enterré vif par un tunnel qui s'écroule. Et comme la Bernauer Strasse est plus haute que d'autres parties de la ville, le niveau hydrostatique y est plus bas et le risque de submersion du tunnel moindre. Enfin, ils veulent creuser ici précisément parce que c'est de la folie : qui les soupçonnerait ?

Maintenant qu'ils ont choisi la rue, ils doivent trouver un endroit discret d'où creuser. Il leur faut une cave, afin que les Vopos de l'autre côté du Mur ne les voient pas aller et venir dans des vêtements maculés de boue. Un matin d'avril, tandis que s'ouvrent les premières fleurs des marronniers d'Inde, Wolf, Mimmo et Gigi parcourent à pied la Bernauer Strasse. Ils regardent par des embrasures de portes et de fenêtres, en quête d'un immeuble ou d'une maison vide, mais il est difficile de distinguer entre bâtiments occupés et inoccupés. À mi-chemin, non loin de la gare ferroviaire, ils en découvrent un de quatre étages en retrait de la rue. La façade est écroulée (elle a été bombardée pendant la guerre) mais une partie dans le fond est demeurée intacte.

S'approchant à la dérobée, ils arrivent dans une cour. Tout est calme – ni son, ni mouvement – et, dans l'angle, il y a une porte. Ils la poussent, montent l'escalier sur la pointe des pieds... et débouchent dans une vaste pièce. C'est le bruit qu'ils remarquent d'abord : le vrombissement de machines à plein régime ; guidés par ce bruit, ils se tournent et voient des centaines de pailles en plastique sortir d'une chaîne de montage. À l'instant où ils se disent qu'ils ne devraient pas être ici, ils entendent des pas et un homme dodu, blond, apparaît : « Que faites-vous dans mon usine[2] ? »

Mimmo et Gigi reculent, fixent Wolf des yeux, s'en remettent à lui et à son allemand. La poitrine de Wolf se contracte. Il sait que la Stasi a des espions partout dans Berlin-Ouest. S'il parle à ce propriétaire d'usine de leur projet et que l'homme se révèle être un informateur, ils seront sans doute enlevés, conduits à Berlin-Est et jetés dans une prison de la Stasi. Vite, il doit inventer une histoire, et son cerveau, qui fonctionne à toute allure, lui en fournit une.

« Oh, nous sommes un groupe de jazz ; nous cherchons un endroit tranquille où répéter, où nous ne dérangerons pas... »

Le blond dodu éclate de rire. « Ne me racontez pas des fables ! s'écrie-t-il. Un groupe de jeunes hommes qui veulent un endroit discret dans une rue bordant le Mur ? Je sais ce que vous mijotez ! »

Alors que Wolf s'apprête à décamper, le propriétaire de l'usine leur donne son nom – Müller – et se met à raconter sa propre histoire : il s'est enfui d'Allemagne de l'Est après la confiscation de son entreprise de porcelaine par le pouvoir.

Wolf écoute. Il n'y a aucun moyen de savoir si Müller dit la vérité ; il se sert peut-être d'un récit mensonger pour les amener à dévoiler leurs secrets. Mais, ayant bel et bien deviné ce qu'ils préparent, Müller leur déclare qu'ils peuvent creuser depuis sa cave et même utiliser son eau et son électricité. Wolf, Mimmo et Gigi le remercient alors qu'il leur confie une clé et leur recommande de nettoyer derrière eux. Après quoi ils s'en vont, riant de leur chance, se demandant toutefois s'ils ont eu raison de lui faire confiance[3].

À présent qu'ils ont une cave dans Berlin-Ouest depuis laquelle creuser, ils doivent trouver un lieu de sortie à l'Est, aux alentours du Mur pour ne pas avoir à creuser trop loin.

Ils n'ont qu'un endroit en tête : un immeuble de la Rheinsberger Strasse qui appartient à un ingénieur bulgare qu'ils connaissent un peu. L'emplacement est idéal, à trois rues seulement du Mur. Ils apprennent que l'ingénieur fêtera son anniversaire la semaine suivante. S'étant débrouillés pour être invités, un après-midi, Mimmo et Gigi font la queue au poste de contrôle, traversent la frontière grâce à leurs passeports étrangers, et se dirigent vers l'immeuble de l'ingénieur.

À la fête, ils boivent un peu, bavardent et dansent, puis se glissent avec lenteur vers le couloir où ils aperçoivent un trousseau de clés suspendu à un crochet parmi les manteaux et les chapeaux. Ils descendent l'escalier en catimini, essaient chacune des clés et finissent par en trouver une qui correspond à la serrure. La porte s'ouvre sur une petite cave sombre. C'est parfait. Il ne leur faut plus qu'un double de la clé afin que, le jour de l'évasion, quand Evi, Peter et leur bébé, ainsi que les autres fugitifs, viendront à cet immeuble, ils puissent accéder à la cave. C'est Mimmo qui a l'idée de courir jusqu'à une boutique pour acheter de la pâte à modeler, puis de prendre l'empreinte de la clé avant de replacer celle-ci sur son crochet. De retour à Berlin-Ouest, Mimmo apporte le moule en pâte à modeler à un serrurier, qui fabrique un double[4].

Ils sont désormais fin prêts : ils ont un lieu de départ et un point d'arrivée. Ils fixent l'évasion au 13 août, date anniversaire de l'édification du Mur. Cela leur laisse quatre mois – une durée suffisante pour creuser le tunnel, en principe.

Ils ne sont pas les premiers à tenter l'expérience. D'autres ont essayé, en vain pour la plupart ; soit des agents de la Stasi les ont trahis, soit le plafond s'est effondré. De ces tentatives, ils ont tiré plusieurs enseignements : ne pas se faire repérer avant d'atteindre le Mur, vérifier que le sol tient bon et, surtout, s'assurer que la Stasi ne découvre rien.

25

BÉTON

Il est presque minuit, le 9 mai 1962. La nuit est tiède, lourde et humide. Mimmo, Gigi, Wolf, Joachim et Manfred se tassent dans la camionnette de Wolf et roulent vers l'usine. Ils ont avec eux un petit sac ; à l'intérieur, des marteaux et des burins.

Arrivés à l'usine, ils descendent dans la cave où ils arpentent le sol en marmonnant, à la recherche d'un bon endroit pour creuser[1].

Ils n'ont jamais vu de vrai tunnel, n'ont jamais rencontré quelqu'un en ayant creusé un, mais ils ont vu à la télévision des images de ceux qui ont été un échec. Avec un bâton de craie, ils tracent un rectangle sur le sol dans un angle de la cave. Comme des chirurgiens circonscrivant l'espace d'une opération, ils veulent une précision absolue quand ils perceront le sol, sans dégâts inutiles. Une fois la zone délimitée, ils s'agenouillent, empoignent leurs outils et se mettent au travail.

Aucun d'eux ne sait plus qui a porté le premier coup, parce qu'ils s'y emploient bientôt tous, frappent sans relâche le sol en béton, les murs de la cave renvoyant vers eux le son de manière amplifiée. Des éclats de béton volent et une odeur de métal chaud envahit la pièce. La poussière leur remplit les narines. Il fait chaud dans la cave et ils ne tardent pas à se mettre torse nu, la sueur perlant sur leurs épaules tandis qu'ils défoncent la couche supérieure, le bruit des coups de plus en plus grave à mesure qu'ils creusent sous la surface. Ils tapent, tapent, tapent, tapent et tapent encore, jusqu'au moment où…

Le sol se fracture.

Arrachant les fragments de béton, ils les jettent sur le côté dans un fracas, puis se remettent à démolir le dallage, le frappent inlassablement, le pulvérisent, et, soudain, le son change.

Ils ont atteint l'argile. C'est bien, ils sont en bonne voie. Mais au moment où ils attaquent l'argile, ils se rendent compte que le travail sera beaucoup plus dur que prévu. Ils ont choisi le site pour la fermeté de sa terre, et ils en découvrent maintenant l'inconvénient : la masse noire et dense résiste presque totalement à leurs efforts pour l'ameublir. Avec leurs pioches, ils enlèvent des morceaux si minuscules qu'ils se demandent comment ils vont bien pouvoir creuser un tunnel ici. Au bout de quelques heures, toutefois, ils apprennent comment procéder avec cette terre glaise, dont ils détachent désormais de gros blocs jusqu'à ce que, enfin, ils obtiennent quelque chose qui ressemble à un trou. Ils se placent autour et le regardent.

Voilà. Plus de retour en arrière possible.

Oubliant leurs cours à l'université, ils creusent durant l'entièreté de cette première nuit, dorment la journée, creusent à nouveau une deuxième nuit, puis une troisième, et c'est seulement à la fin de cette phase que le trou est assez profond. Il mesure un petit peu plus de quatre mètres (soit la longueur d'une Coccinelle Volkswagen) ; c'est la profondeur idéale pour éviter la nappe phréatique et les lignes ferroviaires de la ville. Ils ont étudié toutes ces données avec une rigueur scientifique sur les cartes.

Maintenant qu'ils en sont là, il est temps de commencer à creuser à l'horizontale en direction de Berlin-Est. Ils apportent une échelle dans la cave, la posent contre la paroi du puits et descendent dans le noir. Ils dessinent un triangle sur la paroi – la forme la moins dangereuse, pensent-ils, pour le tunnel. Ensuite, se relayant, ils utilisent des bêches et une foreuse électrique pour percer l'argile. Après quelques jours de forage, le voilà : le début du tunnel[2].

Il est étroit, un mètre sur un mètre, à peine assez grand pour ramper à l'intérieur. Le seul moyen pour eux de creuser est de s'étendre sur le dos, les pieds pointés vers l'Est, en tenant une grosse bêche qu'ils poussent avec leurs pieds, tranchant la terre puis la lançant derrière eux dans un petit chariot en bois.

Pour arriver jusqu'à la cave de Berlin-Est, ils vont devoir creuser ainsi, couchés, sur cent vingt mètres… c'est-à-dire la longueur d'un terrain de foot. Or ils ne sont que cinq à effectuer le travail.

Ce n'est que trop évident : ils ont sous-estimé l'opération. S'ils veulent terminer d'ici la mi-août, ils vont avoir besoin de renforts.

26

LE CIMETIÈRE

Joachim se hisse au sommet de la grille et regarde en bas : des centaines de pierres tombales brillent dans le clair de lune. Tel un chat, il se laisse tomber dans l'herbe et s'accroupit derrière une stèle. Devant lui, pour leur première mission liée au tunnel, les deux nouvelles recrues[1].

Il y a d'abord Hasso Herschel – grand et charismatique, les épaules larges, la barbe épaisse et les cheveux bruns. Né à Dresde en Allemagne de l'Est, Hasso avait mené une vie paisible jusqu'au jour où il fut arrêté, à l'âge de seize ans, pour avoir photographié des gens qui faisaient la queue devant un magasin[2]. Il en avait conçu de la colère, du ressentiment, et en 1953 il se joignit au soulèvement auquel avait participé Joachim. Le lendemain de ces protestations, à cinq heures du matin, la police vint le chercher, le jeta dans une cellule avec vingt autres prisonniers et l'y laissa durant six semaines. Après cet épisode, son existence alla à vau-l'eau : il fut expulsé de l'école et, malgré son immense désir d'entrer à l'université, ne trouva aucun établissement pour lui ouvrir ses portes. À vingt ans, il fut de nouveau arrêté, accusé cette fois d'avoir vendu illégalement des appareils photo à Berlin-Ouest. Envoyé dans un camp de travail, il y resta quatre ans. Quatre ans dans une cellule commune avec un seul W.-C. Tous les jours, Hasso regardait le monde extérieur entre les barreaux, et se disait alors : « Un de ces jours, je serai là-bas, près d'un arbre, à pisser[3]. »

Après la construction du Mur, Hasso voulut à tout prix s'enfuir de RDA. En octobre 1961, avec l'aide du groupe Girrmann, il utilisa un passeport suisse vierge pour franchir la frontière à Checkpoint Charlie. Lorsqu'il passa devant les Vopos, une énorme envie de leur faire un doigt d'honneur le saisit, mais il retint son geste et entra dans Berlin-Ouest. Depuis, il cherchait un moyen d'amener sa sœur, Anita, accompagnée de son mari et de leur bambin. Il avait juré de ne plus se raser tant qu'ils ne seraient pas à Berlin-Ouest. Il avait entendu parler du tunnel par Mimmo et Gigi, et accepté d'apporter son aide à condition qu'Anita et sa famille soient inscrits sur la liste des fugitifs.

L'autre recrue est un ami d'Hasso, Ulrich (Uli) Pfeifer. Il était natif de Berlin mais, alors qu'il avait sept ans, sa famille s'enfuit pour échapper aux bombardements. Par un terrible hasard du calendrier, ils arrivèrent à Dresde quelques jours avant que les bombes américaines et britanniques n'anéantissent la ville. Uli se rappelle encore sa grand-mère se présentant chez eux, couverte de cendres, au terme d'une errance dans la nuit. Après la guerre, comme l'Allemagne de l'Est passait au socialisme, la famille d'Uli fit de même : son père devint membre du parti et heureux propriétaire d'une photo de lui avec Walter Ulbricht, et Uli devint un fervent communiste, surnommé « communiste Pfeifer » par ses amis. Il passait ses journées à monter des maquettes de ponts tirées des coffrets que lui achetait son père ingénieur et rêvait de marcher dans ses pas[4].

Mais Uli perdit sa foi. Ce fut notamment à cause des élections, que le parti remportait toujours, en dépit du comptage douteux des voix. Puis il y eut la fois où un groupe d'enfants de sa classe échoua aux examens uniquement parce que leurs parents n'étaient pas des fidèles du parti. Uli se relâcha, économisa pour une moto, tomba amoureux d'une belle infirmière prénommée Christine, et ils se mirent à sillonner l'Allemagne de l'Est, à prendre des bains de soleil sur les plages de la Baltique. Ils nageaient dans la mer et paressaient sur le sable, imaginant leur vie ensemble, leur mariage, leurs enfants.

Le 12 août 1961, Uli et Christine allèrent au cinéma à Berlin-Ouest. En fin de soirée, ils regagnèrent leur appartement de l'autre côté de la frontière, se couchèrent et, à leur réveil, les barbelés étaient là.

Ils prirent le matin même la décision de s'enfuir. Être bloqués à l'Est leur faisait horreur : alors qu'ils désiraient parcourir le monde ensemble, c'était désormais impossible. Un jour, ils avaient marché jusqu'à la porte de Brandebourg, et là, immobiles, avaient regardé la frontière, essayant de trouver le courage de sauter par-dessus les barbelés, mais ils n'avaient pas pu, la peur les pétrifiait. Un ami d'Uli lui parla d'un projet d'évasion par les égouts. Il y avait de la place pour une personne de plus : voulait-il venir ? « Très bien, dit Uli. Je partirai le premier, je testerai l'itinéraire et ensuite je sortirai Christine d'ici. »

Le 17 septembre 1961, à deux heures du matin, six d'entre eux (deux filles et quatre garçons, tous étudiants) se rejoignirent dans la Schönhauser Allee à Berlin-Est. À l'aide d'un crochet de métal, ils soulevèrent une plaque d'égout et descendirent l'échelle – en silence, sauf lorsque Uli écrasa du pied les doigts de la fille au-dessous et qu'elle poussa un cri.

L'égout était vaste, assez haut pour s'y tenir courbé ; ils progressèrent dans le noir, à tâtons, le long des conduites. Ils avaient sur eux leurs plus belles tenues, les seuls vêtements qu'ils pouvaient emporter à l'Ouest puisqu'il n'y avait pas de place pour des bagages. En costumes ou en tailleurs et chaussures à talons, ils pataugèrent dans les eaux usées, dont l'odeur montait tandis qu'ils remuaient l'épais liquide avec leurs pieds.

Arrivant à l'autre extrémité de l'égout, sous une rue de Berlin-Ouest, ils découvrirent qu'une grille bloquait la sortie. Un instant, ils envisagèrent de faire demi-tour dans la fange, mais ils aperçurent une lumière qui dansait à quelque distance derrière la grille : c'étaient les étudiants coordonnateurs de l'évasion. Ragaillardi, Uli palpa les bords de la grille et trouva un vide à sa base. L'espace était juste assez grand pour qu'ils passent à plat ventre. Là, ils gravirent une échelle, débouchèrent dans Berlin-Ouest et s'engouffrèrent dans une camionnette Volkswagen. Ils avaient réussi.

Une semaine plus tard, Uli avait inscrit Christine à une autre opération d'évasion par les égouts. Mais, alors qu'elle descendait l'échelle, elle entendit des cris et vit des Vopos courir vers elle dans leurs lourdes bottes noires. Bondissant au-dehors, elle s'enfuit, mais ils arrêtèrent deux membres de son groupe, les interrogèrent et, par la suite, la Stasi vint la chercher.

Uli n'apprit l'arrestation de Christine qu'au bout de plusieurs jours ; il sut qu'elle devait passer en justice. Il était terrifié pour elle, se sentait impuissant à la secourir. Sans aucune ligne téléphonique, avec tout le courrier intercepté, il devait attendre des messages codés de ses amis. Un ami de Berlin-Est finit par lui envoyer un télégramme :

Toutes les cellules du corps humain se renouvellent au bout de sept ans[5].

Uli savait ce que la phrase signifiait : Christine avait été condamnée à sept ans de prison. En une seconde, la vie qu'il avait imaginée pour eux – mariage, enfants – s'évanouit. Sa belle Christine était emprisonnée derrière le Mur et il savait qu'il ne la reverrait peut-être jamais. Dès lors, Uli fut plein de haine : haine contre l'Allemagne de l'Est, haine contre le Mur, contre Walter Ulbricht, la Stasi et un parti qui pouvait jeter une jeune femme en prison aussi longtemps, seulement parce qu'elle voulait être avec son amoureux. Comme la haine le dévorait de l'intérieur, lorsque Hasso lui demanda s'il voulait aider à creuser le

Joachim Rudolph âgé
d'une vingtaine d'années.

Evi Schmidt.

Wolfhardt (Wolf) Schroedter.

Abteilung – II/3 – 000101 Berlin, den 9.4.1962

Auskunftsbericht

Personalien :

Name	:	Uhse
Vorname	:	Siegfried
geb. am, in	:	9.7.1940 in Sorau
wohnhaft in	:	Berlin W 30, Augsburgerstr. ▬ Hinterhaus
Beruf	:	Friseur
Tätigkeit	:	Friseur
Arbeitsstelle	:	Salon ▬ Shop Mc Nair Berlin – Zehlendorf Goerzallee
Telefon im Betrieb	:	▬
Wohnungsanschluß	:	ohne
Familienstand	:	ledig
Kinder	:	ohne
Partei vor 1945	:	ohne
nach 1945	:	ohne
Organisationen	:	keine
Militärverhältnis	:	ohne
Vorstrafen	:	▬
op. nutzbare Kenntn.	:	Macht zur Zeit die Fahrerlaubnis für PKW
Berufl. Spezial.K.	:	keine
Besitzverhältnisse	:	keine

– 2 –

Le rapport de la Stasi sur Siegfried après son recrutement. Mention est faite de ses cheveux blond cendré, de son « nez pointu » et de ses « yeux légèrement enflammés ».

Berlin d. 29.3.1962

000100

Verpflichtung

Ich, Siegfried Uhse, geb. am 9.7.1940 in Sorau/N. wohnhaft in Berlin W30, Augsburgerstr. ▬ beschäftigt als Friseur bei ▬ PX Barber-Shop Mc Nair, Berlin-Zehlendorf Eingang Goerzallee, Tel ▬ verpflichte mich freiwillig mit dem MfS der DDR zusammen zu arbeiten. Ich will alles was mir bekannt wird und sich gegen die Interessen der DDR und des gesamten sozialistischen Lagers richtet, wahrheitsgemäß in schriftlicher oder mündlicher Form dem mir bekannten Mitarbeiter des MfS mitteilen. Die vom MfS erhaltenen Aufträge werde ich gewissenhaft ausführen und verpflichte mich mit niemandem darüber zu sprechen. Ich wurde darüber belehrt, daß ich bei Preisgabe der vom MfS erhaltenen Aufgaben und Aufträge an andere Personen bzw. an Vertreter imperial. Geheimdienste nach den bestehenden Gesetzen der DDR zur Verantwortung gezogen werde.

Über die hier eingegangene Verpflichtung gegenüber dem MfS der DDR werde ich gegen Jedermann auch meinen nächsten Verwandten das größte Stillschweigen wahren. Meine Berichte werde ich unter dem Decknamen „Hardy" (Hardy) unterzeichnen.

Siegfried Uhse

La lettre d'engagement de Siegfried Uhse. Chaque nouvelle recrue en écrivait une.

Wolfdieter Sternheimer parle quelques instants au cours de sa mascarade de procès.

La prison de Hohenschönhausen, l'un des plus grands centres de détention préventive de la Stasi, où les gardiens employaient la stratégie de « Zersetzung » – de décomposition. Beaucoup de prisonniers y passaient des années et n'étaient souvent plus que l'ombre d'eux-mêmes quand ils sortaient enfin.

Conversation entre le correspondant de NBC News Piers Anderton (à gauche), Domenico dit Mimmo Sesta (au centre) et le caméraman de NBC News Peter Dehmel.

Le tunnel. Quand la fuite d'eau commença, l'équipe de creusage évacua 36 m^3 en une semaine, mais l'inondation continua.

tunnel, Uli dit oui. Quelle meilleure manière de se venger du pays qui avait gâché sa vie que de percer un tunnel jusqu'à lui, de participer à l'opération d'évasion la plus ambitieuse à ce jour ? Et c'était particulièrement délectable d'employer la formation d'ingénieur qu'il avait reçue en Allemagne de l'Est pour le faire. Car Uli était maintenant ingénieur diplômé et travaillait dans une entreprise de construction – ce qui faisait de lui la recrue idéale.

Avec Hasso et Uli, ils avaient deux paires de bras supplémentaires pour creuser mais, sans outils, ce n'était guère utile. Voilà pourquoi, en cette chaude soirée de mai, ils sont venus dans ce cimetière. Une idée d'Hasso : il y avait un emploi à temps partiel, s'occupait du jardin, et avait vu des outils posés çà et là. Se mouvant dans la pénombre, Joachim, Hasso et Uli s'emparent de tout ce qu'ils peuvent trouver : des pioches, des bêches, des pelles, même des brouettes, et ils les lancent par-dessus la grille à Wolf Schroedter, qui les met toutes dans sa camionnette et les emmène à l'usine.

27

ORGANISATION DU TRAVAIL

Joachim est à l'avant du tunnel. En jean, torse nu, il creuse la terre, couché sur le dos. Des gouttelettes de sueur tombent sur le sol boueux. Il travaille depuis quatre heures et se sent calme tandis qu'il bouge ses bras et ses jambes, ses muscles désormais habitués à ce qu'il leur demande : pousser, tirer, creuser, traîner.

Il s'arrête un instant et jette un coup d'œil vers la cave, distante à présent d'une dizaine de mètres. Grâce aux recrues et aux outils supplémentaires, ils progressent bien : pendant que l'un d'eux dégage l'argile, un autre enfonce des pièces de bois dans les parois pour retenir la terre, afin que le tunnel ne s'effondre pas.

Le bois était fourni par le père d'un ami d'université qui possédait une scierie. Il le leur avait offert pourvu que des amis à lui puissent s'évader aussi par le tunnel. Un matin, son fils s'était rendu dans la cave, avait ôté sa veste, révélant des bâtons de dynamite et du cordeau Bickford, puis avait sorti un fusil à deux coups. « Cela peut-il vous aider à creuser ? » Les travailleurs l'avaient expulsé *manu militari* – « Es-tu fou ? » –, remercié pour le bois et prié de ne jamais revenir[1].

Le chariot étant rempli de terre, Joachim appelle ses compagnons dans la cave. Il a besoin qu'ils actionnent le treuil et ramènent le chariot jusqu'à eux. On ne lui répond pas. Le tunnel est maintenant si long que, quand Joachim est à l'extrémité, les autres ne l'entendent pas crier. On résout un problème, pense-t-il, et on en crée un autre.

Ce jour-là, son travail terminé, Joachim marche jusqu'à un magasin de l'armée américaine. Il cherche une radio ou un téléphone, un appareil qui leur permette de communiquer quand ils sont dans le boyau. Sur un rayon, à côté de talkies-walkies et de fragments d'uniformes désuets, il aperçoit deux téléphones de l'armée américaine datant de la Seconde Guerre mondiale. Vert foncé, avec un combiné noir. Ils semblent parfaits. Il les achète et les apporte à la cave, où il insère des piles et installe un téléphone dans la paroi du tunnel, le recouvrant d'un chiffon pour éviter que la boue ne s'y colle. L'autre, il le fixe à un mur dans la cave, les deux appareils étant reliés par un câble noir qu'il suspend à l'entrée du tunnel avec un crochet. Puis il rampe jusqu'à l'avant de la galerie, essaie le téléphone et... dring ! dring ! Il entend sonner dans la cave. Souriant, Joachim montre à ses compagnons le fonctionnement de l'appareil et ils plaisantent ensemble sur le fait que ce sera l'un des seuls téléphones privés entre Berlin-Est et Berlin-Ouest. Désormais, il suffit de téléphoner pour avertir l'équipe quand le chariot est plein : elle le tire alors à l'aide du treuil, le remonte du puits, le décroche, verse son contenu dans une brouette qu'elle vide dans un coin, puis le renvoie dans le tunnel.

Ils sont maintenant huit : Mimmo, Gigi, Wolf, Joachim, Hasso, Uli, Manfred (qu'ils appellent « le grand ») et un ami de Mimmo et Gigi nommé Orlando Casola, d'une telle timidité qu'il ne dit jamais un mot et garde ses lunettes de soleil en permanence, même dans la cave.

Les huit hommes trouvent bientôt un rythme régulier. Répartis en groupes, ils font les trois-huit, leur tableau de service noté sur une feuille de papier contre le mur. À chaque poste, ils viennent à la cave avec un casse-croûte, enfilent de vieux vêtements et commencent. Le premier creuse, le deuxième s'occupe du boisage et le troisième déverse la terre dans la cave. Au bout de huit heures, ils sont épuisés, les bras tremblants, les sourcils agglutinés par la boue.

Quand il rentre à la résidence universitaire, Joachim s'écroule dans son lit, les mains repliées pour protéger ses phalanges couvertes d'ampoules. En quelques secondes, ses yeux se ferment et il sombre dans l'obscurité d'un sommeil sans rêve.

28

UN NOUVEAU NOM

Siegfried Uhse, le coiffeur devenu espion, avale une gorgée de bière et regarde Lehmann attablé face à lui[1]. Il n'arrive jamais à savoir ce que son officier traitant pense de lui, mais il espère prouver ce soir quel bon espion il est.

Depuis sa visite à la maison de l'avenir deux mois plus tôt, Siegfried avait eu des entrevues régulières avec Lehmann dans un lieu sûr appelé « l'École », où leur rendez-vous commençait toujours par un échange codé :

LEHMANN : Excusez-moi, étiez-vous à la fête de Bela hier ?

SIEGFRIED : Non, j'étais avec Anni chez Birgit.

Puis, au cours d'un dîner arrosé de cognac (il choisissait toujours du cognac) payé par Lehmann, Siegfried relatait ses activités. Il y avait toujours beaucoup à dire. D'abord, son emploi dans la base de l'armée : six jours par semaine, il s'occupait des soldats américains et essayait de leur soutirer des informations pendant qu'il leur coupait les cheveux en brosse. Il avait déjà eu vent d'une manœuvre de trois jours comprenant trois mille soldats américains ; il avait aussi flirté avec une garde à la porte de la caserne et réussit à la convaincre de lui donner un laissez-passer. Siegfried se promena dans la caserne, en mémorisa le plan et en traça ultérieurement un croquis qu'il remit à Lehmann. Ensuite, il y avait ses fréquents passages à la maison de l'avenir, où il avait fait la connaissance de Bodo Köhler et de son équipe de passeurs.

Lehmann est impressionné, c'est manifeste. Comme un professeur empli de fierté, il décrit longuement dans ses rapports le caractère de Siegfried et les qualités qu'il découvre chez son nouvel informateur.

C'est quelqu'un de très amical et serviable. Il semble toujours modeste lors des entrevues mais se réjouit quand on lui offre un bon repas [...]. Il a l'air [...] timide en surface, néanmoins cette apparence est trompeuse car il est objectif et déterminé dans les discussions [...]. Il a de bonnes connaissances générales, il a des capacités intellectuelles, du dynamisme, et il sait intensifier ces traits par la finesse. Il établit de bonnes relations avec les gens, les hommes en particulier. Il suit toujours ses instructions d'employé mais il propose aussi d'effectuer diverses tâches. Jusqu'à présent il n'a refusé aucune mission[2].

Les deux dernières phrases sont particulièrement intéressantes. Certains espions de la Stasi qui se sentaient contraints de fournir des informations trouvaient des façons de résister : ils acceptaient d'accomplir des tâches, mais s'arrangeaient pour ne jamais rien découvrir que la Stasi puisse véritablement exploiter. Les rapports de Lehmann montrent bien que Siegfried n'appartient pas à cette catégorie. Il prend des initiatives, va au-delà de ce qu'on lui demande de faire. Mais pourquoi ?

L'officier traitant semble s'être posé la question puisque, chaque fois qu'ils se voient, il demande à Siegfried pourquoi il fait le travail. Celui-ci répond qu'il le trouve « avantageux pour sa vie personnelle » ; son seul regret est de ne pas avoir mieux réussi. Il affirme ne pas le faire pour le « profit matériel », bien que la Stasi l'aide désormais à payer le loyer d'un nouvel appartement et lui verse un salaire régulier – environ 100 deutsche Marks (122 francs français en 1962, l'équivalent de 26 euros actuels) par semaine. Étant donné que Siegfried avait un mode de vie coûteux, il est difficile de ne pas penser que l'argent jouait un rôle.

Il soutient que la raison principale est politique. Lehmann en doute. Il écrit que Siegfried n'est pas clair sur ses opinions politiques, qu'il « a l'esprit large mais doit être corrigé à certains égards ». Dans les comptes rendus de leurs conversations rédigés par Lehmann, les idées politiques de Siegfried semblent soigneusement préparées, comme s'il répétait tel un perroquet des phrases lues dans le journal ou entendues à la télévision. « L'Allemagne de l'Est est le véritable État allemand, dit-il, et les objectifs de la RDA sont ceux qui me séduisent le plus. » Puis il ajoute quelque chose de révélateur : « Il est toujours bien de s'unir aux plus forts »[3].

Peut-être qu'il y avait du vrai là-dedans. Peut-être qu'après l'humiliation de son premier interrogatoire, l'image de pervers suscitée par les questions sur sa vie sexuelle, trouver de l'estime de soi en plaisant à la force la plus puissante dans son existence avait du sens pour lui. Une espèce de syndrome de Stockholm. Ou peut-être que j'interprète à l'excès une seule phrase. C'est tentant de le faire avec les dossiers de la Stasi.

Quels qu'aient été ses motifs, Siegfried travaille tellement bien que Lehmann le promeut. Siegfried n'est plus un simple contact, un informateur de base. Il est désormais un *Geheimer Mitarbeiter*, un informateur secret. Pour marquer sa promotion, la Stasi autorise Siegfried à changer de nom et, cette fois, il en choisit un qui lui correspond mieux, lui l'espion résolu à prouver sa valeur.

L'agent Fred devient l'agent Hardy.

Et c'est l'agent Hardy qui a réclamé ce rendez-vous le 22 mai 1962, téléphonant à Lehmann pour annoncer qu'il a une chose importante à lui dire, une chose qui ne peut pas attendre leur prochaine entrevue. Siegfried n'est pas très sûr que téléphoner à Lehmann soit acceptable ; il continue d'apprendre les règles – en l'absence de manuel à consulter, de liste de ce qu'il faut faire ou éviter. Lehmann a répondu en peu de mots, seulement donné à Siegfried l'adresse d'un bar à Berlin-Est. Siegfried a sauté dans un train, franchi la frontière et pris le métro jusqu'à la Magdalenenstrasse. Alors qu'il marche en direction du bar, il s'aperçoit qu'il n'est qu'à quelques rues du siège de la Stasi. Lehmann devait y travailler lorsqu'il l'a appelé.

Le temps que Siegfried arrive à l'*Eckkneipe* – le « bistrot du coin » –, il est tard. Remplis d'habitués buvant là presque tous les soirs à leur place attitrée, les bars du coin berlinois étaient une sorte de salle de séjour partagée pour les habitants du voisinage, qui venaient y boire et y fumer jusqu'au matin, serrés autour de tables couvertes en vinyle. À travers la fumée, Siegfried voit Lehmann assis dans un angle. Il se fraie un chemin parmi les buveurs et s'assied en face de son officier traitant. Lehmann est impatient de savoir ce que Siegfried a pour lui.

Euphorique, sachant que c'est le meilleur renseignement qu'il a découvert jusque-là, Siegfried raconte à Lehmann qu'il est récemment allé dans la maison de Joan Glenn – l'étudiante américaine qui aidait à organiser les opérations d'évasion du groupe Girrmann. Pendant qu'il était là-bas, Joan lui avait révélé quelque chose qu'elle n'aurait pas dû : une « percée violente à la frontière » était sur le point de se produire. Et les personnes impliquées étaient armées. Siegfried désirait à tout prix en savoir plus, il voulait connaître le lieu et l'heure, mais il n'osait pas poser trop de questions, par crainte de perdre la confiance de Joan[4].

Lehmann écoute. L'information est aussi terrible que captivante. Siegfried lui en a dit assez pour savoir qu'un grave incident va éclater près du Mur, mais trop peu pour agir.

À la fin de leur entrevue, hésitant, Siegfried demande à Lehmann s'il a bien fait de lui téléphoner. Tel un professeur encourageant un élève appliqué, Lehmann le rassure : « Vous avez eu raison, dit-il. Avec une information comme celle-ci, vous pouvez toujours m'appeler[5]. »

Assis dans cet accueillant bar du coin, le ventre plein de bière, Siegfried l'espion si désireux de contenter son officier traitant éprouve sans doute alors une joie rayonnante. Les deux hommes fixent ensuite la date et l'endroit de leur prochaine entrevue : ce sera une semaine plus tard, le 30 mai à dix-sept heures trente, à « l'École ».

29

LA BOMBE

Quatre jours plus tard

Le 26 mai, près de minuit. Deux Vopos en uniforme kaki et bottes de cuir noir surveillent le Mur le long de la Bernauer Strasse, kalachnikov plaquée contre la poitrine. C'est calme et ils espèrent que cela restera ainsi tandis qu'ils comptent les minutes qui les séparent de la fin de leur patrouille.

Soudain, ils entendent une explosion. Exercés par des mois d'entraînement, ils quittent le Mur pour courir en direction du bruit mais, quelques secondes après, ils entendent une autre explosion, beaucoup plus forte, dans leur dos. Puis deux autres encore. Ils ont été dupés. La première explosion était un leurre pour détourner leur attention : revenus à toutes jambes vers le Mur, ils découvrent un trou de deux mètres, des éclats de pierre et de béton éparpillés dans la rue. Depuis neuf mois que le Mur existe, c'est la première fois que quelqu'un le plastique, et l'événement fait la une des journaux du monde entier, y compris le *New York Times* :

QUATRE EXPLOSIONS
EN 15 MINUTES PERCENT LE MUR
DES ROUGES À BERLIN[1]

Sous la manchette du *New York Times* figure une photo de deux policiers ouest-berlinois regardant par le trou. On ne voit pas leurs visages, malheureusement. Mais si on les distinguait, on s'apercevrait peut-être que celui sur la droite sourit. Car c'était lui qui, travaillant pour le groupe Girrmann, avait déclenché les déflagrations.

Le policier, Hans Joachim Lazai, était venu de lui-même soumettre l'idée aux membres du groupe. Neuf mois auparavant, il était en faction près du Mur lorsque Ida Siekmann avait péri en sautant par sa fenêtre. Ce moment n'avait cessé de le hanter. À mesure que les semaines passaient et qu'il se sentait de plus en plus impuissant, il avait craqué. Il voulait faire quelque chose, quelque chose de spectaculaire contre le Mur qui constituerait une déclaration. Il avait eu connaissance du groupe Girrmann et était allé les voir avec une proposition : étaient-ils partants pour faire exploser un morceau du Mur ?

Bien sûr qu'ils étaient partants ! Et Hans était l'homme idéal. Ancien membre d'une unité anti-émeute, il avait appris à manier les explosifs ; étant policier, il pouvait s'approcher suffisamment du Mur pour leur mise à feu. En cette nuit de mai, Hans transporta jusqu'au Mur six kilos de plastic et des sacs de sable destinés à diriger le souffle de l'explosion vers l'Est[2]. Après avoir fait sauter le leurre, Hans alluma les mèches des explosifs avec un cigare. Comme il le déclara ensuite : « Je ne souhaitais pas seulement que ce geste fasse sensation à l'Ouest, je voulais aussi donner aux gens de l'Est un signe d'espoir – le monde ne vous a pas oubliés[3] ! »

C'était la « percée violente » dont Siegfried avait été averti. Mais l'information qu'il avait livrée à Lehmann n'avait servi à rien. Il en tira un enseignement capital : pour être un espion parfait, il fallait pénétrer jusqu'au cœur de l'opération et en connaître les moindres détails. Il ne commettrait plus l'erreur de se précipiter.

30

AMPOULES

Uli retient son souffle. Il ne doit pas bouger. Au fond du tunnel, l'œil rivé sur la bulle d'air du théodolite, il déplace le petit trépied pour le rendre stable et bloque les pieds. Niveau fixé.

Il respire.

Maintenant, le fil à plomb vertical sous l'appareil. Il retient son souffle une deuxième fois, règle les boutons, les bloque, puis approche son œil de la lentille. Il cherche le réticule, ce point au centre qui leur indiquera s'ils creusent vers l'Est ou s'ils ont dévié sans le vouloir. De ses doigts habiles, il tourne les molettes sur les côtés du théodolite, l'immobilisant. Il note les angles, horizontaux et verticaux, puis s'assoit. Respire à nouveau. Il y a des avantages à faire des études d'ingénieur, parmi lesquels emprunter un théodolite de l'université pendant qu'on creuse un tunnel clandestin.

Quand ses compagnons comparent les résultats d'Uli avec leur carte, ils constatent, soulagés, qu'ils creusent dans la bonne direction. Mais ils ne sont pas aussi loin qu'ils l'avaient espéré. Le travail est difficile, plus difficile qu'ils ne l'imaginaient. Certains jours, après huit heures de labeur, allongés dans ce tombeau de boue, les bras affaiblis par l'épuisement, ils s'aperçoivent qu'ils ont avancé de dix centimètres seulement.

Mais aucun d'eux ne se plaint. Ils se sont habitués à cette nouvelle vie étrange : passer des journées entières dans l'obscurité de la cave (les pauses à l'extérieur sont trop risquées), sommeiller sur un matelas dans le coin, se soulager dans des canalisations d'égout et se nourrir de sandwiches et de café.

À la fin de chaque journée, tandis qu'il se hisse hors du tunnel pour regagner la cave, Joachim a des élancements dans tout le corps. Des muscles dont il ne connaissait même pas l'existence lui font mal. La pire douleur est dans ses mains. Des dômes translucides se sont formés au bout de chaque doigt et creuser devient une torture quand ils éclatent contre la bêche. Joachim doit chercher des surfaces froides, y appuyer l'extrémité de ses doigts pour apaiser sa peau.

Deux semaines se sont écoulées et, malgré les longues heures, la fatigue, les ampoules, le résultat obtenu est minime. Le tunnel demeure fermement dans Berlin-Ouest; à ce rythme-là, estime Joachim, il leur faudra un an pour atteindre la cave à l'Est. Ils ont besoin de renforts et de meilleurs outils. Mais il n'y a qu'une seule façon de se les procurer.

31

LE PRODUCTEUR DE TÉLÉVISION

Août 1961 – neuf mois plus tôt

Reuven Frank s'installa à sa place dans l'avion. L'appareil était à moitié vide : peu de gens voyageaient de New York à Berlin-Ouest. L'avion roula vers la piste d'envol, cahotant avant d'accélérer avec des embardées puis de s'élever dans le ciel. Tandis qu'il prenait de l'altitude, Reuven consulta la durée de vol : douze heures. Douze heures pour se pencher sur ce qu'il filmerait à Berlin[1].

Reuven Frank n'avait pas débuté à la télévision. Il avait commencé sa carrière dans la presse, rédacteur de nuit et responsable des nouvelles locales au *Newark Evening News* dans le New Jersey. Un jour, il reçut l'appel d'un ami de NBC (National Broadcasting Company), un réseau de radiodiffusion des États-Unis qui étendait ses activités à la télévision. Reuven voudrait-il venir travailler pour eux ?

La réponse était non. À l'époque, il ne voyait pas l'intérêt de la télévision, pas plus que les membres du personnel radio au sein de NBC qui, en 1950, se méfiaient tous de ce nouveau média étrange.

Accepterait-il au moins de venir au siège de NBC à New York et de jeter un coup d'œil ?

Comme la majorité des journalistes, Reuven avait du mal à refuser une proposition quelle qu'elle soit ; par conséquent, en août 1950, il s'était rendu à l'angle de Park Avenue et de la 106e Rue, était entré dans l'immeuble de NBC et s'était assis dans la salle de projection, silhouette solitaire entourée par des centaines de sièges en velours.

Puis...

Un cliquetis. Et le vrombissement d'un projecteur qui se mettait en marche. Sur l'écran face à lui, une séquence montrant des soldats russes et américains apparut. C'était Berlin, une ville dont il avait vu des quantités de photos, et à présent il regardait des images en mouvement. Derrière lui, au fond de la salle, il entendit deux hommes dialoguer à voix basse.

« D'abord un plan de la foule d'environ sept secondes. Puis quelques scènes de la jeep qui s'approche, ensuite le général sort pendant environ cinq...[2]. »

Un rédacteur de NBC et son monteur étaient en train de préparer un reportage. Reuven Frank observa l'écran pendant qu'ils s'appliquaient à organiser les séquences, décidant où commencer, quelle longueur donner à chaque scène et où terminer, transformant en récit des fragments filmés dépourvus de cohérence. Reuven n'avait jamais rien vu de pareil. Durant ce moment, la puissance de la télévision le stupéfia. « Je pensai : quelle merveilleuse façon de vivre[3] ! » Il donna aussitôt sa démission au *Newark Evening News* et, deux semaines plus tard, il débuta à NBC comme rédacteur de journaux télévisés. Là, il découvrit que la direction de la chaîne croyait aussi peu à la télévision que lui naguère.

La radio était le grand média ; la télévision, sa petite sœur que les dirigeants de NBC ignoraient et dont personne ne pensait qu'elle durerait. Cela était en partie dû à la technologie : pour filmer quelque chose, il fallait utiliser des caméras portatives qui fonctionnaient avec une grosse clé métallique sur le côté. Au bout de seulement une minute et dix secondes, on devait tourner à nouveau la clé pour relancer le moteur. Comparée à la radio si pratique, la télévision était encombrante et prenait beaucoup de temps ; résultat, les équipes de prises de vues filmaient principalement des concours du plus gros mangeur de glaces et des défilés pour l'élection d'une Miss. Elles laissaient les informations sérieuses aux équipes de radio.

Ce dont la télévision avait vraiment besoin pour faire ses preuves, c'était d'une épopée, d'un drame humain, et, au début des années 1950, le sujet idéal émergea : la guerre froide. Il s'agissait d'une guerre nouvelle, semblable à aucune autre, qui se répandait partout dans le monde, impliquant les États-Unis et leur plus grand ennemi, l'Union soviétique. Tel un film Marvel sous stéroïdes, l'histoire de la guerre froide promettait de l'action contre la menace constante d'une destruction nucléaire totale.

Le seul problème pour les chaînes de télévision, c'était que cette nouvelle guerre se caractérisait en réalité par l'impasse et l'inaction, ou, pire encore, par d'interminables réunions de l'Assemblée générale des Nations unies, lors desquelles d'incompréhensibles votes étaient perdus et gagnés. Il existait néanmoins un lieu où elle prenait vie, où les deux superpuissances, les États-Unis et l'Union soviétique, se faisaient face avec soldats, chars et mitrailleuses : Berlin.

Ici, les équipes américaines pouvaient scruter derrière le rideau de fer. NBC se mit à conclure des accords d'échanges mutuels avec des organismes de télédiffusion européens comme la BBC, convenant que chacun des signataires pouvait se servir des séquences de l'autre. Soir après soir, NBC déversait des images européennes dans les foyers américains : des chars russes descendant des rues allemandes, des manifestants lançant des pierres et des briques, des soldats américains patrouillant dans Berlin-Ouest, cigarettes Chesterfield aux lèvres. Les téléspectateurs américains, qui n'avaient jamais vu ça, n'en perdaient pas une miette.

Avant la guerre, ce sujet aurait été difficile à vendre. L'Europe paraissait éloignée des États-Unis, sa politique peu importante pour un pays isolationniste. Au sortir de la guerre, l'Europe semblait plus proche. Les Américains savaient que ce qui se passait en Europe pouvait changer les choses aux États-Unis ; en outre, les millions de soldats rentrés après avoir combattu dans des villes européennes avaient rapporté des anecdotes venant des lieux mêmes qui apparaissaient maintenant sur les écrans.

En 1952, dix-sept millions de foyers américains possédaient un téléviseur. La guerre froide avait donné une finalité au nouveau média, et il était évident que la télévision allait rester. Reuven Frank y était entré au moment idéal. Puisque dans ce média jeune et sans précédent, il n'y avait pas encore de règles, personne pour dire « ce n'est pas comme cela qu'on procède », Reuven Frank, perturbateur-né, contribua à les inventer. Ce fut lui qui envoya pour la première fois des reporters dans l'enceinte des conventions politiques américaines, leur demandant de parler en direct à la caméra, et ce fut lui qui ébaucha le projet de retransmission de la soirée électorale. Sachant combien la télévision pouvait être forte, il passait des heures dans les salles de montage, à combiner les séquences pour construire des histoires qui parlaient autant aux tripes qu'à la tête. Comme il l'écrivit plus tard dans une célèbre note de trente-deux pages, « Le plus grand pouvoir du journalisme de télévision n'est pas de transmettre des informations mais de transmettre des expériences[4] ». C'était aussi Frank Reuven qui avait créé *The Huntley-Brinkley Report*, émission d'actualités présentée tous les soirs par Chet Huntley et David Brinkley ; lui-même, en coulisse, orchestrait de rapides passages entre reporters de différentes villes. Il avait suggéré la formule de fin, qui semblait révolutionnaire à l'époque par son amabilité : « Bonne nuit, David. Bonne nuit, Chet. Et bonne nuit de la part de NBC News. » C'était cucul, mais les gens adoraient et *The Huntley-Brinkley Report* fut l'émission la plus regardée des États-Unis pendant dix ans.

Maintenant, à l'été 1961, alors qu'il volait vers Berlin-Ouest accompagné de son présentateur vedette David Brinkley, Reuven Frank était l'un des producteurs les plus puissants des États-Unis, la télévision étant devenue la reine incontestée des médias. Jadis produit de niche, avec seulement 9 % des foyers équipés dans les années 1950, la télévision était la nouvelle normalité et, en 1960, plus de 80 % des foyers possédaient un téléviseur[5]. Chaque fois qu'un événement se produisait, la première question était : comment la télévision racontera-t-elle cette histoire ?

Et c'était la question que Reuven Frank poserait dans quelques heures, parce que son avion devait atterrir juste avant midi le samedi 12 août 1961 et que, par une conjoncture incroyablement heureuse, la plus grande histoire de l'Europe d'après guerre allait se dérouler autour de lui.

Ce fut vers neuf heures le lendemain matin que Reuven Frank entendit parler des barbelés. Il avait passé l'après-midi précédent à filmer des fugitifs dans des camps de réfugiés avec David Brinkley, puis tous deux s'étaient effondrés dans leurs chambres d'hôtel, exténués après leur long vol. Le dimanche 13 août, Reuven Frank, sorti du lit un peu tard, était descendu prendre le petit déjeuner et buvait du café en lisant quand il devina, au brouhaha des conversations de plus en plus fiévreux, que quelque chose s'était produit. Il alla se renseigner à la réception.

« Ils ont fermé la frontière, lui dit le réceptionniste.

— Qui ça ? demanda Reuven.

— Les communistes[6]. »

Un quart d'heure plus tard, Reuven Frank et David Brinkley étaient à la frontière entre Berlin-Ouest et Berlin-Est. David Brinkley parla à la caméra, enregistrant des images qui raconteraient au monde ce qui était arrivé et qui montraient la clôture de barbelés continuant de monter derrière lui. Lorsqu'ils apprirent qu'on avait aperçu des chars russes dans le quartier de Wedding, ils s'y rendirent et filmèrent les centaines de Berlinois de l'Ouest qui criaient et vociféraient contre les soldats visibles au sommet des véhicules.

Pendant quarante-huit heures merveilleuses, l'histoire du mur de Berlin leur appartint, en toute exclusivité, tandis que leurs rivaux dans la profession – ABC et CBS – tâchaient de rallier Berlin-Ouest au plus vite depuis la RFA. Les premières séquences que les téléspectateurs américains virent du mur de Berlin étaient signées NBC et, à cette époque de rivalité intense entre les chaînes, ce fut l'une des sensations les plus exquises que Reuven Frank avait jamais éprouvées.

Le mardi soir, épuisé après deux journées de tournage à la frontière, Reuven Frank s'assit dans le bureau de NBC pour s'entretenir avec l'homme qui le dirigeait : Gary Stindt. Gary Stindt était l'un des plus grands cameramen de son temps. Il avait l'œil pour les images, du flair pour les sujets et l'envie d'aller jusqu'au bout. Lorsque le deuxième conflit mondial éclata, ce fils de caméraman, natif de Berlin, avait été envoyé dans le New Jersey. Là, il s'était engagé dans l'armée de l'air et avait suivi la voie professionnelle paternelle, filmant l'intérieur de cockpits d'avion tout en étant sanglé à l'aile. Après la guerre, il était retourné à Berlin-Ouest et devenu caméraman pour NBC. En 1948, durant le blocus soviétique, il avait filmé les avions américains qui s'approchaient du sol pour livrer de la nourriture. Il avait aussi eu l'ingénieuse idée de louer le grenier d'une boulangerie en face de la prison où les sept derniers survivants du commandement nazi (dont Rudolf Hess et Albert Speer) purgeaient leurs peines. À l'aide d'un téléobjectif, il les saisit pendant qu'ils déambulaient à pas traînants, en capotes militaires et toques de détenus, dans la cour de la prison, et les séquences réunies avaient formé un documentaire primé.

Également avec eux dans le bureau, Piers Anderton, le correspondant de NBC à Berlin-Ouest : un grand et fringant diplômé de Princeton qui avait servi dans la marine durant la Seconde Guerre mondiale puis embrassé la carrière de journaliste. Charismatique, une mèche blanche dans ses cheveux bruns, Piers avait l'admiration de Reuven Frank pour son rare mélange de brio et de compétence. Ce soir-là, les trois hommes se penchèrent sur la meilleure manière de raconter l'histoire de ce nouveau mur.

Il y avait longtemps que Reuven Frank cherchait une façon plus frappante d'expliquer la guerre froide, qui ne se limiterait pas à une séquence de dix minutes au journal télévisé. L'ère des documentaires télévisés s'ouvrait et Reuven Frank avait constaté quelle puissance ils pouvaient avoir, mais il voulait élargir le format, présenter un genre d'histoire totalement inédit. Les documentaires télévisés étaient désormais le domaine dans lequel les chaînes menaient leur course à l'audience ; elles désiraient toutes raconter une affaire qui captiverait le pays entier.

Avec cette nouvelle clôture de barbelés, une idée surgit dans la tête de Reuven : et si Gary Stindt et Piers Anderton dénichaient une histoire d'évasion ? Non pas une fuite ayant déjà eu lieu, mais une tentative qui commençait tout juste ? Ils pourraient filmer l'opération en temps réel, dans toutes ses péripéties, sans savoir comment elle se terminerait. L'idée était révolutionnaire. Avant-gardiste, Reuven Frank avait vu que, si les journalistes empruntaient des techniques au monde du théâtre et du cinéma, ils seraient capables non seulement de communiquer des informations, mais d'émouvoir les gens. Comme il le formula : « Toute histoire d'actualité devrait, sans sacrifier en rien la probité et la responsabilité, posséder les attributs de la fiction, du théâtre. Elle devrait comporter une structure et un conflit, un problème et un dénouement, une progression et une chute, un début, un milieu et une fin. Ces éléments ne sont pas indispensables uniquement au théâtre, ils sont indispensables au récit[7]. »

Reuven avait conscience que, s'ils réussissaient à trouver et à filmer une évasion, ils tiendraient l'histoire la plus palpitante de la guerre froide. Il exhorta Piers et Gary à entamer immédiatement des recherches. « Si vous trouvez quelque chose d'intéressant, déclara-t-il, commencez à filmer. Je peux payer. Quels que soient vos besoins[8]. » C'était le genre de choses que Reuven Frank, dans sa position, pouvait dire.

Le producteur de télévision vedette monta ensuite dans une voiture pour rejoindre l'aéroport et s'envola dans la nuit, la ville nouvellement divisée disparaissant au-dessous de lui.

32

LE MARCHÉ

Mai 1962

Neuf mois après la visite de Reuven, Piers et Gary n'avaient toujours pas trouvé d'évasion à filmer. Ce n'était pas faute d'avoir cherché. Ils avaient informé leurs accompagnateurs locaux du projet, mais chaque fois qu'ils avaient une piste prometteuse, sautaient dans une voiture pour venir filmer, quelque chose tournait mal[1].

Un jour, Piers était descendu dans les égouts; hélas, il avait très vite aperçu la lumière des torches des Vopos. Un autre, il avait prêté des talkies-walkies à deux étudiants de Berlin-Ouest qui orchestraient une évasion, à condition qu'ils lui permettent de filmer. Allongé dans un champ, il avait écouté, impuissant, l'un des étudiants ramper vers les barbelés et disparaître – définitivement.

Néanmoins, Piers n'avait pas renoncé. Il était même plus déterminé que jamais à trouver: il fallait que les téléspectateurs américains sachent ce qui se passait, combien les gens voulaient coûte que coûte quitter Berlin-Est. Il avait vu les traces des tentatives d'évasion – des plaques d'égout déplacées, des balles dans le Mur – mais ce n'était pas la même chose que d'en filmer une dès son début. Il commençait à croire que sa quête demeurerait infructueuse. Le secret enveloppait les opérations d'évasion, car les informateurs de la Stasi les infiltraient sans cesse, avec des conséquences désastreuses. Quelques mois auparavant, un groupe d'étudiants avait achevé de creuser un tunnel depuis Berlin-Ouest. Rampant vers l'Est pour aller chercher les fugitifs, un étudiant prénommé Heinz découvrit à son arrivée que la Stasi l'attendait. Il braqua sa lampe dans les yeux des agents et rebroussa chemin le plus promptement possible le long du tunnel, mais des coups de feu retentirent derrière lui. Lorsqu'il resurgit à l'Ouest, du sang coulait d'un trou causé par une balle dans son thorax. Heinz leva les yeux vers ses amis. « Ces salauds m'ont tiré dessus », dit-il, hors d'haleine. Ses derniers mots[2].

À la fin du mois de mai 1962, tandis que Piers et Gary poursuivaient leurs investigations, Joachim et ses compagnons entreprenaient de trouver de l'argent pour acheter des outils et payer d'autres recrues. Ils avaient déjà des résultats : d'abord, un proche du maire Willy Brandt les avait mis en contact avec un parti politique, qui leur versa 2 000 deutsche Marks (soit 2 450 francs français, l'équivalent de 518 euros actuels ; une somme non négligeable).

Puis ils apprirent que la mère de Peter, désireuse de s'enfuir elle aussi, avait 3 000 deutsche Marks (3 680 francs français d'alors, 777 euros actuels) sur un compte bancaire à Berlin-Ouest et qu'elle les offrirait volontiers. Le problème était que, coincée à l'Est, elle ne pouvait traverser la frontière pour retirer l'argent. Mimmo et Gigi eurent une idée ingénieuse. Un paquet de cigarettes en poche, ils allèrent voir la mère de Peter à Berlin-Est. Elle écrivit alors, sur un mince papier à cigarette, un mot leur donnant procuration. Ils roulèrent du tabac dans le papier puis le glissèrent à l'intérieur du paquet. S'il y avait une fouille à la frontière, ils pourraient fumer la cigarette roulée, détruisant ainsi le document compromettant[3]. Par bonheur, ils passèrent sans encombre le poste de contrôle et apportèrent le papier à la banque ouest-berlinoise, où ils retirèrent l'argent. C'était une grosse somme mais ils la dépensèrent en peu de temps, acquérant des outils et une deuxième camionnette Volkswagen – sans fenêtres, plus commode pour cacher les travailleurs durant les trajets entre la Maison de l'avenir et la cave.

À l'heure qu'il était, ils avaient besoin de fonds supplémentaires. Wolf Schroedter, le blond charmant et débrouillard, aux yeux bleus pétillants, fut chargé de la chasse aux ressources. Il était le mieux placé pour réussir. Sa première idée fut de s'adresser au plus grand magazine de RFA, *Der Spiegel*. C'était une évidence puisque, quelques mois plus tôt, l'hebdomadaire avait conclu un accord avec le groupe Girrmann, versant 6 000 deutsche Marks (environ 7 360 francs, 1 554 euros actuels) en échange d'une exclusivité en une sur leurs opérations d'évasion (aucun nom ne serait cité)[4]. Avec la très récente construction du Mur, les opérations d'évasion suscitaient l'enthousiasme et faisaient vendre des journaux. Les fugitifs devenaient aussitôt célèbres ; deux avaient même rencontré Robert Kennedy, frère du président et procureur général des États-Unis, dans sa chambre d'hôtel lorsqu'il était venu à Berlin.

Mais les journalistes du *Spiegel* refusèrent ; ils avaient déjà raconté une évasion et voulaient s'en tenir là. Ils avaient néanmoins une suggestion : pourquoi ne pas en parler à la MGM, société cinématographique américaine à Berlin-Ouest ? Celle-ci tournait depuis janvier une superproduction hollywoodienne sur une voie d'évasion souterraine, mais filmer un autre tunnel en cours de creusage la tenterait peut-être. Wolf, comme la plupart des Berlinois de l'Ouest, connaissait bien la MGM, parce que son équipe avait bâti près du parc de Tiergarten un faux mur en plâtre long de deux cent soixante-quinze mètres, création si convaincante qu'il avait fallu y fixer une pancarte expliquant que c'était une imitation[5]. Le premier soir de tournage, alors qu'était filmée une scène au bord du canal, près du vrai Mur, des Vopos avaient repéré l'équipe et braqué leurs projecteurs sur les caméras. Le producteur du film, ravi, avait téléphoné à la rédaction du *Los Angeles*

Times pour raconter l'anecdote. « Quel réalisme[6] ! » s'était-il écrié, triomphant.

Wolf passa des coups de fil, trouva l'adresse de l'attaché de presse allemand de la MGM et, peu après, lui, Mimmo et Gigi frappèrent à sa porte. Voulait-il venir voir un vrai tunnel ?

Bien sûr qu'il le voulait et, quelques jours plus tard, ils l'embarquèrent dans la nouvelle camionnette sans fenêtres et le conduisirent jusqu'au tunnel. Il fut impressionné, mais se sentit effrayé[7] : il savait ce qu'il faisait quand il s'agissait de filmer dans un faux tunnel, mais n'en aurait pas le courage dans un vrai, où tout pouvait arriver.

La MGM déclina l'offre.

Au moment où il perdait espoir, Wolf eut une autre idée : il pourrait essayer du côté des réseaux de télédiffusion américains. Puisque les téléspectateurs outre-Atlantique étaient à ce point captivés par les histoires d'évasion, diffuser un film montrant une opération réelle pendant son déroulement les intéresserait peut-être. Wolf se renseigna et un ami le mit en contact avec un accompagnateur du bureau de NBC à Berlin-Ouest. La proposition finit par arriver à Piers Anderton, qui n'en crut pas ses oreilles : après des mois à chercher un tunnel, un tunnel venait à lui !

Le 28 mai 1962, deux jours après l'explosion des bombes, Piers rencontre Wolf, Mimmo et Gigi dans leur université. Mimmo parle, Gigi ajoute deux ou trois phrases. Wolf, assis en silence, tripote la détente[8] du pistolet automatique qu'il a nouvellement acquis – avec toutes les histoires qui circulent sur les espions de la Stasi infiltrant les opérations d'évasion, il veut une protection. Les étudiants dévoilent tout du tunnel à Piers, expliquent qu'ils ne pourront pas le terminer sans argent supplémentaire.

Piers les écoute, hochant la tête. « De combien avez-vous besoin ?

— De 50 000 dollars », répond Mimmo.

Piers avale sa salive. « Je peux le voir ? »

Les étudiants acceptent. Mais uniquement s'il leur assure qu'il ne dira rien du tunnel – ni où il se trouve, ni où il va. Wolf, homme d'affaires en toutes circonstances, rédige un contrat :

Je déclare solennellement par la présente que je garderai un silence absolu à propos du site de l'opération dont M. Wolfhardt Schroedter m'a informé le 28 mai 1962. Si j'enfreins cet accord, je consens à payer 50 000 dollars à M. Wolfhardt Schroedter.

Piers Anderton

Quelques jours plus tard, Wolf passe prendre Piers Anderton dans sa camionnette et l'emmène au tunnel. Dès qu'il le voit, le correspondant de NBC sait que c'est la meilleure chance pour la chaîne de filmer une évasion. Il ne lui manque que l'approbation de Reuven Frank, et le calendrier est favorable. En effet, cette semaine, Piers Anderton rentre se marier à New York.

33

NEW YORK

Juin 1962

« Il faut que je vous parle ! » Piers Anderton entraîne Reuven Frank à l'écart, l'air sérieux[1].

Reuven rit. « Allons, pas maintenant ! »

C'est le jour du mariage de Piers ; il vient d'épouser Birgitta, et ils sont au Four Seasons Hotel à New York pour le repas de noces.

Il insiste.

« Retrouvons-nous plus tard au bureau, alors », dit Reuven, et le soir même, la fête terminée, ils se rejoignent à quelques rues de là, dans les locaux de NBC. Dès qu'ils sont dans le bureau, Piers annonce : « Nous avons un tunnel ! »

Reuven est désorienté. « Comment ça, vous avez un tunnel ?

— Des étudiants sont venus nous voir, ils creusent un tunnel sous le Mur et nous voulons conclure un marché avec eux.

— Un marché avec eux ?

— Ils ont besoin d'argent pour s'équiper. Ce sont des étudiants ingénieurs et ils construisent un vrai tunnel.

— Combien ? »

Piers transmet à Reuven leur demande de 50 000 dollars.

« C'est de la folie ! Nous pouvons verser 7 500 dollars. Au maximum. Passez un marché avec eux pour leur fournir le matériel. Ils devront nous donner une facture et nous la paierons. En échange, nous aurons le droit de filmer. Un point c'est tout[2]. »

Par ces mots, Reuven Frank vient de prendre l'une des décisions les plus controversées dans l'histoire des informations télévisées. Une chaîne de télévision américaine majeure a accepté de financer un groupe d'étudiants allemands qui creuse un tunnel dans l'une des villes les plus dangereuses du monde.

34

CAMÉRAS

20 juin 1962

C'est le soir à Berlin, il pleut à verse et une camionnette Volkswagen parcourt les rues dans des gerbes d'eau. À l'intérieur, deux hommes ont les yeux bandés. La camionnette ralentit, tourne et s'arrête. Une portière s'ouvre ; les hommes, tirés au-dehors, marchent à pas hésitants sur un chemin, les bras tendus devant eux. Au bout, on leur ôte les bandeaux et, clignant des paupières, ils scrutent ce qu'ils peuvent voir à travers la pluie qui ruisselle sur leurs visages : face à eux, une porte. Ils la poussent, entrent furtivement, descendent à la cave, et le voici.

Le tunnel.

Les deux hommes échangent un regard, cherchant du réconfort. Ils sont frères, se nomment Peter et Klaus Dehmel, et travaillent pour NBC : Peter à l'image, Klaus à la lumière. Ils ne s'offusquent pas des bandeaux ; ils savent que les étudiants ne veulent pas prendre de risques. Peter sort une caméra d'une petite valise en panneaux de fibres et descend l'échelle. Au bas du puits, il s'accroupit et examine le tunnel. Celui-ci est incroyablement étroit. Mimmo est dedans, occupé à creuser. Il faut que Peter parvienne à se glisser derrière lui[1].

Pliant son corps dans la galerie, il se tourne sur le dos et progresse, la caméra protégée au creux de son bras. Lorsque ses pieds touchent presque Mimmo, il s'immobilise, place la caméra sur son torse, l'oriente en direction du jeune Italien et commence à filmer. Derrière lui, Klaus, allongé sur le ventre, tenant une lampe alimentée par une batterie, éclaire la scène[2].

Peter filme pendant cent cinquante secondes exactement avant de s'arrêter. Le tunnel est si exigu qu'il faut utiliser la plus petite et la plus légère des caméras, une Arriflex 16 mm qui contient une pellicule de deux minutes et demie seulement. Peter retire la feuille d'emballage plastique, unique garantie contre la boue, charge une nouvelle pellicule et recommence à filmer. Après un certain temps, les frères reculent, grimpent dans la cave et filment le reste de l'opération[3].

La première séquence de ce jour-là montre une main sur une corde blanche et brillante. On voit la main tirer, un chariot monter lentement. Rempli de terre, il oscille sous le poids, dix kilos environ. Puis on voit Mimmo. Torse nu, la sueur sur son dos luit dans la lumière tenue par Klaus tandis qu'il vide le chariot.

Peter et Klaus filment durant plusieurs heures en ce premier jour, reviennent le lendemain et le surlendemain. Tandis que les jeunes gens transpirent, traînent et hissent la terre, treuillant le chariot à maintes reprises et déversant son contenu dans un coin de la cave à l'aide d'une brouette, la séquence ne restitue rien des grognements et des gémissements, du métal qui frotte contre le bois. Le matériel de prise de son est trop volumineux pour l'exiguïté du tunnel, les images montrent donc tout le travail dans un silence étrange. Il y a un moment, néanmoins, où les frères descendent un micro. Dans le film, on entend un cliquetis, et on a soudain la sensation d'être en bas avec eux. On entend le vrombissement sourd d'un tram qui roule juste au-dessus de leurs têtes. Puis un bus. Puis des pas – on devine que c'est une femme au *clac-clac-clac* de ses talons hauts. Il s'agit des sons de la Bernauer Strasse, où les touristes se promènent en regardant le Mur. Joachim trouve ces bruits réconfortants. Ils lui rappellent le monde lumineux et aéré hors de la galerie.

Le lendemain du début du tournage, le secrétaire d'État américain Dean Rusk arrive à Berlin-Ouest et visite le Mur. Dans la Bernauer Strasse, il prononce un discours pour les caméras, déclare que « le Mur doit disparaître ! ». Pendant que Rusk se tient là, sous ses pieds, dans les profondeurs de la poudrière du monde, des étudiants s'approchent centimètre par centimètre de la frontière sous l'œil d'une caméra de NBC, chacun d'eux devenu le personnage d'une série télévisée, sans scénario écrit d'avance.

35

PARAPLUIES

25 juin 1962

Siegfried referme la porte de la Maison de l'avenir, un parapluie gris à la main[1]. Le cœur battant, il se met en route. Ça y est. Trois mois après son entrée dans le plus vaste réseau d'évasion de Berlin-Ouest, enfin, on lui a proposé de participer à une opération. L'Américaine Joan Glenn lui en avait parlé quelques semaines auparavant. Ils remaniaient tout, avait-elle dit, changeaient leur méthode pour sortir les gens de l'Est. Désormais, selon un nouveau service de luxe, les groupes de fugitifs auraient des passeurs différents à l'Ouest. Siegfried était-il disposé à se charger d'un groupe ?

Il ne demandait pas mieux.

Quatre personnes lui furent attribuées : deux professeurs et deux étudiants, qui espéraient fuir immédiatement. Puis Joan lui avait parlé du langage chiffré. Comme la Stasi avait torpillé de très nombreuses opérations d'évasion, ils communiqueraient dorénavant par messages chiffrés, notés sur des morceaux de papier, cachés dans des parapluies et introduits clandestinement à l'Est. Elle voulait que Siegfried porte l'un des parapluies aux professeurs ce soir-là. Siegfried était donc venu à la Maison de l'avenir pour prendre ce parapluie gris, un secret dactylographié caché entre ses baleines.

À présent, ayant vérifié que personne ne le suit, Siegfried emporte le parapluie dans le lieu sûr de la Stasi appelé « Orient », où il doit rejoindre son nouvel officier traitant, Puschmann. Siegfried arrive à vingt heures. Il est toujours ponctuel, à la minute près. Il donne le parapluie à Puschmann – on dirait un chat plein de fierté qui offre une souris à son propriétaire.

Puschmann pose le parapluie sur une table, le photographie, puis l'ouvre, trouvant le morceau de papier dissimulé à l'intérieur. Y est inscrite une série de lettres. L'agent prend une autre photo, replie le papier et le réinsère dans la cachette.

Les deux hommes discutent. Siegfried est fébrile. Il veut remettre le parapluie sans délai aux professeurs, achever sa mission ce soir. Mais il a des craintes. Il prie Puschmann de le suivre, « en cas d'incident ». Puschmann accepte et ils partent.

Siegfried se dirige vers la Malmöer Strasse, l'adresse que lui a donnée Joan. Il avance dans la rue jusqu'au numéro indiqué, monte le perron et appuie sur la sonnette.

Rien.

Il attend, puis sonne à nouveau. Rien. Il essaie une dernière fois. Rien. Toute cette tension, toute cette exacerbation, pour trouver porte close. C'est son deuxième échec. D'abord, il n'a pas découvert le projet de plasticage, et maintenant cela.

Le lendemain, Siegfried reçoit un appel de Bodo Köhler et les choses vont de mal en pis : Bodo dit à Siegfried de ne plus se rendre à la Maison de l'avenir[2]. Siegfried se tourmente. L'ont-ils démasqué ? Ont-ils remarqué Puschmann derrière lui la veille ? Affolé, il contacte Joan. « Qu'est-ce qui se passe ? »

Elle est aussi amicale que d'habitude ; rien dans sa voix ne laisse supposer un problème.

« Pourquoi les professeurs n'étaient-ils pas là quand je suis allé les voir ? Avais-je une mauvaise adresse ? »

Joan répond que l'adresse était exacte, qu'ils étaient sortis, simplement. Mais il ne doit pas se tracasser : les professeurs ont quelqu'un d'autre qui peut les aider. Ils n'ont donc plus besoin de la participation de Siegfried à cette opération.

Cela ne rassure nullement Siegfried. Il est soupçonneux, a l'impression qu'on l'écarte subrepticement. « Alors pourquoi ai-je interdiction de mettre les pieds à la Maison de l'avenir et de vous voir ?

— Tu n'as pas lu le journal ? demande Joan.

— Lequel ?

— *Neues Deutschland* (le journal officiel du parti à l'Est), répond-elle. Lis-le demain. Tu comprendras. »

Quelques heures plus tard, il retrouve Puschmann et lui explique ce qui s'est passé. Puschmann rend compte de l'entrevue dans le rapport 13337/64. Il est inquiet, il pense que Siegfried est peut-être mis au placard. Puschmann écrit que « le collaborateur secret devrait observer la plus grande prudence dans ses questions afin de ne pas attirer l'attention[3] ».

Le lendemain, Siegfried lit le journal et tout s'éclaire. Deux jours plus tôt, la Stasi a neutralisé une voie d'évasion souterraine, tué par balle un des hommes ayant creusé le tunnel. Le groupe Girrmann était ébranlé. Un décès supplémentaire.

Le journal du parti avait omis un certain nombre de détails : le tunnel était l'œuvre d'hommes habitant Berlin-Ouest qui étaient séparés de leurs épouses à Berlin-Est ; l'un d'entre eux, âgé de vingt-deux ans et privé de son bébé depuis la construction du Mur, avait rampé jusqu'à l'Est, mais des agents de la Stasi l'attendaient à son arrivée. Ils lui avaient tiré dessus[4], l'avaient interrogé pendant qu'il agonisait. Les épouses avaient toutes été arrêtées.

L'informateur de la Stasi qui les avait trahis était le frère de l'une de ces femmes. La récompense : une petite liasse de billets.

36

LE NO MAN'S LAND

Joachim s'assied confortablement et inspecte les dizaines de tuyaux de poêle qu'il a achetés au cours des semaines précédentes[1]. C'est la fin juin, ils creusent depuis quarante jours et ils sont presque sous le Mur. Le tunnel est désormais d'une telle longueur, environ trente mètres, qu'au fond l'air se raréfie. Haletants, le sang battant dans leurs tempes, ils ont des vertiges et l'haleine courte. Il leur faut de l'air frais, mais comment faire pour en amener jusqu'à la tête d'une galerie aussi longue ?

Joachim a eu l'idée d'utiliser des tuyaux. Il se lève, en prend un et le colle à un autre avec du ruban adhésif blanc. Puis il scotche ce deuxième tuyau à un troisième, le troisième à un quatrième, et ainsi de suite jusqu'au moment où il a relié cent soixante tuyaux du tunnel à la porte de l'usine. Là, il fixe le dernier à un ventilateur, et l'air s'engouffre.

Le long du boyau, une série d'ampoules électriques installées récemment éclaire son chemin. Une autre invention de Joachim. Il y a aussi le chariot qui file sur les rails depuis qu'il l'a équipé d'un moteur et d'un treuil électrique. Ce tunnel est maintenant la plus sophistiquée des voies d'évasion souterraines berlinoises et, dans le grand soin qu'ils mettent à filmer les merveilles électriques de Joachim, on voit que Peter et Klaus sont impressionnés. Le seul problème que Joachim n'a pas encore résolu est une petite fuite : de l'eau entre dans le tunnel, mais pour l'instant c'est maîtrisable.

NBC a commencé d'obtenir sa part du marché : des séquences. Et les étudiants ont la leur : de l'argent, en quantité, apporté par Piers Anderton, qui avait caché 7500 dollars dans son pantalon lors du vol à destination de Paris, puis durant la traversée de l'Allemagne en voiture jusqu'à Berlin-Ouest avec sa femme Birgitta – leur voyage de noces[2].

Ils achètent du métal pour les rails du chariot. Ils achètent des poulies. Des cordes. Des bêches. Des brouettes. Tout ce matériel signifie qu'ils peuvent recruter des renforts. Ce n'est pas facile de trouver des gens prêts à passer des heures sous terre, mais ils finissent par compter sur vingt et un nouveaux qu'ils jugent dignes de confiance. La plupart sont des étudiants de l'université technique, des réfugiés originaires de Berlin-Est. Certains ont des proches qu'ils aimeraient faire venir. D'autres veulent se venger.

Lorsqu'ils les recrutent, il y a une chose dont Mimmo, Gigi et Wolf ne parlent pas : du marché avec NBC. Ils craignent que cet accord ne les dissuade, qu'ils ne jugent trop risqué d'avoir une chaîne de télévision américaine engagée dans l'opération. Les trois amis établissent un planning minutieux, n'autorisant Peter et Klaus à venir dans la cave qu'aux moments où le noyau dur est là : eux-mêmes, Joachim et Hasso. Les autres apprendront l'existence du marché ultérieurement, en temps voulu.

Quelques jours plus tard, le tunnel atteint la frontière entre Berlin-Ouest et Berlin-Est. Pour marquer ce moment, ils fabriquent une pancarte, copie du panneau qu'on voit à l'extérieur quand on franchit la ligne :

VOUS QUITTEZ MAINTENANT
LE SECTEUR AMÉRICAIN
DE BERLIN

Chaque fois qu'ils rampent dessous, ils rient. Ils sont doués pour ce genre d'humour. Ils en ont besoin, car ils sont maintenant sous le no man's land.

Dans cette bande de terrain jouxtant le Mur, des garde-frontières armés et des bergers allemands patrouillent. Observent. Écoutent. Des fils de détente la festonnent, des pointes la hérissent, et du sable ratissé révèle les empreintes clandestines des intrus. À l'extrémité du tunnel, pendant que Joachim creuse, c'est désormais le silence. Les sons de la rue – les vélos, les klaxons, les trams, les bus – ont disparu et il n'entend plus que le bruit de son souffle, rapide, superficiel et moite. Le raclement de la bêche contre l'argile. Le vrombissement métallique du chariot quand il fonce vers la cave. Dans le tunnel, qui ne mesure qu'un mètre sur un, ces sons s'évanouissent aussi vite qu'ils arrivent, absorbés par l'argile. Et dans le silence, Joachim découvre la sensation d'être enseveli, le poids de la terre densément tassée tout autour de lui. Il lève les yeux vers le plafond de la galerie, à vingt centimètres au-dessus de sa tête. Si le boyau devait s'effondrer, comme d'autres tunnels l'ont fait, il serait englouti par l'argile. Y penser le remplit d'une terreur qui le paralyse.

Puis il pense à ceux qui se trouvent au-dessus de lui : les Vopos. Il les sait à l'affût des tunnels et connaît les appareils d'écoute qu'ils posent sur le sol. S'ils détectent du mouvement, ils percent un trou et tirent dedans à la mitrailleuse ou y jettent de la dynamite. À tout instant, la terre au-dessus de lui pourrait s'ouvrir, bref éclat de ciel avant que tout ne finisse.

Certaines nuits, il les entend parler. Et il sait, puisqu'il peut les entendre, qu'ils peuvent l'entendre également. Il est donc interdit de parler dans le tunnel. Il éteint aussi le ventilateur. Trop bruyant.

Aussitôt, il a du mal à respirer. Les maux de tête surgissent. Ses oreilles bourdonnent.

Et certaines fois il cesse de creuser, rien qu'une minute, et reste allongé là, perdu dans le temps, le trou noir au-delà de ses pieds paraissant s'étirer éternellement. Il entend le vent, il entend des choses tomber sur le sol en surface, il entend des vibrations qui semblent provenir de l'intérieur du tunnel, puis l'une des ampoules vacille, clignote, et la peur l'inonde comme une drogue.

Y a-t-il quelque chose là-dedans ? Est-ce la Stasi ? Des agents viennent-ils m'arrêter ?

37

WILHELM, À NOUVEAU

20 juin 1962
BStU
[Office fédéral pour la documentation des services de la Sécurité d'État de l'ex-République démocratique allemande]
Département principal II/5
Groupe opérationnel
Rapport sur la famille Schmidt[1]

À la suite d'une discussion détaillée sur ses perspectives et son contact avec Peter et Evi Schmidt, il a été unanimement conclu que « Wilhelm » aura de bonnes occasions de surveiller davantage ces personnes en s'y prenant bien.

De plus, « Wilhelm » passera la totalité de ses vacances dans sa propriété de banlieue en juillet et en août cette année, et sera donc là tous les jours ; il s'est déclaré prêt à faire tout son possible à cet égard. Afin d'avoir davantage de contact avec Peter et Evi, il a été convenu qu'il effectuera des travaux dans leur maison et leur jardin. Après la réalisation de ces travaux, Peter devrait être très accueillant et entreprendre des conversations avec « Wilhelm » en buvant du schnaps et de la bière.

Prochaine entrevue : 2 juillet 1962 à 9 h 30.

Signé, _____
Sous-lieutenant

[Ci-joint le plan de la maison de Peter et Eveline Schmidt]

38

RÈGLES DE BASE

C'est le milieu de la nuit et Piers Anderton est couché dans son lit[1], sa femme Birgitta près de lui. Elle dort profondément. Ses yeux à lui sont grands ouverts. Se glissant hors du lit, il chausse une paire de bottes solides et roule jusqu'à l'usine. Il arrive au moment précis où Joachim, Wolf et Hasso commencent leur travail posté. À l'intérieur, les frères Dehmel filment.

Piers aime voir le tunnel progresser, s'allonger régulièrement de semaine en semaine. Quand les étudiants font une pause dans la cave, il bavarde avec eux, son carnet en main, écrivant à la lumière d'une bougie tout en aspirant des goulées de son cigare. Une fois, autour d'une bière, de pommes et de cigarettes, Mimmo lui a parlé de son enfance. Il avait six mois quand son père est mort en combattant Franco. Sa mère est morte peu après. Il ne fait confiance à aucun régime, dit-il, ni communiste ni capitaliste ; les gens doivent agir pour eux-mêmes. Puis Mimmo raconte avoir vu le Mur monter, des femmes à Berlin-Est sangloter parce que leurs maris étaient à l'Ouest et qu'elles ne les reverraient jamais. « Les Allemands de l'Est sont des salauds, affirme-t-il à Piers, non parce qu'ils sont communistes mais parce qu'ils imposent aux gens une vie pleine de peur. Les gens devraient avoir une existence heureuse, avec de la bonne nourriture et de l'amour, au lieu de vivre selon cette théorie stupide d'un bel avenir d'ici un siècle. Nous devons agir pour aider les amis dont la liberté a été volée. Il faut que le gouvernement est-allemand sache qu'il y a des gens simples qui veulent agir contre l'inhumanité[2]. »

Piers ne reste jamais longtemps, pas plus d'une heure ou deux, et rentre ensuite à son appartement, où Birgitta se réveille. Elle le regarde, dans ses vêtements maculés de boue et ses bottes couvertes de terre. Elle sait qu'il ne faut pas poser de questions, le taquinant sur son « métier démentiel de journaliste américain ».

Plus tard dans la journée, Piers appellera Reuven pour lui donner les dernières nouvelles. Il lui téléphone toutes les deux semaines, sans jamais en dire beaucoup car il présume que les lignes sont branchées sur table d'écoute – au fond, Berlin-Ouest est à cent cinquante kilomètres à l'intérieur de la zone communiste et, pour citer Reuven, « seul un imbécile supposerait qu'il n'y a pas de surveillance[3] ».

Reuven et Piers s'étaient mis d'accord dès le début sur les règles de base. Primo, ils ne parleraient du tunnel qu'au chef de Reuven à NBC – à personne d'autre, surtout pas aux juristes de la chaîne. Reuven avait même embauché un comptable séparé, en dehors des canaux habituels de NBC, sur le budget duquel il imputait les caméras, les éclairages et les divers frais liés au tunnel. Secundo, ils convinrent que Reuven Frank ne se rendrait jamais à Berlin-Ouest pendant qu'ils filmaient ; le séjour d'un producteur vedette de New York susciterait des interrogations. Tertio, les frères Dehmel prendraient à chaque fois un chemin différent quand ils iraient sur le site du tunnel et ne verraient aucun des étudiants en public[4]. Enfin, Piers promit de ne jamais dire à qui que ce soit où était la cave, pas même à Reuven.

Moins de gens savaient, mieux c'était.

39

LA FUITE D'EAU

Joachim est trempé[1].

L'eau coule sur son visage, ses épaules, pénètre dans ses oreilles et ruisselle le long de son dos. Accroupi à l'entrée du tunnel, il regarde l'eau l'envahir, l'argile aussi molle que du savon. Les planches de bois qui retenaient jusqu'à présent la terre flottent à la surface, touchant presque le plafond, et, d'heure en heure, de gros morceaux de la paroi s'effondrent.

Joachim baisse les yeux vers ses genoux, enfoncés dans l'argile meuble, des flaques d'eau stagnante frémissant tout autour. Une odeur de moisi émane de ses vêtements mouillés. Désormais, l'obscurité règne et l'air manque dans le tunnel; une à une, ses ampoules se sont éteintes, et certains des tuyaux qui acheminaient l'air frais sont tombés. Joachim tend la main pour ôter de la paroi le téléphone de la Seconde Guerre mondiale avant que l'eau ne le détruise lui aussi. Toutes ses inventions chéries sont maintenant inutiles. Deux mois à creuser; deux mois de douleurs, d'extrême fatigue, et une existence que Joachim a entièrement consacrée à ce tunnel, oubliant la vie du dehors qu'il était censé avoir à l'université; et ce résultat navrant: de la boue.

Joachim laisse traîner sa main dans l'eau qui ne cesse de monter. La fuite s'était déclarée trois semaines auparavant. Au début, rien qu'une vague humidité au plafond, qu'aucun d'eux n'avait jugé inquiétante. Puis de grosses gouttes. Puis un filet d'eau qui coulait régulièrement, heure après heure, jour après jour. Joachim avait cru que c'était seulement la pluie, car Berlin connaissait l'un de ses étés les plus arrosés depuis des années, les touristes du Mur pataugeant là-haut dans de gigantesques flaques. Mais bientôt l'eau jaillit, et il sut que le problème était ailleurs, qu'une canalisation avait dû éclater quelque part. Joachim comprit alors que, malgré leurs calculs sur la direction et la longueur du tunnel, ils avaient commis une erreur : ils avaient creusé leur galerie en légère descente, ce qui signifiait que l'eau s'accumulait à l'avant du boyau, presque impossible à évacuer. En file indienne, les vêtements gorgés comme des éponges, ils sortirent des milliers de seaux. Mais l'eau continuait d'arriver. Avec un tuyau emprunté dans une caserne de pompiers voisine, ils en pompèrent manuellement trente-six mètres cubes en une semaine, la déversant dans un tuyau d'écoulement de la cave.

Mais l'eau était toujours là.

Joachim quitte le tunnel et grimpe dans la cave, où les hommes se disputent sur la suite des opérations, faisant les cent pas en sous-vêtements tandis que leurs jeans et leurs T-shirts sèchent sur des câbles électriques dans un coin. L'un dit qu'il est temps d'arrêter, d'abandonner le tunnel : voyez ça, il est déjà à moitié écroulé. Les autres hochent la tête mais, à cet instant, Uli intervient ; ce désir de vengeance qui l'a mené aussi loin vibre en lui et il ne supporte pas l'idée de renoncer : « Non ! Continuons à pomper, ou bien... ou bien nous pourrions essayer autre chose, par exemple... pourquoi ne pas demander de l'aide au service des eaux ? »

Un éclat de rire fuse ; l'idée de se hasarder dans le bureau d'un service municipal ouest-berlinois et de demander son assistance est tellement ridicule que certains se mettent à ramasser leurs vêtements et partir. D'autres sont terrifiés à la perspective d'une démarche si téméraire et ils rétorquent à Uli : « Tu es fou ? Tu veux être enlevé ? Ramené à l'Est, jeté en prison ? »

Comme ils le savent tous, les informateurs de la Stasi n'opèrent pas uniquement en Allemagne de l'Est; l'Allemagne de l'Ouest grouille d'espions elle aussi. À la fin des années 1950, Markus Wolf (chef adjoint de la Stasi, qui aurait inspiré à John le Carré son personnage d'espion de haut vol nommé Karla) a recruté des centaines d'informateurs dans les universités est-allemandes, les a formés à l'espionnage puis envoyés en RFA. Comme des chenilles, ils se sont introduits dans le tissu de la société ouest-allemande, dans les organes de l'État, les médias, les entreprises, les services secrets eux-mêmes, et maintenant, quelques années plus tard, ayant atteint le sommet, les plus brillants de ces papillons de la Stasi sont rendus actifs. Les *Perspektivagenten* – « agents dormants » – obéissent à l'*Hauptverwaltung Aufklärung* (HVA) de Markus Wolf, le renseignement extérieur de la Stasi. Outre ces espions, d'anciens nazis travaillent dans la politique ouest-allemande et sont soumis au chantage de la Stasi qui menace de révéler leur passé s'ils refusent d'espionner pour elle. Il y a également les informateurs de second ordre, comme Siegfried, recrutés pour travailler au profit de la Stasi en RFA.

Joachim pense aux histoires qu'il a entendues, à ces agents qui infiltrent des groupes étudiants et des réseaux d'évasion à Berlin-Ouest, aux voitures qui s'approchent subrepticement dans la rue – un bruit de pas et un capuchon enfoncé sur votre tête.

La pratique était bien connue : les agents de la Stasi enlevaient fréquemment des personnes dans les rues de Berlin-Ouest (les « retiraient », selon leur terminologie) et les conduisaient à la dérobée par-delà la frontière vers les prisons de l'organisation secrète[2]. C'était arrivé à Karl Wilhelm Fricke, un célèbre journaliste, dont les agents avaient trafiqué le cognac le 1er avril 1955 ; ils l'avaient ensuite fourré dans une voiture, emmené à Berlin-Est et fait passer en jugement. Il avait été condamné à quatre ans d'isolement cellulaire. Fricke était parmi les chanceux : beaucoup de personnes « retirées » disparaissaient à tout jamais.

Joachim et ses compagnons s'accordent à dire qu'alerter le service des eaux est trop dangereux et qu'il vaut mieux reprendre le pompage. Mais, plus tard dans la journée, des portions de tunnel supplémentaires s'effondrent et ils se rendent compte que, d'ici quelques jours, sa destruction sera complète. Ils décident alors de recourir à leur unique solution, si risquée soit-elle.

Assis dans un bureau du service, regardant l'homme chargé de la distribution de l'eau dans la Bernauer Strasse, Mimmo et Gigi vont droit au but : « Nous avons vu de l'eau sur le trottoir de la Bernauer Strasse et nous pensons qu'une canalisation a dû se rompre[3]. »

L'homme les scrute, se dit étonné. Comment peuvent-ils savoir que c'est une rupture de canalisation ? Ils sont très observateurs !

Un silence gêné flotte. Mimmo réfléchit à toute vitesse ; il regarde l'homme, essaie de deviner à son visage s'il pourrait être un informateur de la Stasi. Mais, à l'instant où Mimmo va essayer de lui mentir, l'homme demande, sans détour, s'ils creusent un tunnel, et Mimmo avoue que c'est bien le cas.

« Entendu, dit l'homme. Je vais vous aider. Mais vous avez besoin d'une autorisation. »

Mimmo a l'air interloqué. « Une autorisation ? De qui ?

— Des services secrets. »

Ce soir-là, il y a un appel pour Mimmo dans sa résidence universitaire. Se précipitant vers le téléphone du couloir, Mimmo empoigne le combiné. Un homme se présente comme Egon Bahr et annonce vouloir l'aider.

Mimmo sait précisément qui est Egon Bahr : l'un des plus proches conseillers de Willy Brandt, le maire de Berlin-Ouest. Les deux hommes détestent autant le Mur l'un que l'autre, à cette différence près : alors que Willy le qualifie de « *Schandmauer* », « mur de la honte », Egon parle de « *Scheissemauer* », « mur de merde »[4]. Egon Bahr est connu pour soutenir tout projet d'attaque contre le Mur ; c'était lui qui avait donné le feu vert au groupe Girrmann pour le plasticage, et maintenant il est très enthousiasmé par ce tunnel, voie d'évasion la plus ambitieuse depuis la construction du Mur. Il affirme vouloir aider les étudiants, mais ceux-ci doivent au préalable rencontrer quelqu'un du renseignement ouest-allemand.

Le lendemain, Mimmo et Gigi rencontrent un homme appelé Mertens[5]. Ils savent que ce n'est pas son vrai nom ; ils ne savent presque rien de lui, excepté qu'il surveille toutes les opérations d'évasion tramées à Berlin-Ouest… non seulement pour les services secrets ouest-allemands, mais aussi pour la CIA. Les agences de renseignements occidentales souhaitaient être au courant de ces opérations pour deux raisons : d'abord pour obtenir des arrivants des informations sur l'Est (comme elles en avaient obtenu de Joachim) et, plus important encore, elles ne voulaient pas d'une mauvaise surprise à la frontière si une évasion tournait mal – nul n'ignorait qu'une fusillade pouvait provoquer une escalade jusqu'à la guerre nucléaire.

La plupart du temps, les agences de renseignements ouest-allemandes et américaines ne s'engageaient pas dans les opérations d'évasion ; elles leur étaient favorables, puisqu'elles soutenaient tout ce qui sapait l'Allemagne de l'Est, mais avaient coutume de rester à l'arrière-plan. Néanmoins, parfois, comme la police de Berlin-Ouest qui pouvait à l'occasion effectuer des tirs de couverture pour aider les fugitifs à franchir la frontière, elles trouvaient le moyen de faire de petits miracles.

Mimmo et Gigi disent tout du tunnel à Mertens, des gens qu'ils veulent secourir et de la fuite d'eau. Mertens les écoute, impénétrable. Ils sont mal à l'aise, ils ignorent s'ils ont raison de se fier à lui mais, au terme de l'entrevue, il les envoie vers d'autres interlocuteurs : les Américains. Il leur indique une adresse, 9 Podbielskiallee.

Mimmo et Gigi trouvent la rue sur un plan. Elle est dans le sud-ouest de Berlin, ce qui paraît logique : c'est là que les Américains établissent la majeure partie de leurs activités, y compris les bureaux de la station RIAS, la radio que Joachim écoutait à Berlin-Est. Parvenus à une vaste maison quelconque, Mimmo et Gigi entrent dans « P9 », où ils expliquent leur situation. Pour la quatrième fois.

Les Américains sont intéressés. Très intéressés. Ils veulent les noms et les adresses de toutes les personnes qui participent à l'opération. Mimmo et Gigi écrivent les noms, les donnent aux Américains, puis s'en vont, leurs interlocuteurs les remerciant – ajoutant que de l'aide arrivera peut-être bientôt. Mimmo et Gigi ne savent pas du tout s'ils auront de leurs nouvelles.

Quelques jours après, un groupe d'hommes à casquettes arrive juste devant l'usine de pailles de la Bernauer Strasse. Joachim et Uli, qui sont chargés du creusage ce jour-là, écartent le rideau couvrant la fenêtre pour les observer alors qu'ils entaillent le trottoir. Depuis leurs miradors de l'autre côté du Mur, les Vopos observent eux aussi : se fatiguant les yeux derrière leurs jumelles, ils regardent les plombiers casser le béton et retirer des morceaux de canalisation. Ils savent que les gens creusent des voies d'évasion sous les rues voisines du Mur, ils ne cessent d'en chercher des traces, et Joachim et Uli redoutent maintenant qu'ils ne devinent, à cause de ces travaux de réparation, qu'il y a sous terre quelque chose qui ne devrait pas y être.

Les plombiers ont tôt fait de remédier à la fuite mais, une fois qu'ils ont terminé, Uli et Joachim les voient avancer jusqu'au pâté de maisons suivant et se mettre à casser d'autres parties du trottoir. Les deux amis ne comprennent pas – ils croient d'abord que la fuite va plus loin qu'ils ne le pensaient. Après coup seulement, ils découvrent que c'est une pure mascarade, en direction des Vopos. Des réparations générales, telle est l'impression que les plombiers cherchent à donner. Rien à voir ici.

Cette nuit-là, dans le tunnel, Joachim vérifie le niveau de l'eau. Il est stabilisé, l'eau n'entre plus dans la galerie ; mais, bien que le problème de fuite soit réglé, le tunnel reste impraticable. Joachim fait le calcul : il faudra des semaines pour pomper l'eau puis laisser la terre sécher.

Huit jours plus tard, fin juin, Mimmo et Gigi traversent la frontière pour rendre visite à Evi et Peter. Ils leur parlent de la fuite d'eau, leur expliquent que le tunnel ne sera pas prêt d'ici le 13 août.

Evi et Peter sont anéantis ; ils savent que l'armée peut à tout moment appeler Peter. Chaque fois que quelqu'un frappe à la porte, ils croient son heure venue. Mais ils n'ont pas d'autre solution que d'attendre.

40

LE DEUXIÈME TUNNEL

Nous sommes en juillet 1962 et le Mur se dresse depuis presque un an.

À Berlin-Est, les rues jouxtant le Mur sont silencieuses. Les maisons sont vides, hormis les rats, et des fils barbelés pendent de cheminée en cheminée comme des décorations de Noël. Les chaussées jadis vrombissantes de voitures sont désertes et les petits commerces qui existaient là ont fermé. Le Mur a changé le visage de Berlin-Est ; les itinéraires de bus ont été redessinés, les trajets jusqu'aux écoles déviés.

Néanmoins, de temps en temps, il y a des explosions de vie. Les enfants qui s'amusent dans les rues aux alentours du Mur, profitant de ces voies sans issue pour jouer au football ou à cache-cache. Les manifestations, quand des Berlinois de l'Ouest s'approchent du Mur avec des banderoles et crient en direction de l'Est. Les chansons aussi, que les amoureux séparés s'échangent à travers le Mur. Et puis les camionnettes qui viennent diffuser des discours de propagande et de la musique dans des haut-parleurs : des chants soviétiques d'un côté, américains de l'autre. Un genre de guerre musicale.

Au moment de sa construction, beaucoup de gens à l'Est pensaient que le Mur ne durerait pas. Onze mois plus tard, ils comprennent qu'il va rester – comme ils resteront eux-mêmes. L'idée de tenter une évasion est devenue terrifiante, parce que l'arsenal du Mur inclut désormais des fils de détente, des miradors, des mines terrestres, des pièges antichars triangulaires, des clôtures électriques, des pointes en métal, des projecteurs, un deuxième mur intérieur ; et si, par miracle, quelqu'un réussissait à franchir tous ces obstacles, les Vopos sont armés de pistolets, de mitrailleuses, de mortiers, de fusils antichars et de lance-flammes. Le long de la Bernauer Strasse, des monuments improvisés se succèdent pour les personnes mortes ici en essayant de fuir, leurs noms gravés dans le bois. Olga Segler. Ida Siekmann. Rolf Urban. Bernd Lünser.

Pour Walter Ulbricht et son parti socialiste unifié, le Mur est une grande réussite. Il a enrayé l'hémorragie de population qui aurait détruit le pays et le parti a maintenant une deuxième chance. Certains croient encore que le quotidien va s'améliorer à l'Est, que tout s'arrangera s'ils patientent assez longtemps. Mais, pour une foule de Berlinois de l'Est, le Mur est un rappel constant de la vie de l'autre côté, qui leur est inaccessible. Les plus proches habitants du Mur décrivent leur sentiment continuel de peur et d'angoisse, et les psychiatres est-allemands ne tarderont pas à inventer un terme pour le désigner : *Mauerkrankheit*, la « maladie du Mur ». Et les statisticiens qui mesurent le taux de mortalité notent que le nombre de suicides est monté en flèche. Dans ce contexte, l'ajout suivant au Mur semble encore plus cruel : le parti ordonne aux Vopos d'installer des panneaux de bois au sommet pour le surélever. Cette adjonction ne vise pas à empêcher les gens de s'enfuir, mais à les empêcher de faire des signes aux gens de Berlin-Ouest. Bizarrement, on saisit la logique : un prisonnier qui fait signe à sa mère ou à un ami par-dessus un mur continue de rêver d'une vie de l'autre côté, or le parti ne veut pas de cela. C'est la raison pour laquelle Berlin-Ouest ne figure pas sur les nouveaux plans et cartes[1]. L'Allemagne de l'Est doit suffire.

Mais elle ne suffit pas. Et, tous les mois, quelques-uns de ceux qui rêvent de vivre par-delà le Mur se sauvent – quatre-vingt-six en juin, dissimulés dans des coffres de voiture ou munis de faux passeports. À l'heure qu'il est, Joachim et ses compagnons espéraient que leur tunnel serait presque achevé, mais il est là, imbibé d'eau, et plus ils attendent, plus le risque que la Stasi le découvre augmente. Ils veulent à tout prix persévérer dans leur projet, mais comment ?

C'est alors qu'ils entendent parler d'un autre tunnel. Un tunnel percé vers Berlin-Est, leur explique Bodo Köhler du groupe Girrmann, mais abandonné avant terme : l'un des constructeurs était tombé malade, les autres avaient quitté Berlin. Il existait une liste de gens désireux de l'emprunter ; pourquoi ne pas ajouter Evi et Peter et faire sortir tout le monde en même temps ?

C'est sensé. En théorie. Mais hasardeux : cela signifierait travailler avec un nouveau réseau d'étudiants dans un nouveau tunnel dont ils ne sauraient rien. Certains membres du groupe refusent d'emblée ; ils ne participeront pas. Joachim, lui, veut aller voir ; au fond, ils sont de la main-d'œuvre sans tunnel, et voilà qu'un nouveau tunnel apparaît, en manque de main-d'œuvre.

Par une journée moite de fin juillet, Wolf emmène Joachim et Uli jusqu'à la Kiefholzstrasse dans le sud-est de Berlin. Après être descendu du véhicule, Joachim marche vers un petit bouquet d'arbres et d'arbustes : là, un trou dans le sol conduit au tunnel.

Une lampe à la main, Joachim pénètre à l'intérieur. Le boyau est minuscule, trop étroit pour qu'il y avance à quatre pattes. Il progresse sur le ventre, des racines d'arbres cassées lui écorchent la peau. La Kiefholzstrasse est une rue très passante et, chaque fois qu'un camion roule au-dessus du tunnel, du sable tombe dans ses yeux. Il s'obstine pourtant à ramper dans l'obscurité complète, car il n'y a pas d'éclairage, sa respiration haletante dans l'air raréfié.

Il n'avait pas imaginé une seconde qu'un autre tunnel pourrait être aussi sophistiqué que le sien, équipé d'ampoules, de téléphones, d'un système de poulies motorisées et de tuyaux d'aération, mais il n'arrive pas à croire qu'il existe des tunnels rudimentaires à ce point-là, sans un endroit caché où déverser la terre, sans alimentation en eau, sans électricité… tout ceci avec les Vopos à quelques centaines de mètres seulement. Néanmoins, alors qu'il rampe vers la sortie, rebroussant chemin sur le ventre, pieds en avant, Joachim se surprend à envisager des façons de l'améliorer.

Bientôt, lui et Uli reviennent avec des bêches et des pioches. Se tassant dans le boyau, ils creusent les parois, heure après heure, jusqu'à ce qu'il soit assez large pour s'y déplacer à quatre pattes.

Deux jours plus tard, ils sont satisfaits de sa taille. Ils doivent maintenant vérifier qu'il va dans la bonne direction. L'unique information dont Joachim dispose, c'est que le tunnel doit déboucher dans une maison d'une rue est-berlinoise nommée Puderstrasse, mais, depuis les profondeurs du sol, il leur est difficile de savoir s'il se dirige bel et bien vers elle. Ils trouvent une solution : l'un se glisse à l'avant du tunnel puis perfore le plafond avec une tige pendant que l'autre, à l'extérieur, regarde avec des jumelles où elle sort et voit si le tunnel va dans la direction souhaitée.

Ce n'est pas le cas.

Redescendus dans le tunnel, ils effectuent une journée de creusage supplémentaire, rectifiant la trajectoire, puis percent les derniers mètres jusqu'à atteindre le dessous de la maison.

Allongé là, sous cette construction, Joachim prend conscience qu'il ignore presque tout de la suite. Le groupe Girrmann lui a seulement dit que la maison appartient à un couple qui a déclaré, des mois auparavant, que leur foyer pourrait servir à une évasion. Le couple ne s'est pas manifesté depuis lors. Quant au reste de l'opération, Joachim sait que quarante personnes doivent s'enfuir par ce tunnel – quarante personnes, plus Peter, Evi et leur bébé Annet, ajoutés à la liste.

Maintenant que le tunnel est prêt, il reste une ultime tâche à accomplir. Il leur faut un messager, quelqu'un pour communiquer à tous les gens de la liste la date et l'heure de l'évasion. En l'absence de lignes téléphoniques entre Berlin-Est et Berlin-Ouest, le seul moyen est de traverser la frontière et d'avertir chacun en personne. Pour ce faire, le messager a besoin d'un passeport ouest-allemand. Cette traversée est dangereuse : si quelque chose tourne mal le jour de l'évasion, la Stasi enverra des soldats aux postes de contrôle pour intercepter le messager avant son retour à Berlin-Ouest. Et ils savent tous que la Stasi punit plus sévèrement les passeurs que les fugitifs. Bien entendu, personne ne veut s'acquitter de cette tâche.

Au moment où ils perdent espoir, ils trouvent quelqu'un, quelqu'un qui accomplira cette mission pour une raison fondamentale.

41

LES AMOUREUX

Allongé sur le lit, Wolfdieter regarde sa Renate, savourant chaque minute avant de devoir partir. Il pense à ce qu'il a accepté de faire, espère avoir pris la bonne décision. C'est le plus gros pari de sa vie[1].

Il se remémore la première lettre qu'il a écrite à Renate, à l'âge de dix-huit ans. Une amie de la famille les avait mis en contact : « Vous pourriez être correspondants ». Ainsi, depuis sa maison dans la Forêt-Noire d'Allemagne de l'Ouest, Wolfdieter avait tout raconté à Renate de son enfance après la guerre : les soldats français qui avaient libéré sa ville, la faim permanente, son père soldat qui était mort sur un champ de bataille inconnu en Russie. Et, depuis l'Allemagne de l'Est, Renate avait répondu, décrivant dans de longues lettres la manière dont sa propre famille avait échappé aux soldats polonais vers la fin du conflit, l'arrivée à Dresde juste avant son bombardement, la peur qui la glaçait jusqu'aux os (encore aujourd'hui) chaque fois qu'elle entendait une sirène. Bientôt, ils avaient échangé sur d'autres sujets, la musique qu'ils écoutaient (ce nouveau groupe nommé les Beatles), et partagé leur amour de la littérature russe : Dostoïevski, Tolstoï. Renate consacra un jour une lettre entière à *La Rose blanche*, un livre sur un groupe d'étudiants qui avaient résisté clandestinement à Hitler. Ils avaient été arrêtés, jugés et pendus. Cette histoire avait éveillé quelque chose en elle.

Après deux années de correspondance, Wolfdieter et Renate s'étaient rencontrés à Berlin. Ils n'avaient passé que quelques heures ensemble, mais c'était suffisant pour savoir qu'ils s'aimaient autant en chair et en os que sur le papier. Ils avaient prévu de s'installer à Berlin, mais le 13 août était arrivé et il y avait maintenant un Mur entre eux.

Leur relation se réduisait à ceci : l'amour le week-end. Durant la semaine, Renate travaillait dans le service d'oto-rhinolaryngologie d'un hôpital de Berlin-Est et Wolfdieter faisait ses études à l'université libre de Berlin-Ouest. Au titre de citoyen ouest-allemand, Wolfdieter avait la permission d'aller à Berlin-Est ; alors, le samedi matin, il montait dans le train à destination de la Friedrichstrasse, rejoignait la file d'attente pour traverser la frontière, puis prenait un second train jusqu'à l'appartement de Renate. Il exécrait ces trajets. Personne ne parlait, tout le monde se tenait voûté, les yeux baissés. Trois heures après son départ, quand il arrivait chez Renate, ils s'enlaçaient et se demandaient comment ils pourraient bien construire un avenir ensemble. Pour Wolfdieter, c'était comme aimer une prisonnière.

Depuis la mise en place du Mur l'année précédente, Renate souffrait de dépression. Elle avait toujours eu des difficultés avec l'existence à l'Est, elle détestait devoir présenter deux visages – dire une chose mais en penser une autre. À un moment, elle avait rêvé de devenir éducatrice spécialisée, mais elle ne se voyait pas sur une estrade en train d'enseigner à ses élèves des principes auxquels elle ne croyait pas. À présent, avec le Mur qui la séparait de Wolfdieter, elle n'avait plus qu'une idée en tête : s'enfuir.

Wolfdieter s'était renseigné dans son université : quelqu'un savait-il comment aider les gens à quitter l'Est ? Il avait alors appris l'existence du groupe Girrmann et, récemment, Detlef Girrmann était venu le voir. « J'ai une occasion pour toi, lui avait-il dit. Nous avons un tunnel et nous pouvons amener Renate par cette voie. Mais, en contrepartie, il faut que tu fasses quelque chose. »

Il expliqua à Wolfdieter qu'il devrait participer à l'opération d'évasion : traverser la frontière, aller de porte en porte pour annoncer aux fugitifs que le tunnel était prêt et leur donner les détails.

Wolfdieter ne mit pas longtemps à se décider. Il savait que c'était l'unique moyen de faire sortir Renate.

Une semaine plus tard, il avait franchi la frontière pour sa première mission de messager. Il s'était facilement rendu aux différentes adresses, avait informé les gens de la date et de l'heure prévues pour l'évasion. Mais ensuite, la date avait changé et il avait dû retourner à Berlin-Est. Puis elle avait encore changé. Chaque fois, Wolfdieter devait passer la frontière et avertir tout le monde. Son inquiétude augmentait de passage en passage, car il craignait que les Vopos ne finissent par avoir des doutes. Vu le temps que prenait le franchissement de la frontière, les gens n'allaient pas aussi souvent à Berlin-Est, en général.

Il y avait aussi le problème de la liste des fugitifs. Quarante noms y figuraient au début, mais le groupe Girrmann n'avait cessé d'en ajouter, au point qu'ils étaient maintenant plus de soixante. Une soixantaine de personnes qui devraient converger vers une maison d'une rue est-berlinoise tranquille, proche de la frontière, le même après-midi, et descendre dans la cave sans éveiller les soupçons.

L'organisation s'était donc compliquée : le groupe avait divisé la liste, établi un emploi du temps pour que les soixante personnes n'arrivent pas toutes au même moment dans la maison. Les unes viendraient à pied, certaines prendraient le train, d'autres arriveraient dans des camions. Ils en avaient déjà deux, il leur en fallait à présent un troisième : Wolfdieter pouvait-il essayer de leur en trouver un ?

Dans beaucoup de villes, se procurer un camion aurait été simple ; il aurait suffi de le louer. Mais, en Allemagne de l'Est, les entreprises appartenant toutes à l'État et ayant pour la plupart des espions de la Stasi en leur sein, s'adresser à une compagnie de location était trop risqué. Par des amis de Renate, ils avaient trouvé un camionneur qui avait accepté de prêter son véhicule… à condition que son frère et lui puissent s'évader par le tunnel eux aussi.

L'opération prenait des proportions déraisonnables, mais Wolfdieter savait qu'il était trop tard pour reculer.

Et ce soir, alors qu'il regarde l'appartement de Renate autour de lui, Wolfdieter espère que c'est pour la dernière fois. En effet, à seize heures le mardi 7 août, dans trois jours exactement, si tout se passe bien, Renate gagnera le tunnel vers Berlin-Ouest.

42

LA VEILLE

Lundi 6 août – Berlin-Est

C'est l'après-midi. Renate sort de la gare d'Ostkreuz à Berlin-Est et se dirige vers le numéro 9 de la Puderstrasse, la maison sous laquelle débouche le tunnel[1]. Le camionneur l'accompagne. Ils effectuent une ultime reconnaissance, afin de localiser précisément la maison et de vérifier que le portail est assez large pour permettre à son camion d'entrer.

Ils traversent le pont qui enjambe la Spree. La rivière s'étend au-dessous d'eux, miroite dans le soleil d'août. Renate promène ses yeux sur Berlin – sa moitié de la ville. Si tout se déroule comme prévu, le lendemain elle sera quelques rues plus loin, de l'autre côté du Mur.

Ils atteignent la Puderstrasse et la respiration de Renate s'accélère. Venir ici la veille de l'évasion est dangereux. À cause de la proximité avec le Mur, des garde-frontières patrouillent et, si l'un d'eux soupçonne quelque chose et les arrête, l'opération échouera. Ils s'avancent dans la rue, comptent les numéros jusqu'à ce qu'ils le voient : le 9.

C'est une petite maison, en retrait de la chaussée. À côté, il y a un dépôt de bois, des voies de garage, et ensuite la frontière et son no man's land ne sont plus qu'à faible distance. Devant la maison, le portail est assez vaste pour que le camion passe sans difficulté.

Le soulagement envahit Renate. Il ne lui reste plus qu'à rentrer chez elle et à attendre Wolfdieter. Il doit venir dans la soirée, pour qu'elle lui transmette cette dernière information à propos du camion et du portail.

Berlin-Ouest

À quelques rues de distance, de l'autre côté du Mur, Wolfdieter est dans son appartement, prêt à se diriger vers Berlin-Est[2].

Il téléphone à Detlef Girrmann, dit qu'il est sur le point de partir, et c'est là que le premier incident se produit.

« Tu ne peux pas y aller, annonce Detlef. Tu t'es trop souvent rendu à l'Est et c'est trop risqué ce soir. Nous devons te garder pour demain. Ne t'inquiète pas. Je trouverai quelqu'un. »

15 heures, Maison de l'avenir

Siegfried entre dans la Maison de l'avenir. Bodo Köhler lui a demandé de venir en urgence. Siegfried est étonné : il sait que l'étudiant se méfie de lui. Peut-être que Joan Glenn avait amené Bodo à changer d'avis. Ils s'étaient beaucoup fréquentés récemment ; il avait accordé une attention particulière à la jeune femme et elle commençait à l'apprécier, il le voyait. « C'est difficile de dire comment je m'en suis aperçu, déclara Siegfried à son officier traitant. C'est une chose qu'on remarque quand on y est sensible. Joan semblait froide à mon égard mais son attitude a changé[3]. »

Depuis une semaine, une opération secrète mettait toute la Maison de l'avenir en effervescence. À un moment, Siegfried avait été chargé d'aller à Berlin-Est et de chercher un endroit où un camion pourrait se garer. Il ignorait pour quoi c'était, quel était ce grand projet, mais il attendrait, il serait patient. À deux reprises il avait essayé de s'introduire dans une opération d'évasion ; à deux reprises il avait fini bredouille. Il ne voulait pas gâcher sa chance cette fois-ci[4].

Siegfried va directement dans le bureau de Bodo, cette pièce où il a fait sa connaissance cinq mois plus tôt. Elle est exiguë, la poignée de gens présents la remplit. Bodo est face à eux. « C'est pour demain, dit-il. L'opération avec le camion. Le... »

Le téléphone posé sur sa table sonne. Bodo décroche, écoute un instant, puis se tourne vers Siegfried : « Peux-tu aller à Berlin-Est aujourd'hui même ? »

Le cœur de Siegfried tressaille. « Bien sûr ! »

À son correspondant téléphonique, Bodo annonce : « J'ai quelqu'un pour toi. Je te l'envoie tout de suite. »

Bodo raccroche et donne une adresse à Siegfried, une maison de la Mörchinger Strasse, à dix minutes en voiture.

« Il y a quelqu'un dans cette maison, explique Bodo. Il te dira ce que tu dois faire quand tu arriveras à Berlin-Est. »

Siegfried s'en va, saute dans un taxi (prenant un reçu pour que la Stasi le défraie) et sonne à l'adresse indiquée. Un homme lui ouvre. Dans ses notes sur cette visite, Siegfried le décrit ainsi : autour de vingt-trois ans, un mètre soixante-dix-huit, silhouette sportive et mince, visage étroit, cheveux blonds courts – « sans doute un étudiant ».

C'est une bonne description de Wolfdieter Sternheimer. Celui-ci a eu pour consigne de donner à Siegfried l'adresse d'un appartement est-berlinois où Renate sera ce soir jusqu'à vingt et une heures.

« Embrasse-la pour moi, puis demande-lui pour le camionneur : où passera-t-il prendre les gens ? Et vois s'il serait possible de rajouter quelques personnes dans ce camion.

— Entendu », dit Siegfried, et il repart.

18 h 15

Siegfried se trouve maintenant au cœur de l'opération. Il franchit la frontière et pénètre dans Berlin-Est, mais il a quelque chose à faire avant d'aller trouver Renate. Il prend un taxi jusqu'à la Wilhelm-Pieck-Strasse et sonne à une haute porte marron[5]. À l'intérieur, il traverse promptement un couloir, parvient à une petite cour, puis s'engouffre dans un autre bâtiment où il monte l'escalier au pas de course jusqu'à un appartement. C'est « Orient », un lieu sûr de la Stasi, et là, assis à une petite table, se tient son officier traitant, Puschmann.

Siegfried révèle tout à Puschmann, dit qu'une grosse opération aura lieu le lendemain, une opération qui nécessite des camions. À mesure qu'il parle, il s'aperçoit qu'il ignore encore un grand nombre d'éléments. Néanmoins, c'est suffisant pour que Puschmann passe un appel téléphonique, mette la Stasi en alerte.

Après avoir quitté l'appartement, Siegfried se dirige vers l'adresse que Wolfdieter lui a fournie. Là, il appuie sur la sonnette. Aucune réponse. Renate est déjà partie, et il ne sait pas du tout comment la trouver.

Retraversant la frontière, Siegfried rentre chez lui et va se coucher. Il n'est pas loin de toucher au but, mais pas tout à fait encore.

43

7 AOÛT

Berlin-Est, à l'aube

À l'ombre du Mur, Berlin-Est dort. Les Vopos qui attendent le début de leur faction dorment encore, tout comme les mères qui partiront bientôt travailler à l'usine et les pères qui iront s'occuper des récoltes. Mais, dans le quartier verdoyant de Wilhelmshagen, Evi, bien éveillée, fait et défait son unique bagage pour vérifier qu'il contient ce dont elle a besoin : les cartes d'identité, les couches pour le bébé, les photos, les vêtements. La sœur d'Hasso, Anita, fait la même chose, ainsi que plusieurs dizaines d'autres personnes – étudiants, vétérinaires, médecins, bibliothécaires, enfants, grands-parents –, une soixantaine au total, espérant toutes, ce soir, traverser le tunnel et dormir à Berlin-Ouest.

Au moment où le soleil se lève, Renate est assise dans sa salle de bains[1]. Elle entoure ses mains de bandages, le tissu blanc recouvrant des traces d'eczéma rouge vif. Elle n'a jamais eu une éruption aussi forte – le stress, bien sûr. Elle n'a presque pas fermé l'œil durant les trois dernières nuits ; elle pense sans arrêt au tunnel, imagine qu'il s'effondre pendant qu'elle y rampe ou que la Stasi l'interpelle. Il y a aussi le camion qu'elle a pu obtenir. Le chauffeur trouvera-t-il le bon endroit où se garer ? Les fugitifs se souviendront-ils tous des mots codés ?

Tant de questions, tant de choses qui pourraient mal tourner. Elle doit rester concentrée et penser à ce soir, au bonheur de rejoindre Wolfdieter. Fini l'amour le week-end.

Ce sera amour à temps plein dorénavant.

Berlin-Ouest, midi

À la Maison de l'avenir, dans son bureau, Bodo Köhler donne aux volontaires les ultimes précisions pour la journée. L'évasion commencera à seize heures, leur dit-il. Dans quatre heures seulement. Il promène son regard sur la pièce, voit Siegfried Uhse parmi l'assistance. Il a eu des soupçons sur lui, mais il lui fait davantage confiance. Joan a parlé en sa faveur et, en ce moment, Bodo a besoin de lui, l'un des rares qui puissent circuler librement grâce à leur passeport ouest-allemand. Il détaille l'opération et Siegfried écoute avec une très grande attention, mémorisant tout.

Berlin-Est, 13 heures

Siegfried a la tête pleine, si pleine qu'il a peur d'oublier, alors il s'empresse de révéler les informations à Puschmann dès qu'il a franchi la porte du lieu sûr de la Stasi[2].

L'évasion commencera dans trois heures, déclare-t-il, à seize heures. Trois camions, tous avec des bandes blanches sur le pare-brise, rouleront vers trois endroits différents de Berlin-Est, où ils attendront l'arrivée des gens. Il y aura des volontaires ouest-berlinois disséminés dans les rues, prêts à lancer des signaux codés en cas de problème. Se peigner signifie « la voie est libre », se moucher signifie « revenez dans dix minutes », nouer ses lacets signifie « partez immédiatement, c'est dangereux ». Lorsqu'ils arriveront au camion, les fugitifs demanderont une rue qui n'existe pas. Le chauffeur dira, « elle doit être près d'ici », et les gens monteront. Les camions sont pour les personnes âgées et les enfants, ajoute Siegfried, et les enfants recevront des somnifères.

Les camions iront ensuite au 9, Puderstrasse et se gareront dans la cour. Là, les fugitifs entreront dans le bâtiment puis gagneront Berlin-Ouest.

« Comment ? s'enquiert Puschmann.

— Je ne sais pas », répond Siegfried. Il en sait beaucoup sur l'opération. Mais il n'a pas connaissance de deux choses : l'existence du tunnel, d'une part ; et le point de rendez-vous pour le troisième camion, celui dont s'est occupée Renate.

Puschmann questionne Siegfried sur le nombre de gens attendus.

« Autour de cent », répond-il.

Puschmann le note en hâte. *Cent personnes.* C'est l'opération d'évasion de Berlin-Est la plus ambitieuse dont ils aient jamais entendu parler, et ils en connaissent presque tous les détails. Son protégé a bien travaillé. Puschmann termine son rapport : il doit le transmettre le plus vite possible au siège de la Stasi.

C'est le moment de tendre le piège.

Schützenpanzerwagen SPW MfS HA 113256
BStU
[Office fédéral pour la documentation des services de la Sécurité d'État de l'ex-République démocratique allemande]
000105
Département principal VII

MINISTÈRE DE L'INTÉRIEUR
1re brigade de frontière (B)
5e section de frontière

Rapport sur la situation dans la zone de la 5e section de frontière du 07.08.1962 15 h 20 au 08.08.1962

Le 07.08.1962 à 15 h 20, les ordres suivants ont été donnés à la 5e section par le commandant de la 1re brigade de frontière (B), le colonel Tschitschke, sur la base des informations reçues du camarade capitaine Stuhr du ministère de la Sécurité d'État (MfS)

— La compagnie de réserve de la 5e section de frontière, un canon à eau et un véhicule blindé de transport de troupes doivent immédiatement se déplacer jusqu'à la base III et attendre à couvert de nouvelles instructions.
— Le commandant de la 5e section de frontière, le capitaine Gürnth, doit prendre toutes les mesures pour empêcher des percées à la frontière en coopération avec le camarade capitaine Stuhr.

13 h 15, Schönhauser Allee

Après avoir franchi la frontière, Wolfdieter se tient à son poste dans la Schönhauser Allee[3]. Il guette tandis que Siegfried marche d'un pas vif dans sa direction. Wolfdieter a eu pour consigne de le retrouver ici : son interlocuteur va lui communiquer le contenu de la réunion du matin à la Maison de l'avenir.

Siegfried arrive et détaille le plan d'action à Wolfdieter, les horaires, les signaux codés. Wolfdieter est sur le point de repartir à toutes jambes pour transmettre ces précisions aux fugitifs sur sa liste lorsque Siegfried le rappelle et dit : « Il y a juste une chose que j'ai besoin de savoir. L'adresse pour le troisième camion. Où est-ce qu'il prendra les gens ? » Siegfried affirme qu'il voudrait y faire monter sa mère et sa petite amie.

Wolfdieter marque un silence, hésitant un peu à partager cette information, mais il n'a aucune raison de se méfier de Siegfried Uhse ; après tout, c'est cet homme qui vient de lui donner les précisions sur l'opération. Il lui révèle alors l'adresse et le mot codé. Puis ils se saluent, Wolfdieter se hâtant vers la première maison sur sa liste, Siegfried se précipitant pour livrer à Puschmann cet ultime renseignement.

15 heures

Joachim plonge son regard dans le boyau noir devant lui. Le tunnel s'étend si loin que seule l'obscurité est visible. Hasso et Uli s'accroupissent à côté de lui. Tous trois se sont portés volontaires pour effectuer la partie la plus dangereuse de l'opération : se glisser jusqu'à la tête du tunnel et trouer le plafond pour déboucher dans une maison dont ils ne savent rien, qui appartient à des gens dont ils ne savent rien non plus.

Fouillant dans un sac, Joachim vérifie qu'ils ont tout le matériel : une hache, une scie, des marteaux, un burin, deux chignoles et des talkies-walkies pour garder le contact avec le reste de l'équipe. Il y a un nombre assez important de gens réunis à quelques rues de distance derrière le Mur : Wolf, Gigi et certains autres des leurs, des étudiants du réseau d'évasion de Berlin-Ouest, deux policiers ouest-berlinois armés de mitraillettes. Puis, dans un bâtiment désaffecté d'une rue voisine, il y a Piers Anderton et les deux cameramen de NBC, qui filment depuis une fenêtre au dernier étage[4]. Enfin, il y a une ambulance. Au cas où.

Joachim passe au second sac. Celui-ci est lourd et du métal tinte lorsqu'il en examine le contenu : deux pistolets, une vieille mitraillette de la Seconde Guerre mondiale et une carabine à canon scié. Ayant appris l'accueil meurtrier réservé par la Stasi à l'un des constructeurs du tunnel neutralisé fin juin, ils ont en effet décidé de s'armer. Ils ont connaissance des interrogatoires et des prisons de la police secrète. Ils savent que, s'ils sont arrêtés, ils n'en sortiront pas vivants[5].

Les armes changent les perspectives. C'est la première opération d'évasion qui touche autant d'acteurs différents : la Stasi, la police ouest-allemande, l'équipe du tunnel, les messagers, les fugitifs et des journalistes américains. Même l'armée américaine à Berlin est au courant, après que Mimmo et Gigi sont allés dans le lieu sûr de la CIA, « P9 », en juin. Si quelque chose tourne mal et que des coups de feu éclatent, la situation pourrait devenir incontrôlable.

Joachim s'efforce d'empêcher ses mains de trembler. Après des mois de creusage, le moment est arrivé. Pourtant, ça paraît absurde : un tunnel médiocre, aucune idée de la maison dans laquelle ils vont aboutir et une immense liste de fugitifs à guider. Mais la série de décisions qu'il a prises, depuis sa propre évasion jusqu'à cette opération-ci, l'a mené à ce moment et, tel un héros grec qui suit sa destinée, il suit son chemin. Pas de retour en arrière.

Joachim, Hasso et Uli se regardent et hochent la tête. Il est temps d'y aller. Ils commencent à avancer. Quatre-vingts mètres jusqu'à l'extrémité[6].

Tandis qu'il progresse, Joachim entend sa respiration, le bruit de ses chaussures qui frappent l'argile. Les côtés du tunnel ne sont qu'à six ou sept centimètres de ses épaules et, quand il les frôle, une poudre argileuse s'en détache et le recouvre. Trouvant un bon rythme, tous trois prennent de la vitesse ; chaque mouvement les rapproche de plus en plus de la maison.

Juste avant l'extrémité du tunnel, il y a un coude. Ils le franchissent, puis s'immobilisent. Ils y sont. Aucune issue hormis par le haut.

Empoignant leurs outils, ils se mettent au travail.

16 heures

Nous sommes quelques minutes avant l'arrivée prévue des fugitifs et la maison est environnée d'agents de la Stasi. Des araignées attendant des mouches. Çà et là le long des rues, les agents tiennent des journaux et parlent en petits groupes, essayant de ne pas attirer l'attention.

C'est alors qu'ils le voient : un camion. Mimmo, qui est à son bord, va dire au chauffeur de se garer et de faire descendre les fugitifs quand il aperçoit les hommes en longs manteaux et chapeaux dans la rue. « Roulez, roulez, ne vous arrêtez pas ! » crie-t-il, et le camion accélère dans un crissement de pneus. Frissonnant, Mimmo est soulagé, mais il n'a aucun moyen d'avertir les autres que l'opération a été torpillée. Et, en ce moment même, les premiers fugitifs, ceux qui viennent à pied, arrivent.

Ils se rassemblent dans la rue, attendant quelque chose. Aucun d'eux ne sait quoi exactement. Certains tentent de se cacher, un dossier de la Stasi note : « Ils donnaient l'impression d'attendre quelque chose de particulier. L'une des épouses attendit dans un buisson près du mur du cimetière pendant une durée prolongée[7]. » Enfin, un homme aborde un agent de la Stasi, supposant qu'il s'agit d'un volontaire de Berlin-Ouest présent pour aider les fugitifs[8]. « L'opération est-elle maintenue ? demande-t-il. Des personnes supplémentaires peuvent-elles monter dans les camions ? »

Quelle chance inouïe pour les agents secrets ! Ils poussent l'homme dans une voiture, lui extorquent des informations. L'un des volontaires dans la rue comprend ce qui se passe ; il essaie de signaler à ceux qui arrivent que l'opération a échoué, mais c'est trop tard, et il est arrêté. Il y a bientôt un flot régulier d'arrivants – des personnes âgées, des couples, certains avec des enfants dans des poussettes – qui ne remarquent pas les hommes en longs manteaux et, le temps qu'ils s'aperçoivent qu'il y a un problème, il est trop tard pour eux : les agents de la Stasi s'élancent, les fourrent dans des voitures et les emmènent jusqu'à ce qu'il ne reste plus personne – seule une poussette demeure là, abandonnée.

À quelques rues de distance, Evi, Peter et leur bébé Annet se hâtent vers la maison[9]. Ils sont en retard parce qu'Evi était sortie lorsque le messager s'est présenté chez eux pour leur dire que l'opération commençait. Elle allait chercher la robe verte qu'elle avait fait coudre spécialement pour cette évasion, unique vêtement qu'elle emporterait à Berlin-Ouest. Quand elle était rentrée, Peter avait fulminé : « Où étais-tu passée ? Il faut partir immédiatement ! Le tunnel est prêt ! »

Saisissant cartes d'identité, argent et couches pour bébé, ils s'étaient précipités à la gare, engouffrés dans le train. Maintenant, alors qu'ils se rapprochent de la rue, Evi sent son ventre se crisper parce qu'il n'y a personne alentour et qu'elle ne comprend pas pourquoi il règne un tel silence. Mais ils continuent, déterminés à s'en tenir aux consignes, car ils savent que la maison se trouve au prochain angle de rue… et c'est là que, voyant une poignée d'hommes y rôder, ils tournent aussitôt les talons et s'éloignent le plus vite possible, en espérant que personne ne les suit.

Au même coin de rue, Renate arrive avec deux amis, Peter et Britta. Ils heurtent de plein fouet un agent secret, qui les interpelle : « Que faites-vous ici ? Vos papiers. Dépêchez-vous. »

Le cœur de Renate se serre tandis qu'elle sort ses papiers, et elle regarde Peter et Britta montrer les leurs, l'agent de la Stasi noter leurs noms et adresses.

Renate réfléchit à toute allure : que peut-elle prétexter pour justifier leur présence ici ? Mais Peter commence alors à dire que c'est le jour de son anniversaire, qu'ils viennent retrouver sa sœur qui travaille dans une usine du quartier pour fêter l'événement ensemble. C'est une excellente histoire puisque, lorsqu'il consulte les papiers de Peter, l'agent voit qu'aujourd'hui est bel et bien l'anniversaire de Peter : le 7 août. Il appelle son chef par radio, qui appelle quelqu'un d'autre, jusqu'à joindre l'usine pour vérifier que la sœur de Peter travaille réellement là ; et, lorsque la confirmation arrive, l'agent leur rend leurs papiers. Bon, très bien, filez, leur dit-il, et Renate et ses amis s'en vont, tâchant de sourire et de rire comme s'ils fêtaient une journée exceptionnelle alors que, à l'intérieur d'eux-mêmes, ils sombrent dans le désarroi en prenant conscience que l'opération s'écroule et qu'ils n'y peuvent rien.

Sur le lieu de stationnement à Grünau, le camion obtenu par Wolfdieter et Renate vient d'arriver. Les gens quittent les buissons où ils se cachaient en l'attendant. Un par un, ils montent dans le véhicule, donnant le mot codé au chauffeur, et celui-ci démarre, sans prêter attention au camion de la Stasi derrière eux. Les agents les suivent durant presque tout le trajet jusqu'au tunnel, puis les font se garer sur le bas-côté et les arrêtent tous[10].

À la maison de la Puderstrasse, un autre camion arrive, plein de fugitifs. Ils descendent… et tombent directement dans les griffes de la Stasi. Ainsi l'opération se délite-t-elle, la police secrète embarquant famille après famille jusqu'à ce que, enfin, les rues soient silencieuses.

Il est maintenant dix-sept heures. Les agents de la Stasi marchent vers la maison. Ils ont arrêté plus de quarante fugitifs, mais ils veulent à présent le gros lot : les gens qui ont préparé l'opération, les Berlinois de l'Ouest qui ont creusé le tunnel.

À quelques mètres sous leurs pieds, Joachim, Hasso et Uli entaillent le plafond du tunnel, en retirent de gros morceaux d'argile. Enfin, le plafond s'ouvre et la première chose qui frappe Joachim, c'est l'odeur. De la poussière de charbon. Puis il la sent sur lui. Elle se déverse, recouvre sa tête, ses épaules, pénètre dans ses yeux jusqu'à l'aveugler. Ils ont entamé la couche isolante de mâchefer sous la maison et sont obligés d'attendre que le flot de poussière de charbon tarisse. Visage noirci, narines bouchées, Joachim lève les yeux et voit des lames de plancher : c'est le moment d'utiliser la chignole. Il fait quatre trous en forme de carré, puis il prend la scie, l'enfonce dans le plancher au-dessus de lui. Ce n'est pas facile. Elle se coince sans cesse, à cause d'un tapis, suppose Joachim.

Puis... des hurlements. Une voix de femme. « Partez d'ici, allez-vous-en ! Partez ! Immédiatement ! »

Ils ne savent pas du tout ce qui se passe, pourquoi elle hurle, et ils redoutent que quelqu'un ne l'entende. Hasso essaie de la rassurer : « Ne vous inquiétez pas, vous n'aurez pas d'ennuis ; nous vous donnerons de l'argent si vous vous taisez. » Aucune réponse. C'est le silence.

Dans le tunnel, il y a soudain des parasites lorsque les talkies-walkies se mettent à fonctionner, puis des cris étouffés leur parviennent de l'autre extrémité du boyau, mais ils ne distinguent pas les mots. À une certaine distance, un klaxon retentit, long et appuyé.

Quelque chose ne va pas, ils le savent. Joachim regarde Hasso et Uli. Un message tacite circule entre eux et Joachim reprend la scie, tire et pousse dans le bois et le tapis, souhaitant ardemment qu'elle les perce. Pendant que son bras monte et descend au-dessus de sa tête, secoué par l'effort, une petite voix intérieure lui chuchote que c'est le moment de se sauver, qu'il est encore temps de regagner Berlin-Ouest, mais alors surgissent dans son esprit des images des familles au-dessus de lui, qui attendent que le tunnel soit terminé. Des mères. Des pères. Des enfants du même âge que lui à l'époque de sa première fuite, quand tout avait viré au cauchemar. Et il n'a plus qu'une seule pensée : arriver jusqu'à eux avant que la Stasi ne les trouve. Il faut simplement qu'il travaille plus vite.

À l'extérieur de la maison, le camarade de la Stasi Teichert et deux agents parlent au propriétaire, un petit homme qui s'appelle Friedrich Sendler. Ils lui disent d'ouvrir le portail : ils sont ici pour inspecter sa maison.

M. Sendler bredouille, essaie de les dissuader, mais la porte d'entrée s'ouvre et son épouse sort en courant – la femme qui hurlait à Joachim, Hasso et Uli de partir.

Les agents de la Stasi arrêtent sa course, lui demandent ce qui arrive[11].

« Je me sens mal, dit-elle, cherchant peut-être à détourner leur attention de la maison.

— Pourquoi ? demandent-ils. Que se passe-t-il à l'intérieur ? »

Elle se décompose : « J'étais dans le séjour, avoue-t-elle, et j'ai vu des trous dans le plancher. »

Depuis l'autre côté du Mur, perchés dans une cabine d'aiguillage désaffectée du métro aérien, Piers Anderton et les frères Dehmel observent tout[12]. Ils savent que Joachim, Hasso et Uli sont toujours dans le tunnel et ils en sont réduits à espérer que M. Sendler pourra retenir la Stasi. Filmant la scène, ils voient les agents de la Stasi parler au couple et les regardent, épouvantés, se précipiter soudain tous ensemble vers la maison.

Dans l'incapacité d'aider, ils filment les hommes qui posent leurs armes et ôtent leurs bottes avant de pénétrer dans la maison, la porte se refermant derrière eux.

À l'intérieur du séjour, marchant sans bruit en chaussettes, les agents de la Stasi inspectent le sol et découvrent quatre petits trous au milieu de la pièce, entourés chacun de menus copeaux de bois. Puis un bruit monte de sous le plancher : des hommes discutent de la manière dont ils vont le percer. Les membres de la police secrète quittent la pièce à pas de loup. Ils vont attendre que les hommes apparaissent dans le salon et, à ce moment-là, ils les captureront.

Sous terre, Joachim a renoncé à utiliser la scie. Elle n'est pas assez robuste pour trancher les lames et il veut absolument grimper dans la pièce et commencer à guider les gens vers le tunnel, les gens dont il est certain qu'ils sont là, qu'ils l'attendent. Prenant la hache, il se met à frapper les lames, et le plafond tremble, tout tremble, le bruit est si assourdissant qu'il le perçoit dans ses os. Le sol entier vibre – boum, boum, boum, boum, boum – jusqu'à ce que deux lames finissent par céder et qu'un souffle d'air frais s'introduise dans le tunnel[13].

Silence.

Un nouveau grésillement des talkies-walkies. D'autres cris dans le tunnel.

Joachim ne s'en préoccupe pas : il est si près, il lui suffit de continuer, de faire comme prévu. Fouillant dans son sac, il en sort un miroir qu'il pointe dans la pièce tel un périscope de sous-marin. Il le tourne dans toutes les directions, espérant voir une quantité de visages.

Mais rien.

Il tire du sac un petit pistolet. Le tenant d'une main, il s'aide de l'autre pour se hisser par le trou et se met debout. Devant lui, un canapé, une table basse et deux fauteuils. Il fait sombre, la seule lumière vient d'une fenêtre masquée par un voilage. Une irrésistible envie de voir ce qu'il y a derrière s'empare de lui. Il fait un pas vers la fenêtre et ses poils se dressent lorsqu'il aperçoit une ombre portée sur le voilage. Il tressaille mais persiste, fait un deuxième pas, un troisième, mû par l'impérieux désir de savoir ce qu'il y a là, ignorant la voix dans sa tête qui lui dit de fuir sur-le-champ sans se retourner. Les mains tremblantes, il écarte un peu le voilage, ses yeux confirmant ce qu'il sait déjà.

La Stasi.

Le cœur battant la chamade, il se baisse vivement, ses pensées se bousculent, il tâche de prendre une décision. Il n'a vu qu'un homme, un agent de la police secrète tapi sous la fenêtre mais, s'il y en a un, il y en a nécessairement d'autres. Il estime avoir une poignée de secondes d'avance, juste le temps de replonger dans le tunnel avant qu'ils n'arrivent dans le séjour. Ce qu'il ne sait pas, c'est que les agents de la Stasi ne se trouvent pas seulement de l'autre côté de cette fenêtre; ils se tiennent aussi derrière la porte du séjour, kalachnikovs en main, et le surveillent par une fente dans le bois.

18h45

À ce moment précis, Wolfdieter court à toutes jambes en direction de la frontière[14]. Il frissonne d'excitation à l'idée d'être avec Renate ce soir, première nuit pour elle à Berlin-Ouest. Ils étaient montés dans le train ensemble quelques heures plus tôt: il l'avait accompagnée dans la première partie du trajet vers la maison, puis l'avait quittée pour prendre une autre ligne jusqu'au poste de contrôle de l'Heinrich-Heine-Strasse, l'un des points de passage les plus importants vers Berlin-Ouest. Il calcule que Renate doit avoir emprunté le tunnel à l'heure qu'il est; une fois la frontière franchie, il prendra un train pour la rejoindre.

Lorsqu'il entre dans le poste de contrôle, Wolfdieter voit deux hommes en uniforme. Ils le regardent d'un air bizarre et quelque chose dans son estomac se contracte. C'est comme s'ils l'attendaient. Ils désignent sa poche. « Passeport et visa. »

Wolfdieter leur donne ses papiers.

Ils les feuillettent et lèvent les yeux vers lui. « Venez avec nous. »

Tandis qu'il les suit, Wolfdieter s'efforce de se rassurer. Ce genre de chose se produit souvent, des Vopos nerveux qui dépassent les bornes avec des vérifications superflues, mais, lorsqu'ils le mettent dans une voiture, ses genoux commencent à trembler. Ils ne lui disent pas où ils vont. Un quart d'heure plus tard, ils arrivent à un bâtiment près de l'Alexanderplatz qu'il sait être le siège de la police est-berlinoise. *N'empêche*, espère-t-il, *c'est peut-être une erreur, ils n'ont aucune information sur moi, rien qui me relie au tunnel.*

À l'intérieur du commissariat, deux policiers prennent ses affaires (sa carte d'identité, sa montre, son argent), puis lui donnent une tenue de prisonnier et l'enferment dans une cellule. Wolfdieter s'assoit. Il respire profondément, se calme, essaie d'employer son temps de manière judicieuse. *Invente une histoire, invente une histoire.*

Au bout d'un moment, on le conduit dans une salle et on le fait asseoir à une table face à quatre policiers. Ils lui demandent ce qu'il faisait à Berlin-Est. « Oh, je ne suis qu'un étudiant de l'université libre de Berlin-Ouest et c'était mon jour de loisir, pas de cours ! Alors je me suis dit que j'irais à l'Est pour me promener dans la ville… » Il enchaîne, volubile, déroulant son récit mensonger.

Les policiers prennent des notes. Posent des questions. Le renvoient dans sa cellule. Wolfdieter se rassoit entre ces quatre murs. Quelqu'un lui apporte du café, il le boit et ose espérer. *Peut-être que mon histoire a fonctionné. Peut-être que tout va bien. Surtout s'en tenir à l'histoire.*

Dans la maison, les hommes de la Stasi continuent d'observer Joachim par la fente de la porte[15]. Hasso et Uli ont grimpé dans la pièce et tous trois tentent de déterminer ce qu'il faut faire. Les agents sont sur le point de surgir dans le séjour quand ils entendent un membre du trio dire : « Mon pistolet ne marche pas ; passe-moi la mitraillette. » Au bruit d'une mitraillette qu'on charge, ils ont un mouvement de recul. Ils savent en effet que leurs vieilles kalachnikovs soviétiques ne sont pas de taille à lutter contre les mitraillettes occidentales. Ils évaluent les possibilités: s'ils entrent maintenant, ils risquent d'être fauchés par des balles. S'ils attendent du renfort, leurs proies risquent de s'échapper.

À l'intérieur, Joachim arpente la pièce, peu disposé à abandonner. Puis les talkies-walkies s'allument et, cette fois, ils entendent clairement le message: « Revenez d'urgence ! C'est fini ! »

Derrière la porte, les agents ont pris leur décision. Par radio, ils demandent du renfort: plus d'hommes et d'armes. Ils ne veulent pas mourir à cause d'un tunnel.

Joachim regarde Hasso et Uli; sachant que c'est fini, tous trois sautent dans le trou et, sacs d'armes et d'outils oscillant, rebroussent éperdument chemin par le boyau. Malgré les racines d'arbres auxquelles leurs jeans s'accrochent, les pierres et les graviers qui leur coupent les mains, ils se pressent d'avancer, redoutant le moment qu'ils croient inévitable où les agents de la Stasi feront irruption dans la pièce, bondiront dans le tunnel et tireront. Ils progressent aussi vite qu'ils le peuvent dans le minuscule espace sombre, progressent, progressent jusqu'à ce qu'enfin ils voient un petit cercle de lumière.

Quelques minutes plus tard, les renforts demandés arrivent. Se ruant dans le séjour, ils courent vers le trou. Trop tard. Mais ils ne sont pas bredouilles: ils ont capturé quarante-trois fugitifs et, mieux encore, ils savent qu'un messager de Berlin-Ouest est détenu au commissariat de police de l'Alexanderplatz.

3 heures du matin

Dans sa cellule fortement éclairée, Wolfdieter n'a aucune idée de l'heure[16]. Il devine que c'est le milieu de la nuit, ce point équidistant du crépuscule et de l'aube où le temps semble s'étirer. Il y a un bruit de pas, une clé dans une serrure, et la porte s'ouvre : un garde apparaît, le ramène dans la salle d'interrogatoire.

Wolfdieter est assis là, les paupières lourdes, terriblement désireux de dormir, quand un grand homme aux cheveux gris entre, le dominant de toute sa hauteur. Il hurle : « Tu es un menteur ! Dis la vérité ! » Mais ce ne sont pas les paroles de cet homme qui effraient Wolfdieter. Ce sont ses vêtements. Il n'est pas en uniforme. Cela signifie une chose : la Stasi. Il jette Wolfdieter hors de la pièce, lui ordonne de se tourner vers le mur.

Pendant qu'il se tient là, les yeux fixés sur le papier peint beige devant lui, l'air empuanti par des odeurs de transpiration et de café froid, il accepte enfin son sort. Il est leur prisonnier. Mais, dans les profondeurs du désespoir qui commence à le submerger, il perçoit un rayon de lumière : au moins tout le monde s'est-il échappé par le tunnel avant qu'ils ne l'arrêtent, au moins sa Renate est-elle en sécurité.

Derrière lui, des pas se font entendre. Ils sont légers, une femme sans doute. Il ose un regard furtif et a un coup au cœur en la voyant : Britta, la meilleure amie de Renate. Se retournant face au mur, il sent l'affolement s'emparer de lui, des images de Renate défilent à toute vitesse dans sa tête : Renate interpellée dans le tunnel, Renate arrêtée à la maison, Renate dans une cellule de prison, Renate tuée en essayant de se sauver – et il repense au pari qu'ils avaient fait, à cette décision de s'enfuir, de tout risquer pour pouvoir être ensemble, et c'est désormais une évidence : ils ont tout misé et ils ont perdu.

44

HOHENSCHÖNHAUSEN

Wolfdieter est assis dans la camionnette, menotté, ignorant tout de sa destination[1]. Plongé dans l'obscurité, car il n'y a aucune ouverture, il écoute le vrombissement du moteur tandis que le véhicule parcourt les rues, minute après minute, et l'assoupit par son bercement. Pendant la première heure, la camionnette n'a cessé de s'arrêter et de redémarrer – le rythme nauséeux de la circulation urbaine. Il entendait des trams, des conversations. Puis elle a pris de la vitesse, a roulé sur de longues distances, et il a su qu'il devait s'être éloigné de Berlin. De l'extérieur, la camionnette paraissait ordinaire : rien qu'un vieux camion blanc pour le transport des fruits et des légumes. La Stasi en avait acheté des centaines et démoli l'intérieur pour créer dans chacune cinq cellules différentes. Celle de Wolfdieter est si exiguë qu'il a les genoux écrasés contre la cloison.

Transporter les prisonniers de cette manière faisait partie du secret de la prison de Hohenschönhausen, dont l'existence même était niée. Lorsqu'on s'y rend, la première chose qu'on remarque est sa situation très excentrée et la difficulté à la trouver. Aux confins de l'agglomération berlinoise, elle est nichée au cœur d'un labyrinthe de petites rues. Quand on regarde les cartes et plans de l'époque, seule une grosse tache noire figure à son emplacement. Il y avait des rumeurs sur la « zone interdite », mais personne ne pouvait s'approcher : des postes de contrôle où se tenaient des gardes armés l'entouraient et de hautes barrières d'acier en bloquaient la vue.

L'histoire de la prison de Hohenschönhausen est l'histoire du Berlin d'après guerre à petite échelle : quartier d'industries appartenant à des juifs, il fut accaparé par les nazis qui installèrent là des entreprises et un petit camp de prisonniers. Des bombes l'endommagèrent durant la guerre ; puis, quand ils arrivèrent en 1945, les soldats russes tuèrent les propriétaires des usines, expédièrent le matériel à Moscou et firent du complexe le siège de la police secrète russe à Berlin, y jetant des dizaines de milliers d'anciens nazis et quiconque critiquait les Soviétiques.

Les détenus appelaient la prison « *das U-Boot* », « le sous-marin », et, une fois dedans, on comprend pourquoi. On peut encore pénétrer dans les minuscules cellules souterraines, froides et borgnes, où flotte une odeur de moisi et d'humidité. Entassés là, dix par cellule, les prisonniers devaient se relayer pour dormir sur une mince planche de bois. Ils n'avaient que de la soupe au chou à manger et un seau dans l'angle pour faire leurs besoins ; ils étaient privés d'eau courante et de savon. Au bout du couloir, on découvre les cellules de torture. Dans l'une, les prisonniers étaient immergés jusqu'au cou dans l'eau glacée ; une autre avait ses quatre murs hérissés de pointes et, en son centre, un pilori d'aspect médiéval ; la dernière était une pièce capitonnée insonorisée où les prisonniers perdaient la raison. Après avoir avoué, les détenus étaient escortés jusqu'à la gare ferroviaire derrière la prison et envoyés à Moscou ou en Sibérie, où nombre d'entre eux étaient mis à mort. D'autres mouraient de froid ou de maladie, leurs corps jetés dans des cratères de bombes à proximité.

Six ans après la fin de la guerre, en 1951, les Soviétiques attribuèrent l'établissement à la Stasi. Celle-ci la géra d'abord sur le modèle des Soviétiques, torturant les prisonniers pour leur arracher des aveux. Mais, vers la fin de la décennie, l'organisation décida de rénover les lieux : mis au travail, les détenus construisirent deux cents cellules et salles d'interrogatoire au-dessus des vieilles cellules du « sous-marin ». Au début des années 1960, Hohenschönhausen était devenu le principal centre de détention préventive de la Stasi, aux cellules remplies de prisonniers politiques (pour beaucoup d'entre eux des fugitifs n'ayant pas réussi à gagner l'Ouest) dans l'attente d'un procès. Et c'était dans cet endroit qu'arrivait maintenant Wolfdieter, à l'intérieur d'une camionnette de fruits et légumes.

Le véhicule s'immobilise. La porte s'ouvre et Wolfdieter, tiré de l'obscurité, débouche dans une salle blanche aussi vaste qu'un hangar d'aéroport, équipée d'éclairages violents. Nombre de prisonniers disent que c'était la partie la plus terrifiante, les lumières et le bruit soudain après des heures dans le noir – des animaux éblouis. Au fond de la salle blanche, une porte mène à la prison. Il n'y a ni bref coup d'œil sur les murs du bâtiment, ni ultime bouffée d'air frais ; Wolfdieter avance, chancelant, à la suite des autres prisonniers tandis que les gardiens commencent à leur hurler des ordres.

« *Kleider aus !* »

Wolfdieter quitte son pantalon et sa chemise.

« *Alles !* »

Puis ses sous-vêtements.

« *Bücken !* »

Maintenant, l'humiliante fouille au corps.

Enfin, Wolfdieter reçoit sa tenue de prisonnier et un gardien le conduit dans sa cellule : numéro 34. C'est son nom désormais.

Dans les autres cellules se trouvent la plupart des gens arrêtés ce soir-là. Un dossier de la Stasi contient la liste des quarante-trois personnes : un assistant de laboratoire photo, un vétérinaire, des étudiants, des mécaniciens, plusieurs « ménagères », une bibliothécaire, des coiffeurs, un éclairagiste, un opticien, une comptable, un menuisier, un architecte, une infirmière et un pompier. Leur âge va de quatorze à soixante ans[2].

Quelques heures après son arrivée, alors que Wolfdieter est assis dans les ténèbres de sa cellule, la porte s'ouvre et un gardien entre.

« *Nummer 34 ! Kommen Sie !* »

Wolfdieter suit le gardien dans le couloir jusqu'à une petite pièce qui, après l'anonymat stérile des cellules, semble presque accueillante. Un bureau, un téléphone, des placards, même du papier peint. Derrière le bureau est assis un homme aux cheveux soignés et au visage rasé de près. Il a une machine à écrire devant lui. Il est six heures du matin et l'interrogatoire de Wolfdieter va commencer.

La Stasi brillait dans plusieurs activités – le recrutement, le catalogage de ses dossiers – mais il y avait un domaine, peut-être plus que tous les autres, où elle voulait exceller : les interrogatoires.

Dans les années 1950, une mauvaise réputation lui était attachée. Des gens sortis de prison avaient fait des récits terribles sur la police secrète, familière des coups et de la torture. Et, qu'on le croie ou non, la Stasi s'en soucia : avoir mauvaise presse lui déplaisait, elle rédigea donc des manuels interdisant les châtiments corporels et les tortures physiques. Même si certains renégats continuaient d'en user, la majorité des agents n'avaient plus recours à la torture physique. En revanche, la Stasi devint maîtresse dans l'art de la torture psychologique, créant une école spéciale à Potsdam, ville voisine de Berlin, où les cadres de l'organisation apprenaient la « psychologie opérationnelle ».

Assis dans cette salle d'interrogatoire, Wolfdieter allait être questionné par un homme formé durant des mois à vaincre la résistance des gens, un homme diplômé en la matière, et, ce que Wolfdieter ne savait pas, c'était que l'interrogatoire avait commencé bien avant qu'il n'entre dans cette pièce. Le point de départ avait été la camionnette, le trajet et la suite, soigneusement conçus pour amorcer le processus consistant à miner quelqu'un de façon à ce qu'il finisse par livrer ses secrets de plein gré. Tout cela faisait partie de la stratégie de *Zersetzung* – « décomposition » – qu'employait la Stasi.

Le trajet aurait en effet dû prendre une soixantaine de minutes, mais le conducteur avait roulé pendant plusieurs heures, selon un itinéraire qui s'éloignait considérablement de Berlin avant de revenir vers la capitale. L'unique objectif était de désorienter le prisonnier, afin qu'il se croie loin de chez lui, de sa famille, de ses amis.

Une fois dans la prison, la lumière aveuglante, les cris des gardiens, la fouille au corps étaient autant d'éléments destinés à briser davantage le moral des détenus. En dehors des ordres qu'ils leur aboyaient, les gardiens ne s'adressaient jamais à eux pour leur expliquer où ils étaient ou leur annoncer ce qui se passerait. La Stasi avait constaté que l'ignorance était le plus court chemin vers la peur. Puis il y avait la tenue des prisonniers : les vêtements étaient trop grands pour eux. C'était voulu. Le détail paraît négligeable mais imaginez-vous porter des vêtements qui ne vous vont pas. Vous ne vous sentez pas vous-mêmes.

En outre, c'est dans la cellule qu'on voit la dimension la plus insidieuse de la *Zersetzung*. Propres, blanches, fonctionnelles, les cellules pouvaient sembler dignes d'une prison moderne de nombreuses villes occidentales de l'époque. Il existait néanmoins de petites différences importantes : les interrupteurs étaient à l'extérieur, tout comme le bouton pour tirer la chasse d'eau. Il ne s'agissait que de contrôle – ou plutôt d'absence de contrôle. Les détenus devaient supplier les gardiens d'éteindre les lampes la nuit, de les allumer le jour, de tirer la chasse d'eau quand la puanteur finissait par se répandre. Les prisonniers politiques qui arrivaient pleins d'assurance et d'estime de soi se sentaient bientôt insignifiants. Dénués d'humanité. Sans aucune valeur. Enfin, chaque cellule était équipée d'une fenêtre minuscule, grande comme la main, placée au sommet. Les prisonniers tournaient les yeux vers elle, désireux d'apercevoir le monde extérieur, mais la vitre était faite pour les en empêcher. Comme quand on regarde à travers des lunettes dont les verres ne sont pas adaptés, tout était flou. Le monde était juste derrière la fenêtre de Wolfdieter, mais il n'avait jamais la possibilité de le voir.

Ainsi, lorsqu'un prisonnier arrivait à son premier interrogatoire, comme Wolfdieter maintenant, il n'était plus que l'ombre de lui-même. Assis bien droit sur un tabouret bas à quatre pieds, privé de son nom, tenaillé par la faim, fatigué, ne sachant pas où il se trouve, dans des vêtements trop amples, le numéro 34 attend la première question.

Viennent d'abord les plus évidentes[3].

Pourquoi êtes-vous allé dans le « Berlin démocratique » le 7 août 1962 ? Où êtes-vous allé ? Qui avez-vous vu ?

Wolfdieter répond, donnant le moins d'informations possible, disant à son interrogateur ce que ce dernier sait sans doute déjà. Il lui parle du groupe Girrmann, de la Maison de l'avenir, puis de Renate et son projet de la faire venir à l'Ouest. Il évoque la journée de l'opération, ses trajets dans Berlin-Est pour transmettre les messages, mais ne cite aucun nom.

Son interrogateur tape l'intégralité de ses réponses. « Numéros de téléphone ?

— Ils me sont sortis de la tête. »

À aucun moment l'interrogateur ne le frappe. Non : il attend que Wolfdieter se désintègre. Au bout de quatre heures assis sur le tabouret, les mains sur les genoux, celui-ci commence à avoir mal au dos et la douleur irradie dans ses jambes. Au bout de huit heures, il a la voix rauque, il n'y a pas d'eau et il ne sait plus à quand remonte son dernier repas. Au bout de dix heures, il a l'impression que la pièce tourne autour de lui, ses oreilles bourdonnent, les bords de son champ de vision s'assombrissent et il ne pense qu'à dormir.

Dormir.

Il s'assoupit parfois au milieu d'une réponse et tombe du tabouret sur le sol en ciment, le choc le tirant de ses demi-rêves. Chaque fois, l'interrogateur se lève d'un pas tranquille, replace calmement Wolfdieter sur le tabouret et les questions reprennent.

La Stasi veut tout connaître de l'opération, malgré les quantités de renseignements fournis par ses informateurs et tirés du tunnel lui-même. Cette nuit-là, tels des enquêteurs sur le lieu d'un crime, les agents ont passé des heures à mesurer, documenter et dessiner le tunnel, notant sa hauteur (un mètre), sa largeur (quatre-vingts centimètres), sa profondeur (deux mètres trente), l'absence de boisage et d'éclairage. La seule mesure qu'ils n'ont pas obtenue est la longueur : ils ont envoyé un chien dans le tunnel, mais l'animal n'est pas allé au-delà de dix mètres et aucun d'eux n'a eu le courage de s'enfoncer plus loin[4]. Ils ont relevé les outils abandonnés : une hache, « deux chignoles et un burin », puis examiné le reste de la maison, dressé la liste de tout ce qu'elle contenait, « fauteuils rembourrés », « bibliothèques », etc.[5]

Pourtant, la Stasi veut en savoir plus.

« Comment restiez-vous en contact avec Detlef Girrmann ? »

« Qu'était-il convenu avec la police de Berlin-Ouest ? »

Une suite ininterrompue de questions.

De temps en temps, l'interrogateur se rend dans une autre pièce par une porte sur le côté et il y a un murmure de conversation. Plus tard, Wolfdieter découvre que les interrogateurs sont sous la surveillance d'autres cadres de la Stasi, qui écoutent et vérifient qu'ils posent les bonnes questions. De retour dans la salle, son interrogateur recommence. Des questions supplémentaires. De nouvelles chutes sur le sol. La bouche sèche. Les demi-rêves. Enfin, alors que l'après-midi s'achève, au terme de douze heures d'interrogatoire, Wolfdieter est ramené dans sa cellule.

Avançant péniblement dans le couloir, il a interdiction de parler aux autres détenus et même défense de les regarder. Il doit baisser les yeux, suivre les marques qui lui indiquent où marcher. À un moment, il entend des pas s'approcher, un autre prisonnier peut-être, mais avant qu'il n'ait une chance de l'entrevoir, son gardien le pousse dans une cellule vide. Ces cellules-ci sont disposées régulièrement le long du couloir, de manière que, si deux prisonniers l'empruntent, l'un d'eux puisse être mis à l'écart. Aucune occasion d'interagir, de faire un geste de compassion. Aucune solidarité ici.

S'il avait eu l'autorisation de lever les yeux, Wolfdieter aurait vu une fine corde suspendue le long du mur à la hauteur de la tête : le système d'alarme silencieux de la prison. Non qu'il serve beaucoup : jamais personne n'essayait de s'évader. Et même si quelqu'un avait réussi à sortir de la prison, il se serait retrouvé dans un immense complexe militaire, entouré d'usines qui fabriquaient tout l'attirail de la Stasi : caméras de surveillance, fausses plaques d'immatriculation, microphones. Si quelqu'un prenait ses jambes à son cou, les gardiens tiraient sur la corde, déclenchant une lumière rouge dans la salle des commandes en bas. Il n'y avait pas de puissante sonnerie. Le silence était primordial dans cette prison : pas de bruit où puiser un réconfort. Dans ce dessein, les prisonniers recevaient tous des pantoufles, les gardiens également.

Wolfdieter regagne enfin sa cellule, et là, surprise : un autre détenu. Tout d'abord, il s'en réjouit, il a quelqu'un avec qui discuter. Son compagnon de cellule est pâle, maigre et curieux, et Wolfdieter répond à ses nombreuses questions. Plus tard seulement, il devine que cet homme doit être un *Zelleninformator*, un « informateur de cellule », placé là par la Stasi pour percer les secrets qu'il n'a pas encore révélés. C'était une tactique habituelle de l'organisation : sachant que les prisonniers rêvaient de parler à des gens en dehors de leurs interrogateurs, elle introduisait dans ses prisons des *Zelleninformatoren* qui avaient pour consigne de soutirer d'autres crimes à leurs compagnons de cellule. La Stasi ne se souciait pas que les prisonniers connaissent l'existence de ces informateurs ; il lui arrivait même de répandre le bruit – mensonger – qu'un prisonnier était un informateur, à seule fin de créer de la méfiance[6].

Aucune solidarité ici, encore une fois.

Cette nuit-là, Wolfdieter tente de dormir, s'efforce d'ignorer les questions de son *Zelleninformator*, mais c'est difficile. Comme tous les détenus, il a l'ordre de dormir à plat dos, les mains sur ses couvertures. S'il se tourne ou bouge les mains, la porte s'ouvre, un gardien en pantoufles chuchote, le réveille et lui enjoint de se remettre en position.

À minuit, il ouvre les yeux : debout près de lui, un gardien l'oblige à se lever puis le ramène dans la salle d'interrogatoire, où le même homme est assis derrière le bureau.

Deuxième round.

Pendant que l'interrogatoire de Wolfdieter commence, plus loin dans le couloir d'autres prisonniers liés à l'évasion ratée répondent aussi à des questions. Parmi eux, un vétérinaire qui voulait faire venir par le tunnel son épouse et leur bébé de un an, mais ils avaient été arrêtés devant la maison, son épouse conduite dans une prison pour femmes avec leur enfant. Durant l'interrogatoire, la

Stasi lui avait retiré son bébé : elle ne savait pas si elle le reverrait un jour[7].

Il y a aussi le couple propriétaire de la maison, Edith et Friedrich Sendler. Tous deux affirment n'avoir aucun rapport avec le tunnel, mais leurs interrogateurs ne sont pas convaincus. « Comment expliquez-vous que des constructeurs de tunnel ouest-berlinois aient percé le plancher de votre séjour à un endroit idéal, où n'était placé aucun meuble ? Vos déclarations sont dénuées de toute logique et impossibles à croire[8]... »

Dans chaque salle, il y a une fenêtre derrière l'interrogateur. Tandis que les prisonniers, assis sur des tabourets, répondent aux questions, le marché proposé n'a pas besoin d'être explicité : passez aux aveux et, après la prison, vous serez à nouveau dehors, dans le monde derrière cette vitre. Si vous gardez le silence, vous resterez ici ; qui sait si vous repartirez un jour. Certains prisonniers demeuraient des années en détention provisoire, refusant de reconnaître des crimes qu'ils n'avaient pas commis. Lorsqu'on les libérait enfin, ils étaient atrocement diminués.

Dans diverses prisons de la Stasi d'un bout à l'autre de Berlin-Est, les étudiants, vétérinaires, enseignants et médecins répondent aux questions sur cet après-midi. Leurs interrogateurs transmettent par fax les informations obtenues afin qu'elles soient référencées et vérifiées. Nuit après nuit, le processus se déroule : les interrogatoires officiels dans les salles, les interrogatoires officieux dans les cellules.

Wolfdieter perd le souvenir de ce qu'il a dit. Perd la notion du temps. La conscience de lui-même. Ce dont il fait maintenant l'expérience est la technique d'interrogatoire la plus efficace de la Stasi : la privation de sommeil. La Stasi s'enorgueillit d'avoir écarté les méthodes barbares employées par les Soviétiques : ses prisonniers ne quittent généralement pas leurs geôles avec des dents cassées ou des bras fracturés; pourtant, le type de torture pratiqué par la Stasi demeure physique, à cette différence près que les dégâts sont invisibles. Ils se produisent dans les profondeurs du corps. La CIA le découvrirait quelques décennies plus tard, après le 11-Septembre, quand elle utiliserait la privation de sommeil comme « technique d'interrogatoire améliorée ». C'est un outil d'une puissance exceptionnelle qui altère les fonctions biologiques déterminant la santé mentale et physique.

La fatigue vient d'abord, puis l'irritabilité, les difficultés à se concentrer, à lire et à parler. La température corporelle diminue. La capacité à prendre des décisions est affectée. La perte d'appétit, la désorientation, les hallucinations apparaissent. À mesure que le corps s'affaiblit, l'esprit se fragilise et il en résulte un repli sur soi. Ces données sont issues de recherches effectuées par des scientifiques. Pour des raisons évidentes, ils ne peuvent mener plus loin leurs expérimentations, mais ils savent, au moyen de recherches sur les animaux, que la privation de sommeil finit par tuer. Il ne semble pas que ce soit à cause d'un problème atteignant un organe en particulier; c'est plutôt que le corps entier, privé de la fonction régénératrice du sommeil, s'effondre.

Wolfdieter traverse en ce moment les premières phases du processus. Il est fatigué. Il a froid. Il s'embrouille. Il se replie sur lui-même. Les quarante pages détaillant ses interrogatoires, soigneusement tapées à la machine dans son dossier de la Stasi, montrent ces effets. Wolfdieter commence à céder, révèle davantage de noms, de lieux, de dates. Au terme de la troisième nuit, son interrogateur lui donne des aveux à signer. Wolfdieter les lit. Long de dix-sept pages, le document contient tout ce qu'il a raconté jusqu'à présent. Mais, à la toute fin, Wolfdieter lit quelque chose qu'il sait n'avoir jamais dit, même dans les profondeurs de l'épuisement: que l'opération d'évasion par le tunnel faisait partie d'un complot impliquant les gouvernements ouest-allemand et américain. Wolfdieter est interloqué : *ils ont déjà de quoi m'envoyer en prison, quel besoin ont-ils d'ajouter ce mensonge ?*

« Ce n'est pas ce que je vous ai dit », affirme-t-il, trouvant mystérieusement la force d'un dernier acte de défi.

Son interrogateur fixe sur lui un regard vide. « Vous signerez ces aveux. »

Wolfdieter tremble : il peut à peine les lire, les comprendre, mais quelque chose en lui s'est ranimé à cet ultime affront, au mensonge dans ces aveux dactylographiés, et, même si son corps est brisé, il veut s'accrocher à une chose : la pure vérité de cette journée.

Regardant son interrogateur, il réessaie. « Non monsieur, je ne les signerai pas. »

Son interrogateur sourit. « Si, vous les signerez, réplique-t-il avec l'assurance blasée de celui qui a déjà vécu cent fois une telle scène. Vous signerez tout. »

Et il a raison. À cinq heures du matin, Wolfdieter Sternheimer signe les aveux.

Lorsque je lui ai demandé pourquoi il avait signé une déclaration qui était fausse, sachant que cela pouvait entraîner une sanction plus sévère, sa réponse a été simple.

« J'étais tellement, tellement fatigué. »

45

CHASSE À LA TAUPE

Siegfried s'inquiète. Il a été convoqué à la Maison de l'avenir et il sait pourquoi : ils essaient de comprendre ce qui s'est passé, comment la Stasi a pu être aussi bien renseignée, qui les a trahis[1].

Deux jours se sont écoulés depuis l'échec de l'opération et chacun d'eux, très ébranlé, s'efforce de reconstituer les événements. Joachim, Hasso et Uli restent cachés à l'université, se demandant pourquoi l'évasion a capoté. Bodo Köhler, lui, est à la recherche de la taupe.

Lorsqu'il entre dans le bureau de ce dernier, Siegfried réfléchit à toute vitesse. Bodo se méfie de lui depuis le début et voilà qu'il cherche quelqu'un à accuser. Comment se protéger ? Il faut trouver quelqu'un d'autre sur qui faire planer une ombre. Pas de manière trop évidente ; juste de quoi susciter des questions.

Siegfried jette un regard à la ronde. Ils ne sont pas nombreux dans la pièce, quelques volontaires de cet après-midi-là, attendant tous que Bodo arrive et commence.

Un bruit de pas. Puis la voix de Bodo : « Bon, voici un cadavre supplémentaire. »

Siegfried lève les yeux et s'aperçoit que l'étudiant a le regard braqué sur lui. Dans un accès de terreur, il croit qu'il sait tout, mais alors…

« Tu ne peux plus te rendre à Berlin-Est, naturellement », continue Bodo, et Siegfried perçoit le sens de sa phrase : il est mis au placard. C'est logique : ayant participé à une opération déjouée par la Stasi, il ne peut plus tenir le rôle de messager. Ce serait trop risqué.

Bodo les regarde tous, dit qu'ils doivent discuter de l'opération, l'examiner dans ses moindres détails pour en déceler les faiblesses. Il leur demande, successivement, de faire le compte rendu de leur journée minute par minute, de citer les endroits où ils sont allés et de lui signaler s'ils ont remarqué quelque chose de suspect.

Lorsque son tour arrive, Siegfried parle à Bodo du rendez-vous avec Wolfdieter. Il y avait un autre homme avec eux à cette occasion, affirme-t-il, un vétérinaire qui voulait faire venir sa femme et leur bébé par le tunnel. Comme Wolfdieter, le vétérinaire s'était proposé pour transmettre des messages aux gens de Berlin-Est. Siegfried décrit le rendez-vous à Bodo, prétend avoir noté une chose bizarre : le vétérinaire était dans une grande agitation et, quand il est parti, au lieu de marcher jusqu'à la gare, il a pris un taxi, ce que Siegfried a trouvé curieux...

Il se tait. *Est-ce suffisant ? Sois subtil. Pas d'insistance.*

Bodo écoute, se fige un instant, puis passe au suivant.

À la fin de la réunion, Bodo quitte la pièce et les autres bavardent durant un moment, cancanent. L'un d'eux a entendu une rumeur selon laquelle le groupe Girrmann est sur le point d'évincer Bodo, considéré comme responsable des erreurs commises au cours des dernières opérations. Siegfried écoute, garde le silence, n'en perd pas une miette. Puis quelqu'un fait mention d'un autre tunnel, dont le creusage est en cours à Berlin-Ouest.

La conversation terminée, Siegfried repart, se sentant extraordinairement chanceux. Non seulement personne ne le soupçonne, mais Bodo Köhler, le seul qui se méfiait de lui, va être chassé. Mieux encore, il a ce renseignement au sujet d'un autre tunnel. Siegfried sait qu'on ne lui demandera pas de participer cette fois-ci, puisqu'il est mis au placard, mais peut-être que, s'il continue à fréquenter la Maison de l'avenir, il recueillera des indications supplémentaires sur cette nouvelle voie d'évasion souterraine, apprendra où elle se trouve, où elle va.

Quelques jours plus tard, Siegfried voit son officier traitant et lui parle de ce qu'il a découvert. Puschmann est impressionné. « Le collaborateur secret estime avoir indubitablement gagné et affermi la confiance de ces personnes », écrit-il, ajoutant : « des travaux sont déjà en cours concernant un tunnel qui serait situé dans le nord de Berlin. Le collaborateur secret présume qu'il aura connaissance de son emplacement précis. Il nous en informera immédiatement. »

Peu de temps après, une lettre arrive sur le bureau du directeur de la Stasi, Erich Mielke.

AIM 13337/64 département I/1
BStU
[Office fédéral pour la documentation des services de la Sécurité d'État de l'ex-République démocratique allemande]
000139
Ministère de la Sécurité d'État
Administration du Grand Berlin
– Directeur –
Berlin, 15.08.1962

Proposition

Sujet : Récompense et distinction du collaborateur secret (GM) « Hardy ». Proposition est faite d'attribuer au collaborateur secret « Hardy » la médaille d'argent du mérite de l'armée nationale populaire et 1 000 (mille) deutsche Marks de l'Ouest.

Raison :

Grâce aux renseignements du collaborateur secret, il a été possible d'empêcher une vaste percée à la frontière, préparée par une organisation terroriste ouest-berlinoise, et d'arrêter les personnes impliquées. Des bandits armés prévoyaient de pénétrer sur le territoire national de la RDA par le moyen d'un tunnel depuis Berlin-Ouest jusqu'au Berlin démocratique et d'assurer la percée à la frontière en usant de la force armée.

Le collaborateur secret a montré un dévouement, un sérieux, un esprit d'initiative et un courage personnel remarquables dans l'accomplissement de ses devoirs pour le ministère de la Sécurité d'État (MfS). Grâce à son attitude, quarante-trois personnes ont pu être arrêtées, dont quatre membres ouest-allemands de l'organisation terroriste ouest-berlinoise ayant joué un rôle majeur dans la préparation et la mise en œuvre des provocations à la frontière du Berlin démocratique.

Signé,
Colonel Wichert

Erich Mielke donne son accord immédiat pour la récompense. Siegfried Uhse sera l'un des premiers récipiendaires de cette nouvelle médaille, décoration adéquate pour l'espion qui a empêché une embarrassante évasion de grande ampleur. Mais Mielke ne compte pas mettre ce complot d'évasion sous le boisseau. Le maître de la théâtralité a en effet l'idée d'en faire un magnifique spectacle, avec Wolfdieter en vedette.

46

LE SILENCE

13 août 1962

Joachim regarde sa montre : midi moins cinq. C'est pour très bientôt. Fouillant des yeux l'intérieur du wagon, il aperçoit la cordelette suspendue le long du plafond[1] :

NOTFALL – EN CAS D'URGENCE

Il lève la main et place ses doigts autour du cordon, prêt à tirer dessus.

Six jours après l'opération d'évasion avortée, nous sommes le 13 août, premier anniversaire de la construction du Mur. En RDA, les Vopos sont en faction par milliers, s'attendant à des ennuis. À l'Ouest, le maire Willy Brandt a annoncé pour midi une minute de silence. Ni les gouvernements est-allemand et ouest-allemand ni les Américains ne veulent de manifestations ou de violence.

Lorsqu'ils ont appris le projet insipide des autorités ouest-allemandes, les membres du groupe Girrmann ont été indignés : une simple minute de silence pour marquer l'édification d'un mur de béton qui avait séparé tant de familles, un Mur près duquel vingt personnes étaient mortes en essayant de le franchir. Ils voulaient du scandale, du défi, du vacarme, de la fureur ; ils voulaient rappeler au monde que leur ville avait été coupée en deux, leurs vies aussi, et que cette situation n'était pas normale. Si le gouvernement refusait d'organiser quelque chose de plus spectaculaire, eux le feraient.

À midi, la minute de silence commence.

Dans Berlin-Ouest, tout le long du Ku'damm, de la Bernauer Strasse, à travers la ville entière, les gens cessent de marcher, cessent de parler, se figent. La circulation routière s'arrête. Les Coccinelles Volkswagen et les camions restent bizarrement immobiles sur la chaussée. Tandis que les gens demeurent là, statues éparpillées dans la ville, cette brusque sortie de la vie ordinaire donne un coup de fouet à leurs émotions : des hommes d'âge mûr pleurent, des couples âgés se soutiennent, des enfants se pelotonnent dans les bras de leurs parents. Mais, à mesure que les secondes s'écoulent, le désespoir devient autre. Se change en colère. Colère que la réponse collective à une année de présence du Mur ne soit que cela.

Le silence.

À douze heures une minute, quelqu'un quelque part donne un coup d'avertisseur. Un long coup de klaxon puissant et furieux. Un deuxième se joint à lui, puis un troisième, et ainsi de suite jusqu'à ce que partout dans Berlin-Ouest les klaxons de voiture retentissent, et c'est à ce moment précis, durant ce geste de défi, que, dans les trains, Joachim et des dizaines d'autres volontaires du groupe Girrmann tirent sur les cordons d'arrêt d'urgence, les roues soudain stoppées sur les rails, provoquant des gerbes d'étincelles et une odeur de métal brûlé tandis que les wagons s'immobilisent en crissant dans des zones indéfinies entre les gares. Cet acte de désobéissance civile vise juste puisque, en raison d'une excentricité de la politique municipale, la totalité du réseau ferroviaire de la ville appartient à Berlin-Est. Stopper ces trains est un pied-de-nez à Walter Ulbricht, à son parti et à tout ce qu'il représente.

Joachim voit alors deux policiers est-berlinois (qui étaient autorisés à patrouiller les trains même à Berlin-Ouest) s'avancer vers lui à grandes enjambées furibondes.

« *Dokumente*, exigent-ils.

— *Nein* », rétorque Joachim, avec la délicieuse satisfaction de savoir qu'ils sont sur son territoire et ne peuvent l'obliger à rien. Ils le remettent donc aux policiers ouest-berlinois, qui lui infligent une amende. Un bien petit prix à payer.

Ce concert de klaxons et ces trains immobilisés semblent déclencher quelque chose : plus tard dans la journée, des milliers de gens se dirigent vers la Bernauer Strasse et, lorsqu'ils arrivent, dans un accès de folie, essaient de fracasser le Mur. Ils jettent des pierres et des briques contre le béton avant que la police ouest-berlinoise ne les repousse avec des matraques.

Finalement, peu après minuit, les manifestants comprennent qu'ils ne réussiront jamais à défoncer le Mur et les gens se dispersent. À quelques mètres sous leurs pieds, demeuré intact, se trouve le tunnel, le premier que Joachim et ses amis ont creusé, celui que la fuite d'eau avait rendu inutilisable. Grâce à la chaleur d'août, il est désormais sec et n'attend que d'être redécouvert.

47

LA MASCARADE DE PROCÈS

C'est la veille du procès et Wolfdieter, allongé dans son lit, fait le compte à rebours des minutes avant le retour du gardien[1]. Cette nuit-là, le gardien entrait toutes les dix minutes, allumait la lumière, s'approchait de Wolfdieter et le réveillait. « Vous enfreigniez la règle, prétendait-il, en ne dormant pas sur le dos. » Mais Wolfdieter avait vite compris que c'était une simple ruse. Même quand il était dans la position de sommeil approuvée par l'État, le gardien continuait à entrer. Un autre petit jeu de la Stasi.

Wolfdieter repense à ce matin, au moment où on l'a tiré de sa cellule et où il a espéré que quelque chose s'était produit, que quelqu'un était intervenu – qu'il bénéficiait, pour une raison inexplicable, d'une libération anticipée. Poussé dans une camionnette de fruits et légumes de la prison, il avait été conduit dans un autre bâtiment et introduit dans une pièce où était assis un homme en tenue soignée.

« Je suis votre avocat, avait dit l'homme, votre procès commence demain. »

Accablé, Wolfdieter avait essayé de se ressaisir, de dresser une liste de questions dans sa tête, des points à examiner avec son avocat. Mais il n'aurait pas dû se donner ce mal.

« Nous avons trente minutes pour discuter de vos crimes, avait continué l'avocat, des crimes terribles qui méritent un châtiment approprié... »

Tandis qu'il poursuivait, Wolfdieter s'était demandé quel genre d'avocat parlait ainsi à son client, mais on était en Allemagne de l'Est et ici tout fonctionnait différemment. Wolfdieter connaissait les crimes dont on l'accusait, puisque son interrogateur l'en avait informé le jour précédent. Ils correspondaient aux paragraphes 17 et 21 du droit pénal est-allemand : « menace d'actes de violence » et « tromperie incitant les gens à quitter la RDA ». C'était le premier chef d'accusation, ce reproche de violence, qui était resté en travers de la gorge de Wolfdieter.

« Quelle violence ? avait-il voulu savoir.

– Si elle avait marché, votre opération d'évasion aurait semé la peur et l'horreur à travers notre pays, avait répondu son interrogateur. Voilà où est la violence. »

Au lieu d'expliquer ces accusations ou sa peine probable, l'avocat avait posé à Wolfdieter quelques questions sur son enfance, ses études à l'université, puis était parti.

Maintenant, couché ici dans l'obscurité, pensant à son procès, Wolfdieter prend conscience qu'il en ignore tout : qui sera dans la salle d'audience, combien de temps durera la procédure, ce que sera sa condamnation, l'endroit où on l'emmènera. Les questions tournent dans sa tête, chacune en suscite de nouvelles, l'anxiété lui noue le ventre. Et peu importe à présent que le gardien apparaisse toutes les dix minutes, car Wolfdieter sait que le sommeil ne viendra pas cette nuit.

À l'aube, un gardien restitue à Wolfdieter ses anciens vêtements, ceux qu'il portait lorsqu'il est arrivé à la prison. Ils flottent – il a perdu sa corpulence durant ses deux semaines de détention – mais ils ont une vieille odeur réconfortante.

Il se lave, se peigne, puis il suit le gardien à l'extérieur et monte dans la camionnette. Au palais de justice, on le fait entrer dans une petite pièce avec quatre autres prisonniers : deux accusés d'espionnage et deux autres passeurs, dont le vétérinaire. Un agent de la Stasi est présent. Il se tourne successivement vers chacun d'eux pour leur donner des instructions.

Au vétérinaire, il déclare: « Vous devez dire que vous détestez ce pays. »

À Wolfdieter: « Vous devez parler de six hommes qui sont entrés dans le tunnel avec des mitraillettes. Si vous ne le faites pas, précise-t-il, nous vous ramènerons pour un nouvel interrogatoire, nous trouverons les secrets que vous n'avez jamais révélés et les choses seront bien pires pour vous. »

C'est seulement lorsqu'il pénètre dans la salle d'audience que Wolfdieter comprend pourquoi on lui a donné ce texte préparé d'avance. Il avait imaginé une petite salle, une poignée de gens, mais il y en a plusieurs centaines, habillés avec élégance, assis de tous les côtés du tribunal, les yeux rivés sur lui. Il se rend compte qu'il n'est pas un prisonnier ordinaire.

Alors que les geôles de la Stasi étaient pleines d'Allemands de l'Est, Wolfdieter était un étudiant ouest-allemand qui avait participé à la plus ambitieuse opération d'évasion de RDA jusqu'à ce jour. C'était une formidable occasion politique pour la Stasi et, très peu de temps après l'arrestation de Wolfdieter, elle avait commencé à organiser l'une de ses premières grandes mascarades de procès. Le département agitation et propagande avait écrit une lettre à Erich Mielke, lui demandant son accord, qu'il avait donné, puis, comme s'il s'agissait d'une réception, le département avait envoyé des centaines d'invitations aux gens importants: fonctionnaires de police, soldats, journalistes, hommes d'affaires et membres du parti. Deux cent cinquante personnes avaient accepté, maintenant assises là, transpirant dans la chaleur, sous le feu des projecteurs et l'œil des caméras – car le procès était filmé et retransmis à la télévision.

Le procès débute par une déclaration du procureur général, un quinquagénaire en cravate et costume élégants. Il s'appelle Streit – un nom qui signifie « lutte ». Il parle d'abord de l'évasion puis, bombant le torse, il élargit le récit pour en faire une histoire plus vaste : une parabole sur les dangers qui existent à essayer de quitter Berlin-Est ; l'influence dépravante de Berlin-Ouest, les terroristes ouest-allemands financés par les Américains qui cherchent à détruire l'Allemagne de l'Est. Pour ajouter au spectacle, il fait entrer un témoin en scène, un professeur de sciences politiques de l'université de Humboldt qui parle longuement de l'action corruptrice des Américains et exige leur départ d'Allemagne de l'Ouest car ils risquent de déclencher une troisième guerre mondiale.

Tard dans l'après-midi, la première journée terminée, alors qu'il quitte le palais de justice, Wolfdieter comprend qu'il est un simple pantin d'une pièce politique montée dans cette salle d'audience. Il sait maintenant que ni son témoignage ni son avocat ne changeront quoi que ce soit. Comme dans la plupart des procès de la Stasi, le scénario est déjà écrit. Oui, il y a des avocats représentant des clients, des juges pour prononcer des condamnations, tout a les apparences d'un véritable procès, mais le travail réel se passe en coulisse, où les juges reçoivent les ordres du parti.

Le deuxième jour, l'avocat de Wolfdieter se lève pour parler.

« L'accusé a commis des crimes terribles et doit être puni, affirme-t-il, ajoutant à la hâte : mais, s'il vous plaît, prenez en considération le fait que Wolfdieter Sternheimer a grandi en Allemagne de l'Ouest et a donc subi l'influence et le lavage de cerveau d'un système et d'une presse capitalistes. » Rien de plus. L'avocat se rassoit. Maintenant, la sentence.

Wolfdieter ne sait pas du tout à quoi s'attendre. Quand on examine les condamnations prononcées pour différents crimes politiques, on a du mal à prédire ce que pourra être le verdict d'un tribunal de la Stasi. On rencontre des cas d'adolescents condamnés à dix-huit mois de prison pour avoir regardé la télévision occidentale, de gens condamnés à deux ans pour avoir collé des affiches politiques aux fenêtres de leur appartement ; quelqu'un fut même frappé de cette peine pour n'avoir pas dénoncé un ami qui préparait son évasion à l'Ouest. Les gens capturés pendant leur tentative de fuite encouraient de six années de prison à la perpétuité, voire, dans certains cas, la peine de mort – dans une première période, la guillotine fut utilisée, puis remplacée par une balle dans la nuque[2].

Wolfdieter regarde le juge, un homme quelconque, quinquagénaire, qui savoure son rôle de vedette. Il annonce les peines des cinq prisonniers : perpétuité pour les deux accusés d'espionnage, douze ans pour le vétérinaire, six pour l'autre passeur. Sept ans pour Wolfdieter.

Celui-ci baisse les yeux vers ses mains. Réprime leur tremblement. Sept années, c'est faisable. Il aura vingt-neuf ans lorsqu'il sortira. Il aura encore le temps de se construire une vie. Mais alors il se reprend : et Renate ?

Depuis la salle d'audience, Wolfdieter est emmené à la prison de Brandebourg, appelée « le cercueil de cristal » à cause de son immense toit vitré. Il passe une semaine à l'isolement, avant d'être conduit dans une cellule où se trouvent neuf hommes : des voleurs, des meurtriers, des violeurs. Dans les geôles est-allemandes, les prisonniers politiques sont mêlés aux droits communs ; être malmené par des voyous et des assassins fait partie du châtiment, et les criminels travaillent souvent comme informateurs.

À la prison de Brandebourg, toutes les journées se ressemblent. Réveillé à quatre heures du matin, Wolfdieter reçoit un morceau de pain et du café. Il se lave, fait son lit, prend son poste à six heures. Comme la plupart des détenus, Wolfdieter doit travailler. C'est une stimulation pour l'économie est-allemande, car le parti exporte en RFA des produits fabriqués dans ses prisons[3].

Wolfdieter est dans la maison cinq, équipe B : production de mobilier de cuisine. Tous les matins, il est conduit dans une pièce au sous-sol, remplie de poussière et d'une chaleur étouffante, où il fabrique sur des machines obsolètes des carcasses en bois pour les cuisines est-allemandes. Il travaille huit heures d'affilée par quarante degrés et il lui arrive de s'évanouir, de voir des hommes perdre des doigts et d'autres accidents épouvantables qu'il tâche d'oublier. À quatorze heures, c'est le repas, puis le retour dans la cellule où il s'assoit et regarde le mur, ou bien lit le journal du parti distribué aux prisonniers dans le cadre de leur programme de rééducation. De temps en temps, il y a aussi des conférences. « Traitement aux rayons rouges », ironisent les prisonniers[4].

Au bout de quatre semaines, Wolfdieter pense qu'il ne peut rien exister de pire, mais un jour, sans avertissement, on l'emmène à Pankow, l'une des plus vieilles prisons de la Stasi dans le centre de Berlin. Et là, il est mis seul dans une cellule. De nouveau l'isolement.

La première semaine se passe bien ; Wolfdieter a déjà connu cette situation. Il bouge, s'efforce de garder une activité mentale. Mais c'est difficile d'établir des habitudes : les gardiens apportent la nourriture à des heures variables et il a du mal à organiser chaque journée. Il aimerait rejoindre ses codétenus criminels, reprendre la fabrication du mobilier, et même les conversations qu'il avait avec l'informateur à Hohenschönhausen. Il répète ses cours de lycée et d'université, et pendant huit jours son cerveau est merveilleusement occupé. Mais, bientôt, il a l'esprit vide, exténué. Il perd la notion du temps, le jour et la nuit se confondent. C'est à ce moment qu'il commence l'exploration de sa mémoire : faisant défiler son existence, Wolfdieter se met en quête de ses souvenirs, les creuse autant que possible, avide du moindre détail. Il se penche d'abord sur les plus récents. L'opération d'évasion. Renate. L'université. Récolte facile. Il ne tarde pas à désirer des matériaux plus enfouis. Tel un pêcheur de perles, il s'immerge et trouve des fragments datant de l'école primaire, de son enfance, des souvenirs qui n'ont presque pas de sens, des images et des odeurs aussi incompréhensibles que des rêves. Et puis, un soir, après environ six semaines de solitude, il plonge et découvre la plus précieuse des perles : un souvenir qui n'avait jamais resurgi jusqu'alors. Il se revoit dans la chambre de ses parents, debout devant leur lit. Celui-ci est vide. Sa mère, assise par terre, pleure. C'est le jour où son père est parti combattre les Russes. Dans un coin de la pièce, il voit un jeu d'échecs : celui dont il a hérité lorsqu'il est devenu manifeste que son père ne reviendrait pas.

Grisé par ce souvenir inédit, Wolfdieter passe des journées avec, le tourne et le retourne dans sa tête, au point qu'il ne sait plus ce qui relève de la mémoire et ce qui appartient au monde du rêve. Il oublie la cellule, oublie qu'il est prisonnier. Néanmoins, quelques jours plus tard, il constate qu'il remonte à la surface, revient dans la pièce et la prison, renoue avec l'autre extrémité de sa vie, la phase des interrogatoires, et, soudain, il a une prise de conscience.

Mon interrogateur m'a questionné sur tous les participants à l'opération d'évasion. Il m'a questionné dix fois sur eux : ce qu'ils avaient fait ce jour-là, leur famille, leur adresse. Mais il y a une personne sur laquelle on ne m'a jamais interrogé. Pas posé la moindre question. Siegfried Uhse.

Pourquoi ? Pourquoi ? Pourquoi ?

Assis là, réexaminant ces nuits à Hohenschönhausen, Wolfdieter n'arrive pas à croire qu'il ne s'en est pas aperçu plus tôt : Siegfried Uhse. Ce doit être lui, la taupe, l'homme qui les a dénoncés à la Stasi, la raison pour laquelle un si grand nombre d'entre eux croupissent maintenant en prison, séparés de ceux qu'ils aiment. Et son désespoir se transforme en un terrible sentiment d'impuissance, car il sait que Siegfried Uhse est la taupe, que cette taupe appartient encore au réseau des passeurs, mais il est coincé ici et ne peut avertir qui que ce soit.

Deux semaines plus tard, un gardien vient chercher Wolfdieter dans sa cellule, l'escorte hors du bâtiment et le conduit en voiture jusqu'à un édifice qu'il ne connaît pas. Là, un autre gardien l'introduit dans une pièce en haut d'un escalier : une salle d'audience. Wolfdieter est désorienté ; son procès a déjà eu lieu, pourquoi en faudrait-il un autre ?

C'est alors qu'il la voit : Renate.

La dernière fois, c'était dans le train, le jour de l'évasion. Ils s'étaient séparés à la gare, Wolfdieter s'en allant pour traverser la frontière et retourner à Berlin-Ouest. Il ne se doutait pas que Renate avait été appréhendée par un agent de la Stasi à l'angle de la rue, ni qu'elle et ses amis avaient inventé cette histoire de fête d'anniversaire et pu repartir.

Le soir de l'opération, Renate était rentrée chez elle et s'était mise au lit, extrêmement soulagée, persuadée que Wolfdieter avait regagné Berlin-Ouest sans encombre. Mais, à trois heures du matin, il y avait eu un coup de sonnette, long et insistant, et lorsqu'elle avait ouvert la porte, les yeux ensommeillés, elle s'était trouvée face à deux hommes.

« Habillez-vous », avaient-ils ordonné, et ils l'avaient fait entrer dans une voiture noire, un homme assis de chaque côté d'elle sur la banquette. Plus tard, elle avait découvert qu'un détenu de Hohenschönhausen avait donné son nom et son adresse à la Stasi. Renate ne sut jamais qui, mais elle ne lui en voulait pas de toute façon. La majorité des gens finissaient par parler.

Les hommes l'avaient emmenée au siège de la police, situé dans la Keibelstrasse près de l'Alexanderplatz, et l'avaient interrogée durant cette première nuit et la suivante. Depuis lors, elle avait été en isolement. Maintenant, de nouveau habillée des vêtements qu'elle avait enfilés cette nuit-là, elle se tient dans la salle d'audience… et elle voit Wolfdieter dans le fond.

Leurs regards se rencontrent et elle sent ses mains se mettre à trembler, tout comme ses jambes, à trembler si fort que la juge prie quelqu'un d'apporter une chaise. Un geste de gentillesse que Renate n'oubliera jamais[5]. Cependant, elle ne s'autorise pas à espérer que la juge pourra être clémente. À cette heure, elle sait comment les choses fonctionnent.

La juge regarde Renate. « Vous êtes accusée d'un acte de violence ayant mis l'État en péril et ayant causé la peur et l'horreur. » Le même crime que Wolfdieter.

On propose à Renate de s'exprimer et elle réussit à trouver des mots. « Je ne voulais pas créer de la peur, dit-elle. Je voulais seulement rejoindre mon Wolfdieter. » Après le procès, de nombreuses années plus tard, elle apprendra que ses paroles avaient ému les autres prisonniers présents dans la salle d'audience. Rares étaient ceux qui osaient dire quelque chose.

Pendant ce temps, Wolfdieter comprend que, dans un acte de vengeance effroyable, la Stasi l'a amené ici uniquement pour qu'il regarde Renate subir sa condamnation. La juge réclame le silence, puis annonce la sentence.

Trois ans.

Au moment où les gardiens l'entraînent hors de la salle, Renate passe près de Wolfdieter et tend sa main toujours tremblante, il tend la sienne, et durant quelques secondes leurs doigts s'entrelacent, se serrent avec force avant qu'ils ne soient arrachés l'un à l'autre et que Renate disparaisse, la porte se refermant derrière elle avec fracas.

48

LE BOUCHER

Couvert de boue et de sueur, Joachim s'allonge dans le tunnel[1]. Il n'y a aucun bruit. Il regarde les tuyaux qu'il a installés, les ampoules électriques, le téléphone de la Seconde Guerre mondiale, toutes ses inventions qui rendent ce tunnel si familier. Certes, il y a la chaleur, l'humidité, la pénombre et l'étroitesse oppressante, mais ça fait plaisir d'être revenu.

L'équipe de NBC est là aussi ; étendus dans le boyau avec leur minuscule caméra et leur lampe, Peter et Klaus filment le creusage. Piers Anderton leur rend visite de temps en temps pour voir comment ils se portent tous. Au cours des mois, Piers est devenu une figure paternelle pour eux, même s'il n'a pas oublié ce que Reuven Frank lui avait dit au début du tournage : ne pas s'engager, car ce serait enfreindre les principes universels du journalisme. Il n'était là que pour rendre compte des travaux et les filmer. Pas pour y participer. S'il arrivait aux étudiants de lui demander son avis sur l'opération d'évasion, Piers détournait la conversation et ils parlaient politique[2], rêvaient d'un avenir où le monde ne serait plus coupé en deux.

Nous sommes à la fin du mois d'août, quelques semaines après la tentative d'évasion avortée, et le rythme de travail a repris, les trois-huit avec les maux de dos, les ampoules aux mains, la peur au ventre. Lorsqu'ils étaient descendus dans la cave pour inspecter l'état du tunnel, Joachim et ses amis avaient en effet constaté qu'il était sec, que l'argile n'était plus de la bouillie mais avait retrouvé sa fermeté. Le jour même, ils avaient recommencé à creuser. Peter et

Evi voulaient quitter Berlin-Est le plus tôt possible et il y avait désormais plus de vingt autres personnes sur la liste, dont Anita, la sœur d'Hasso, toutes brûlant de s'enfuir.

Dans la cave, le regard de Joachim tombe sur une photo de journal : un adolescent en chemise blanche, aux traits fins et aux cheveux bien peignés. Chaque fois qu'il se sent épuisé, prêt à renoncer, il regarde la photo et mobilise de nouveau son énergie, la colère alimentant chacun de ses gestes.

Le garçon s'appelait Peter Fechter et était célèbre dans le monde entier pour une horrible tragédie qui s'était produite le 17 août. Tout avait commencé quand Peter et son ami Helmut Kulbeik étaient entrés en cachette dans une usine est-berlinoise abandonnée proche du Mur, dans la Zimmerstrasse, pas loin du poste-frontière américain de Checkpoint Charlie. Âgés de dix-huit ans, Peter et Helmut étaient maçons sur un chantier voisin et ils s'étaient aventurés dans l'usine pendant leur pause de midi. Ils avaient parlé de leur désir partagé de s'enfuir et, dans un moment exaltant de spontanéité adolescente, ils décidèrent de voir à quel point ils pouvaient s'approcher du Mur sans être vus.

À l'intérieur de l'usine, Peter et Helmut se déchaussèrent et se dirigèrent à pas de loup vers une réserve où ils découvrirent la seule fenêtre du bâtiment qui n'était pas condamnée. Elle donnait directement sur le Mur.

Puis, soudain : des voix. Sans réfléchir, ils sautèrent par la fenêtre, se précipitèrent en direction du Mur et franchirent la première clôture de fil barbelé[3]. Ils entendirent derrière eux le crépitement des kalachnikovs à l'instant où les Vopos les aperçurent, ces garçons qui fonçaient en chaussettes dans le no man's land. Personne ne sait comment il réagira au son d'une arme à feu tant qu'il ne l'a pas entendu : pour sa part, Helmut courut encore plus vite et bondit au sommet du Mur de deux mètres cinquante.

Jetant un coup d'œil vers le bas, il vit que Peter avait eu une réaction tout autre.

Il s'était figé.

Juste devant le Mur, Peter n'avait pas assez d'élan pour l'escalader, mais il essaya, se jetant à corps perdu contre le rempart de béton pendant que les Vopos déchargeaient leurs armes, trente-cinq balles filant vers lui, l'une d'elles le frappant à la hanche.

Peter s'écroula.

Affaissé au pied du Mur, il se recroquevilla en position fœtale, ses bras autour de lui, tandis que le sol alentour devenait rouge.

« Aidez-moi ! Aidez-moi ! » hurla-t-il.

Les Vopos regardèrent. Les policiers ouest-berlinois regardèrent. Les soldats américains de la garnison voisine regardèrent. Et ils continuèrent de regarder, minute après minute, alors que Peter appelait au secours, haletant, la voix de plus en plus faible. Plus tard, les Vopos dirent qu'ils n'avaient pas accouru dans le no man's land pour sauver Peter parce qu'ils redoutaient d'être tués par la police occidentale. Les policiers ouest-berlinois et les militaires américains dirent qu'ils étaient restés en retrait car ils respectaient l'ordre de ne pas aider les fugitifs à moins qu'ils ne soient déjà passés à l'Ouest. Un officier américain présent sur place aurait détourné la tête en affirmant : « Ce n'est pas mon problème. » Ils savaient tous que, si une fusillade éclatait, elle risquait de déclencher une troisième guerre mondiale. C'était la guerre froide en action. Ou plutôt en inaction.

À Checkpoint Charlie, le lieutenant américain de service appela le commandant de la garnison américaine à Berlin-Ouest, qui réussit à transmettre un message au président Kennedy : *Monsieur le Président, un fugitif est en train de perdre son sang au pied du mur de Berlin*[4]. Il réclamait des instructions.

Aucune ne vint.

Le bruit qu'un événement affreux avait lieu près du Mur ne tarda pas à se répandre dans Berlin-Ouest. Des reporters gravirent des échelles et prirent des photos de Peter gisant là, se vidant de son sang. Des centaines de personnes grimpèrent sur des voitures et hurlèrent aux Vopos, aux policiers ouest-allemands et aux soldats américains : « Faites quelque chose ! Espèces de lâches ! Assassins ! FAITES QUELQUE CHOSE, FAITES QUELQUE CHOSE, FAITES QUELQUE CHOSE ! »

Deux policiers ouest-berlinois finirent par se hisser sur le Mur et lancer des pansements mais, entre-temps, Peter avait cessé d'appeler et son visage était devenu blême. Une heure après avoir reçu la balle meurtrière, le corps de Peter devint flasque. Alors seulement les Vopos s'avancèrent pour ramasser son cadavre, faisant exploser des bombes fumigènes autour d'eux afin de s'abriter. Tandis qu'ils l'emmenaient et que la foule scandait « Assassins ! Assassins ! », la fumée se dissipa et un photographe prit une photo qui serait imprimée dans les journaux du monde entier : le corps de Peter Fechter emporté par trois Vopos, sa tête retombant en arrière, un pied nu.

Trois heures plus tard, une pancarte manuscrite apparut à la fenêtre d'un appartement est-berlinois : *Il est mort*[5].

La garnison américaine envoya un message à la Maison Blanche : *Le problème s'est résolu de lui-même*[6].

Le lendemain, et durant trois jours consécutifs, Berlin-Ouest connut une flambée de fureur. Des dizaines de milliers de gens envahirent les rues, brûlèrent des voitures, dressèrent des barricades, affluèrent vers le Mur contre lequel ils jetèrent des pierres et des briques. La police ouest-allemande les repoussa au moyen de canons à eau et de gaz lacrymogènes. Mais les manifestants continuèrent, parce que quelque chose dans la lente agonie solitaire de Peter leur avait donné un sentiment d'impuissance et de honte comme jamais auparavant. Ils voulaient maintenant agir contre cette horreur arrivée dans leur ville qui faisait que des soldats et des policiers étaient restés là, immobiles, pendant qu'un être humain mourait devant eux. Ils se dirigèrent par milliers vers Checkpoint Charlie pour reprocher aux forces américaines leur abandon de Peter, brandissant des banderoles où on lisait :

PUISSANCE PROTECTRICE
= COMPLICE DE MEURTRE[7]

Tandis qu'ils protestaient, les réactions commencèrent à se faire entendre : le commandant américain à Berlin-Ouest déclara que cet événement était « un acte d'une inhumanité barbare ». Le président Kennedy discuta du décès de Peter avec ses conseillers, tâchant d'élaborer une procédure au cas où ce genre de tragédie se reproduirait. Le magazine *Time* mit la nouvelle en première page, parlant du « mur de la honte », expression entrée dans la postérité.

Peu après, le maire de Berlin-Ouest Willy Brandt invita le Yale Russian Choir à chanter devant le Mur l'*Ave verum corpus* de Mozart dans une traduction allemande. Les hommes se réunirent, les premières notes discrètes laissèrent la place à une mélodie éclatante et la musique s'envola loin au-dessus du béton, loin au-dessus des Berlinois de l'Est, qui se sentirent oubliés. Ils savaient désormais que les États-Unis n'interviendraient pas, quelles que soient les atrocités qui se dérouleraient près du Mur : la vie d'un maçon ne pesait rien face au risque de guerre atomique, quand bien même sa mort était particulièrement lente et douloureuse[8].

Alors que les Berlinois de l'Ouest étaient libres d'exprimer leur colère, les Berlinois de l'Est devaient réprimer la leur : la mort épouvantable de Peter était une ignominie supplémentaire contre laquelle se déchaîner en privé. Ils avaient appris lors du soulèvement de 1953 quel était le coût des manifestations de rue. Les parents de Peter ne surent ce qui s'était passé qu'au moment où les policiers firent irruption chez eux, fouillèrent tout et les interrogèrent, puis leur dirent que leur fils de dix-huit ans était mort. Aux obsèques, quelques jours plus tard, trois cents personnes se présentèrent et, comme d'habitude, la Stasi en profita pour contrôler toute l'assemblée, arrêtant un photojournaliste américain qu'elle condamna à deux ans de prison pour espionnage[9]. Ce soir-là, durant son émission télévisée, Karl-Eduard von Schnitzler s'employa à faire du décès de Peter une leçon de morale pour quiconque songeait à fuir l'Est :

« La vie de chacun de nos braves jeunes hommes en uniforme est plus importante pour nous que celle d'un individu qui enfreint la loi. Ne pas s'approcher de notre frontière permet d'éviter le sang, les cris et les larmes[10]. »

Les journaux est-allemands reléguèrent la nouvelle et choisirent de mettre en une les récentes missions soviétiques dans l'espace et l'héroïsme des volontaires qui avaient participé à la moisson de cette année. Dans les dernières pages, où était mentionnée la mort de Peter, ils reprochèrent à l'Ouest de l'avoir poussé à des actions suicidaires. La fin août venue, après que les émeutiers ouest-berlinois se furent épuisés, il ne resta pour marquer la mort de Peter qu'une croix de bois blanc près du lieu où il avait succombé.

Quittant des yeux la photo sur le mur pour se retourner vers le tunnel, Joachim pense aux semaines à venir. Cette ultime phase de creusage sera plus dangereuse que toute la période antérieure, puisqu'ils sont maintenant sous Berlin-Est et que des Vopos patrouillent au-dessus de leurs têtes avec leurs appareils d'écoute. Et certes, le travail est dur, mais après ce qui s'est passé pour l'autre tunnel, ce que Joachim trouve le plus pénible est la peur, le fait de ne jamais savoir à qui se fier. Depuis l'opération avortée, l'ambiance a changé : comme ils ne savent toujours pas qui les a dénoncés à la Stasi, ils se surveillent entre eux. Continuellement.

Vers la fin de son poste, aux environs de dix-huit heures, alors qu'il est dans le tunnel, Joachim distingue un bruit étrange.

Zzz. Zzz.

C'est un son vrombissant, électrique. Qui s'élève par intermittence. Posant sa bêche, Joachim s'immobilise dans le noir. Écoute son propre souffle. *Est-ce un Vopo en train d'arpenter le no man's land là-haut ? M'a-t-il entendu ?* Il commence à rebrousser chemin sur le dos, respirant à peine.

Zzz. Zzz.

Les poils de sa nuque se hérissent lorsqu'il distingue de nouveau le bruit, plus fort cette fois, et, regard braqué sur le plafond, il recule le plus vite possible, imaginant le tunnel éventré, un Vopo y jetant de la dynamite avec un sourire de triomphe.

Zzz. Zzz. Zzz.

À l'extrémité du boyau, Joachim se dégage, escalade l'échelle et, arrivé dans la cave, reprend son souffle.

Zzz. Zzz. Zzz.

Le bruit est encore plus fort ici et Joachim explore la pièce des yeux, à la recherche d'une explication. Il voit la boîte à fusibles : c'est peut-être elle. Il s'en approche mais, soudain, il se fige. La porte de la cave s'entrebâille et un bras se glisse dans l'ouverture. Joachim, pétrifié, ne peut que regarder la porte s'ouvrir complètement sur un homme. Robuste et dodu, il a des cheveux châtains, un visage plein de franchise et – très déconcertant – un large sourire.

« Je suis Claus », dit-il.

49

L'HISTOIRE DE CLAUS

Il est boucher, explique-t-il. Marié, mais il n'a pas vu sa femme, Inge, depuis la nuit où ils ont essayé de s'enfuir, en novembre dernier. Ils avaient emmené leur bébé Kirsten jusqu'à la frontière, avec des couches et du lait, et s'apprêtaient à la franchir lorsqu'un Vopo surgit, pointa son arme dans leur direction et leur ordonna de rentrer chez eux.

Le garde-frontière était petit, beaucoup plus petit que Claus, et ç'avait été trop tentant de ne pas tirer parti de sa taille; Claus l'avait donc frappé du poing et s'était précipité, croyant qu'Inge et leur fille le suivaient pendant qu'il se glissait entre les barbelés. Puis il avait entendu cinq coups de feu et s'était jeté au sol. Lorsqu'il s'était relevé, stupéfait d'être indemne, il avait constaté qu'Inge et Kirsten ne l'accompagnaient plus mais qu'elles étaient coincées derrière les barbelés, prisonnières des bras du Vopo. En un instant, Claus avait perdu sa femme, sa fille et son enfant à naître – car Inge était enceinte.

Réfugié à Berlin-Ouest, Claus s'était affligé des bribes de nouvelles de chez lui: le simulacre de procès d'Inge, sa peine de prison, l'envoi de leur petite fille dans une maison d'enfants. Il avait imaginé Inge accouchant dans une geôle de la Stasi, mais elle avait bénéficié d'une libération anticipée et donné naissance à leur fils, Uwe, dans une maternité. Quelques semaines après, par des messages clandestins, Claus et Inge étaient convenus d'une date et d'une heure où se placer de chaque côté du Mur dans l'espoir de s'apercevoir. Le jour dit, Claus s'approcha de la frontière et, aux jumelles, devina les silhouettes de Kirsten (maintenant rendue à sa mère) et Inge, tenant Uwe bien haut, enveloppé dans une couverture[1]. Claus avait dès lors passé son temps à chercher un moyen de faire venir Inge et leurs enfants à Berlin-Ouest. Il avait participé au creusement de deux tunnels, mais ceux-ci s'étaient effondrés. Puis, descendant aujourd'hui la Bernauer Strasse, il avait vu des mottes d'argile dans la cour, raison pour laquelle il se tenait ici en ce moment même. Pouvait-il aider à creuser le tunnel et, grâce à lui, secourir sa famille ?

C'est une histoire impressionnante. Presque trop, et Joachim ne sait pas s'il faut y croire. Il se demande comment un mari et père pourrait s'enfuir de cette manière, abandonner sa femme et sa fille, ne pas vérifier qu'elles le suivent. Cela ne semble pas normal. Et puis cette histoire d'argile dans la cour est improbable.

Joachim pense aux gens arrêtés quelques semaines plus tôt, enfermés dans des prisons de la Stasi à cause d'un seul espion, et voici maintenant quelqu'un qu'ils ne connaissent ni d'Ève ni d'Adam, étrange, qui a découvert leur tunnel. S'ils laissent Claus rejoindre leur groupe et qu'il se révèle être au service de la Stasi… c'est impensable.

Le plus simple serait de le chasser d'ici, mais il sait où se trouve le tunnel. Et puis, s'il disait la vérité ? Si sa femme et ses enfants étaient réellement bloqués de l'autre côté ? À supposer que Joachim refuse de l'accueillir dans leur équipe, les enfants grandiront sans leur père, tout comme lui. Il doit mûrement réfléchir. Trouver une solution.

« Bon, dit Joachim. Je dois en discuter avec les autres. Rendez-vous ici ce soir à dix heures. »

À dix heures sonnantes, Claus revient et voit cinq membres du groupe réunis là : Joachim, les deux Italiens, Hasso et Wolf. Joachim leur a expliqué ce qui se passait, a dit avoir besoin de leur aide.

« Alors, racontez-leur ce que vous m'avez raconté, demande Joachim.

— Eh bien, je suis boucher... »

Claus répète son récit et les étudiants forment un cercle autour de lui, écoutant chaque mot, scrutant ses attitudes, en quête du moindre indice de mensonge. Puis, lentement, ils se rapprochent de lui, et Claus recule vers le tunnel, jusqu'à ce que ses talons soient au bord du puits. Tandis qu'il vacille là, Joachim attire l'attention de Mimmo, celui-ci fait un geste en direction du trou et, durant quelques secondes, l'idée reste suspendue entre eux, terrifiante et implicite. Joachim se représente la scène : s'il arrivait que Claus tombe à l'intérieur du puits, ils pourraient l'enterrer dans le tunnel et personne n'en saurait jamais rien. Ce serait une solution habile. Mais, dès que cette pensée apparaît, il la repousse. Il sait qu'ils ne pourraient ni l'un ni l'autre commettre un tel acte. Même si Claus est un espion, ils ne sont pas des assassins.

Claus termine son récit. Suivi d'un court silence, puis les étudiants se mettent à le bombarder de questions. « Qui êtes-vous réellement ? Comment avez-vous découvert le tunnel ? Où habitez-vous ? Pour qui travaillez-vous ? »

Claus a peur. Il bégaie, donne et redonne les mêmes réponses, mais après l'horreur du précédent tunnel rien dans ses paroles ne suffit à les convaincre qu'il ne travaille pas pour la Stasi. À chaque réponse, ils s'énervent un peu plus, et soudain ils fondent sur lui, durant un instant il semble qu'il va basculer dans le puits, mais non, ils le poussent de côté sur une planche et Claus hurle lorsqu'un clou lui perce la fesse.

« Qu'est-ce que vous faites ? Je veux seulement vous aider, s'il vous plaît, laissez-moi vous aider ! »

L'un d'eux saisit une corde, ligote les mains de Claus. « Êtes-vous armé ? Où est votre revolver, où le cachez-vous ? »

Claus bredouille: « Je n'en ai pas. Euh, si, j'en ai un. Il est dans mon appartement.

— Où le rangez-vous ? Vos clés ! Donnez-les-nous ! »

Claus sort ses clés, Gigi et Hasso les prennent et filent à son logement, qu'ils explorent de fond en comble. Pas de revolver.

De retour dans la cave, ils crient à Claus, menaçants : « Pourquoi mentez-vous ? Où est-il ?

— Il est accroché contre le mur derrière un placard, répond Claus. Tenu par une ficelle. »

Ils retournent à son appartement, trouvent le revolver, le rapportent à la cave. Nouvelles questions.

Lorsque minuit sonne, ils sont épuisés. Ils ne savent pas du tout quoi faire : ils ne peuvent pas tuer Claus, mais ils n'ont aucune confiance en lui. Tandis que la ville enténébrée s'apaise, Wolf a une idée. Il quitte la cave, rentre chez lui, décroche son téléphone et compose un numéro.

Une heure plus tard, Wolf est sur la route, Claus à l'arrière de sa camionnette Volkswagen sans fenêtres, mains attachées[2]. Wolf dépasse la porte de Brandebourg, Checkpoint Charlie, puis s'engage vers le sud en direction de Tempelhof. Juste avant l'aéroport, il bifurque sur un chemin gravillonné qui mène à un grand bâtiment. À l'intérieur, un groupe d'hommes l'attend. Wolf pousse Claus vers eux, les remercie pour leur aide, puis s'en va. Il aura sa réponse le lendemain matin.

Il est tôt lorsque le téléphone de Wolf sonne. Ce sont les hommes d'hier, du *Bundesamt für Verfassungsschutz*, l'agence de renseignements ouest-berlinoise. Comme les étudiants ne connaissaient rien aux interrogatoires et n'étaient pas en mesure de déterminer si quelqu'un travaillait pour la Stasi ou non, ils avaient décidé d'amener Claus à des experts dans ce domaine. Les agents secrets avaient cuisiné Claus toute la nuit.

« Et ? demande Wolf. Qu'en pensez-vous ? »

Leur réponse n'est pas très utile. Il n'y a aucune preuve que Claus est un informateur de la Stasi, disent-il, mais aucune preuve qu'il n'en est pas un. Donc soyez prudents.

Ce matin-là, Joachim rejoint les autres dans la cave. Après tout ce qui s'est passé, il est improbable que Claus revienne, estiment-ils ; cette expérience l'aura certainement fait fuir. Mais, quelques heures plus tard, on frappe à la porte et Claus apparaît, souriant.

« Eh bien, quelle nuit ! s'exclame-t-il. Vous avez des relations époustouflantes, les gars ! C'était rude, mais je ne vous en tiens pas rigueur ; il vaut mieux prendre des précautions, n'est-ce pas ? Mais me revoici, et je n'ai aucun rapport avec la Stasi, alors s'il vous plaît, laissez-moi travailler avec vous. »

Ils se regardent, ébahis par la persévérance joviale de Claus. Voilà un homme qui a été ligoté, a eu un clou enfoncé dans la fesse, a été interrogé – par deux fois – et pourtant il revient les supplier.

Claus les regarde à son tour, sentant leur hésitation. « Je ferai deux postes d'affilée, même trois. Je ne bougerai pas de la cave, si vous préférez ; vous pourrez me surveiller en permanence ! »

Joachim dit qu'ils ont besoin d'une minute de réflexion. Rassemblés dans un coin de la cave, ils pèsent le pour et le contre. Jusque-là, rien n'indique que Claus est un espion de la Stasi et, même s'il en est un, ils n'y peuvent pas grand-chose puisqu'ils ne sont pas prêts à le tuer.

« Pourquoi ne pas lui permettre de creuser, propose Joachim, mais en lui cachant notre point d'arrivée exact ? Et la date de l'évasion ? »

C'est une excellente idée. Même s'il espionne, sans ces précisions la Stasi ne saura ni où ni quand l'opération d'évasion aura lieu. En outre, devant la carrure de Claus, ils ont du mal à refuser : il ne leur reste plus beaucoup de temps pour creuser le tunnel, or cet homme fort comme un bœuf ne demande qu'à les aider.

« D'accord, dit Joachim à Claus, bienvenue dans l'équipe. »

50

PARIS

Août 1962

Descendant d'un taxi, Reuven Frank, vêtu d'un somptueux costume, marche vers le restaurant parisien, ses chaussures brillantes claquant sur le trottoir, la porte ouverte sans effort par un groom. Devant lui l'une des salles les plus exquises qu'il ait jamais vues : des sièges en velours rouge, des petites tables intimes surmontées de lampes Art déco, un piano dans l'angle, et des gens magnifiques partout. C'est tout ce qu'il espérait trouver chez Maxim's, le plus célèbre restaurant du monde.

Il s'avance dans la salle et aperçoit son correspondant à Berlin, Piers Anderton, et le chef du bureau de NBC, Gary Stindt. Quelques jours plus tôt, Gary avait appelé Reuven et lui avait dit qu'il avait besoin de lui parler. Depuis qu'ils étaient convenus de ne jamais discuter du tunnel au téléphone, si Piers et Gary voulaient s'entretenir avec lui, Reuven devait embarquer pour l'Europe. Il y avait eu un précédent, lorsque le tunnel avait commencé à prendre l'eau. Le producteur était allé à Londres, avait dîné au Savoy Grill avec eux, était remonté dans l'avion le lendemain. Cela semblait extravagant, mais Reuven Frank adorait le charme de ces entretiens à voix basse, dans de luxueux restaurants européens, au sujet de la plus audacieuse opération d'évasion sous le mur de Berlin.

Assis chez Maxim's, jetant des coups d'œil furtifs pour voir si des célébrités dînent ici ce soir, Piers et Gary racontent à Reuven ce qui arrive : de l'eau s'introduit dans le tunnel. À nouveau.

Le cœur de Reuven se serre. C'était uniquement grâce à l'intervention du service des eaux de Berlin-Ouest que la première inondation n'avait pas été fatale au tunnel. Maintenant qu'ils sont aussi loin sous Berlin-Est, le service ouest-berlinois n'est plus en mesure de les aider.

Piers baisse les yeux. Il est anéanti. Il y avait des mois qu'il se rendait dans la cave, il connaissait très bien les étudiants. Il les avait vus trembler de fatigue à chaque coup de bêche, avait ressenti leur peur des Vopos, d'être enterrés vivants ; et à présent, ces immenses efforts risquaient d'être réduits à néant. Sans oublier l'autre problème : en cas de destruction du tunnel, que deviendrait leur documentaire ? Ils avaient trois mille six cents mètres de film stockés dans la réserve du bureau qui ne vaudraient rien si le boyau s'effondrait et que personne ne pouvait s'évader.

Reuven se cale contre son dossier. Le silence s'installe. Il désire passionnément une belle fin : la plupart de ses documentaires se terminent par la complexité et l'injustice, et il voudrait que cette histoire suive un autre chemin, qu'elle offre au public le genre de dénouement qui existe rarement dans la réalité. Peut-être qu'il en espérait trop.

« Ne perdez pas de vue, dit-il, que nous n'avons pas entrepris de faire une émission sur un tunnel. Nous avons entrepris de tourner un documentaire sur des personnes qui veulent s'échapper. Et si ce tunnel n'aboutit pas, eh bien, nous pourrons raconter cette histoire malgré tout[1]. »

Reuven évoque les touristes qui fourmillent dans la Bernauer Strasse et photographient le Mur. « Montrons à ces gens qui achètent des souvenirs du Mur ce que le Mur signifie vraiment. Nous pouvons leur parler d'autres évasions autant que de ce tunnel inachevé : parler des personnes qui se sont tuées en sautant, des faux passeports, des étudiants idéalistes qui aident les fugitifs. »

Sa voix s'éteint. C'est une vaillante tentative de réconfort mais tous trois le savent : si le tunnel échoue, leur documentaire échouera aussi.

Bien qu'ils aient des séquences sur d'autres évasions, ils n'ont réussi à filmer que des traces : des plaques d'égout déplacées, un mur aveugle, des discussions de policiers. Comme toutes les équipes de reporters, ils arrivent toujours trop tard pour saisir une évasion en cours.

Finalement, ils changent de sujet, se détendent et savourent le vin, les parfums et le murmure de la salle qui se remplit autour d'eux. Reuven demande l'addition mais, avant qu'il ne la paie, ils ont un dernier problème à examiner. Là-bas, aux États-Unis.

Quelques semaines plus tôt, un représentant du ministère des Affaires étrangères était venu voir le chef de Reuven, le directeur de NBC. Il expliqua avoir entendu des rumeurs selon lesquelles des chaînes de télévision américaines tentaient de filmer des évasions à Berlin. CBS avait essayé de filmer un tunnel – un autre – et il s'était rendu dans leurs bureaux pour leur ordonner d'arrêter. NBC faisait-elle la même chose ? Si c'était le cas, eux aussi devaient arrêter.

En octobre 1961, ils avaient vu comment un différend à Berlin pouvait mener le monde au bord de la conflagration.

Tout avait commencé par une dispute mineure concernant l'accès des Américains à Berlin-Est : Walter Ulbricht harcelait les diplomates avec l'espoir de leur rendre la vie tellement difficile quand ils entraient dans Berlin-Est que les États-Unis finiraient par quitter totalement la capitale. Il comptait sur une absence de riposte du président Kennedy. À tort. Kennedy avait un nouveau conseiller à Berlin-Ouest : le général Lucius Clay, l'homme qui avait organisé le pont aérien vital durant le blocus soviétique de 1948. La ville ne l'avait jamais oublié : les Berlinois de l'Ouest lui écrivaient des lettres et, quand ils le voyaient dans la rue, ils se précipitaient pour le saluer et lui serrer la main. Le général Clay pensait que Kennedy aurait dû intervenir quand la clôture de barbelés était apparue. À ses yeux, le différend actuel offrait à Kennedy l'occasion de montrer aux Berlinois de l'Ouest qu'il se souciait toujours d'eux, en se battant pour la ville et en résistant à Walter Ulbricht[2].

Par conséquent, la fois suivante où des soldats est-allemands causèrent des ennuis à des diplomates américains, la réponse du général Clay fut musclée : quatre chars, équipés de lames de bulldozer à l'avant, à la frontière avec l'Est, canons pointés vers les Vopos. Et ainsi, pendant toute une semaine, Clay envoya ces chars se poster à chaque nouveau tracas infligé à un officiel américain. Au terme de cette semaine, le 27 octobre, les Soviétiques répliquèrent en envoyant dix chars T-54 : les véhicules se postèrent là, moteurs en marche, canons braqués sur les chars américains de l'autre côté.

Ce fut un moment historique. Jamais jusque-là soldats américains et soldats soviétiques ne s'étaient fait face à bout portant. Des hélicoptères américains et des chasseurs MiG soviétiques vrombissaient dans le ciel. Ayant appris que des manœuvres périlleuses se déroulaient, des journalistes de Berlin-Ouest couraient alentour et photographiaient. Plus en retrait de Checkpoint Charlie, des centaines d'habitants se tenaient groupés dans le froid, à tout prix désireux de savoir ce qui se passait, conscients qu'il était dangereux de venir ici mais trop inquiets pour rester chez eux, à attendre passivement la suite. Des rumeurs circulaient dans les rassemblements : peut-être que l'armée soviétique marchait sur Berlin-Ouest pour conquérir leur moitié de la ville.

En coulisse, le président Kennedy et le dirigeant soviétique Nikita Khrouchtchev téléphonaient à leurs représentants à Berlin, posaient des questions, travaillaient à définir leurs actions futures. Quelques mois plus tôt, Khrouchtchev avait lancé de nouveaux essais nucléaires et, cette semaine-là, il préparait secrètement de tester la plus puissante arme nucléaire jamais fabriquée : une bombe de cinquante mégatonnes, mille fois supérieure à celles utilisées contre Hiroshima et Nagasaki réunies. La peur d'une guerre nucléaire était à son sommet ; le magazine *Time* avait très récemment publié un article intitulé[3] :

ABRIS [NUCLÉAIRES] : QUELLE DATE ?
QUELLE TAILLE ? QUELLE PROTECTION ?

À Berlin, alors que le crépuscule s'installait, un commandant est-allemand alluma six projecteurs, qui éblouirent les soldats américains. La guerre des chars devenait la guerre des éclairages. En représailles, les Américains allumèrent leurs propres projecteurs, bien plus puissants, qui aveuglèrent les soldats soviétiques dans leurs engins couverts de boue. La frontière était maintenant illuminée comme une scène de théâtre[4].

La nuit tomba. Il faisait froid. Heure après heure, les soldats dans les chars s'observaient à travers leurs armes, tâchant de ne pas penser à ce qui pourrait arriver si un doigt tremblant appuyait par erreur sur une détente. De temps à autre, un soldat se hissait hors d'un véhicule et déambulait pour se réchauffer, puis retournait à l'intérieur.

Dans leurs capitales respectives, les présidents prenaient de plus amples mesures. Khrouchtchev mit ses forces de frappe nucléaire en alerte spéciale, et ce pour la première fois dans le cadre d'un conflit avec les États-Unis. Kennedy plaça les avions et navires de guerre américains du monde entier en alerte maximale, ordonnant à quatre sous-marins équipés de seize ogives atomiques de plonger dans la mer du Nord[5].

À Berlin, les chars demeuraient immobiles. Les soldats soviétiques demeuraient immobiles. Les soldats américains demeuraient immobiles. Tous s'efforçaient de garder les yeux ouverts, leurs corps se figeant dans le froid.

Juste avant l'aube (heure de Berlin), Kennedy envoya son frère Robert négocier avec un intermédiaire secret. Cet espion soviétique transmit les messages entre l'homme politique américain et Nikita Khrouchtchev. Personne ne sait exactement ce dont il fut convenu dans cette rencontre, car le dossier est toujours classé secret, mais à dix heures trente le lendemain matin, après seize heures d'épreuve, Khrouchtchev fit reculer ses chars. Trente minutes plus tard, les chars américains se retirèrent. Ainsi se termina ce que beaucoup décrivent comme l'épisode le plus critique de la guerre froide[6].

Les États-Unis avaient tenu bon, racheté leur médiocre réaction à la construction du Mur, bien montré qu'ils ne se laisseraient pas bousculer par Nikita Khrouchtchev ou Walter Ulbricht. Mais il y avait un enseignement moins réjouissant : dans la poudrière berlinoise, une petite querelle pouvait précipiter le monde à la limite de la guerre nucléaire.

Depuis cette semaine d'octobre 1961, il existait un accord tacite entre l'URSS et les États-Unis. Aucun des deux pays ne voulait que la situation à Berlin échappe à tout contrôle et entraîne une guerre nucléaire accidentelle[7]. La paralysie régnait donc.

C'est la raison pour laquelle les militaires américains n'avaient pas bougé durant l'agonie de Peter Fechter. Et la raison pour laquelle la Maison Blanche voulait empêcher les équipes de télévision de se mêler des opérations d'évasion.

Lors de cette visite du représentant du ministère des Affaires étrangères au siège de NBC, le chef de Reuven Frank avait donné le change, n'avait parlé ni du film ni du tunnel. Il voulait continuer, comme Reuven, comme Joachim, tous déterminés à mener l'évasion à bonne fin, coûte que coûte.

À l'issue de la soirée chez Maxim's, le producteur de NBC regagne son hôtel et, tandis qu'il s'endort dans ses draps parisiens, il sait que, quand il reviendra en Europe, soit l'évasion sera en cours, soit le tunnel se sera écroulé.

51

MESURES

Les étudiants déroulent la carte et l'étalent par terre. Sur une feuille de papier figurent les plus récentes mesures du théodolite, l'appareil topographique emprunté à l'université. Les mesures leur indiqueront où ils sont, ce qu'il y a au-dessus d'eux. Du tunnel leur parvient le bruit de l'eau. Elle s'infiltre plus lentement que lors de la première fuite, mais cette fois, étant sans moyen d'y remédier, ils estiment n'avoir plus qu'une semaine avant l'effondrement de la galerie. La seule solution est de gagner la surface à l'endroit même où ils sont arrivés. Mais où est-ce exactement ?

Joachim lit les mesures. Scrutant la carte, ses compagnons rapportent ces chiffres aux bâtiments, aux noms de rues. Ils murmurent, calculent au pied levé, s'appliquent à déterminer où ils se trouvent. Leurs doigts finissent par s'arrêter sur une rue et un immeuble : 7, Schönholzer Strasse.

Ils ne sont qu'à une rue de la cave visée, celle que Mimmo et Gigi ont visitée à l'Est et dont ils possèdent une clé. Sur la carte, elle paraît proche, mais cette distance représente plusieurs semaines de creusage. Aucune chance de l'atteindre. Achever le tunnel ici est donc bien l'unique possibilité. Ils s'assoient et examinent les conséquences.

Pour commencer, ils devront fracasser le sol de la cave d'un bâtiment dont ils ne savent rien. Une fois là, il leur faudra pénétrer de force dans le vestibule de l'immeuble. Enfin, le plus dangereux sera l'extrême proximité de la Schönholzer Strasse avec le Mur ; des Vopos la patrouillent en permanence, à la recherche de gens qui essaient de franchir subrepticement la frontière. Les fugitifs devront passer tout près en s'efforçant de ne pas attirer l'attention alors qu'ils seront des dizaines à converger vers le numéro 7.

Les étudiants se taisent. Leurs chances de réussite sont presque inexistantes. Chaque semaine, leur est rappelé ce qui peut se produire quand une tentative d'évasion tourne mal. Au cours du mois précédent, il y avait eu trois morts, le plus récent étant un charpentier de quarante ans prénommé Ernst[1]. Il avait grimpé en haut du mur d'un cimetière qui menait à la frontière, malgré les tessons de verre dissuasifs qui en hérissaient le sommet. Tel un chat, Ernst s'était faufilé entre les tessons, avait ignoré les garde-frontières qui lui criaient de descendre et il s'apprêtait à bondir par-dessus le Mur lorsqu'un Vopo, posté à cent mètres de lui, tira un coup de feu. Il tomba, son corps s'écrasant entre deux sépultures, ses yeux ouverts fixés sur le ciel. Après ce qui s'était passé avec Peter Fechter, les Vopos agirent très vite : ils emmenèrent aussitôt sa dépouille afin d'empêcher des journalistes de la filmer. Mais ils ne purent pas effacer toutes les preuves. La balle dans la tête qui avait tué Ernst avait d'abord percé sa casquette et, au moment où il était tombé, elle avait basculé du côté de Berlin-Ouest. Un unique trou la perforait. « L'homme à la casquette », ainsi le surnommèrent les gens qui la virent. Quelques jours plus tard, une croix ornée de fleurs et de couronnes apparut dans la Bernauer Strasse près du lieu du drame, non loin de l'endroit où les étudiants se préparent à prendre leur décision la plus difficile à ce jour concernant l'opération d'évasion.

Ils le savent, pénétrer dans une cave de la Schönholzer Strasse est une folie. Mais, par un enchaînement de circonstances, les voici face à cet ultime dilemme : terminer là le tunnel ou l'abandonner à jamais. Ils demeurent silencieux, perdus dans les souvenirs de mois passés sous terre, à tout risquer pour arriver jusqu'ici, tandis que des Vopos patrouillaient au-dessus d'eux. Certains de leurs amis sont emprisonnés par la Stasi, comme ils pourraient l'être s'ils continuent. C'est peut-être le moment de renoncer.

Néanmoins, Joachim ne fait qu'effleurer cette idée – pourquoi avoir fourni tous ces efforts s'ils abandonnent ? Il faut simplement qu'ils réfléchissent, qu'ils imaginent comment se protéger.

Ils se mettent donc d'accord pour un dernier essai. Mais, cette fois, ils garderont secrètes les précisions finales du plan d'évasion : seul le noyau dur connaîtra l'adresse de la cave à l'Est. Il ne reste plus qu'à fixer une date. Ce sera le vendredi 14 septembre.

52

LA DERNIÈRE VISITE

9 septembre

« Le moment est venu », annoncent-ils. Mimmo et Gigi ont traversé la frontière et sont maintenant assis dans le salon d'Evi et Peter. « Nous avons une date pour l'évasion : préparez-vous à partir dans cinq jours. » Non qu'Evi et Peter aient de gros préparatifs à faire. Ils ne peuvent prévenir personne, pas même les grands-parents d'Evi, de crainte que quelqu'un ne parle. Et ils ne peuvent pas emporter grand-chose – juste des couches pour bébé, de l'argent et leurs cartes d'identité.

Mimmo et Gigi ne restent pas longtemps, pas plus de deux ou trois heures. Après leur départ, « Wilhelm », le voisin informateur de la Stasi, saisit un stylo et note la visite[1].

Une information à donner à son officier traitant la prochaine fois qu'il le verra.

53

LA MESSAGÈRE

10 septembre

Ellen Schau parcourt d'un pas chaloupé le hall de l'aérogare de Berlin-Tempelhof, appréciant le mouvement des têtes qui pivotent vers elle, les regards qui admirent ses cheveux auburn, sa silhouette gracile et son élégante robe de Düsseldorf. Scrutant la foule, elle cherche son fiancé, son Mimmo. Ellen ne l'a pas vu depuis un an – ils se parlent à peine au téléphone et elle est persuadée que quelque chose ne va pas – mais soudain elle aperçoit son visage, ses yeux noirs et ses sourcils broussailleux, ses bras tendus, et elle oublie toute souffrance alors qu'elle se blottit contre sa poitrine. Durant cette année, Ellen s'est sentie perdue sans lui, coincée à la maison avec son père strict et sa mère malade – atteinte de tuberculose, elle n'a plus longtemps à vivre. Mais à présent, ici avec Mimmo, l'homme qu'elle décrit comme son premier ami proche, elle se sent protégée[1].

Ce soir-là, ils mangent dans un restaurant. La salle est petite, intime. Leurs genoux se touchent sous la table. Ellen s'attend à un long dîner romantique, mais Mimmo a un air grave et il dit qu'il a quelque chose à lui raconter. Il commence donc son récit. Mimmo parle à Ellen du tunnel. De l'évasion qui a échoué. Des arrestations. Puis il lui annonce qu'ils vont réessayer dans quatre jours. Ellen rit de la coïncidence : le 14 est son anniversaire.

Mimmo prend alors sa main, minuscule dans la sienne. Il lui dit que rien de cela ne marchera s'ils ne trouvent pas quelqu'un pour tenir le rôle de messager ; le problème est que personne ne veut s'en charger. Tout le monde est au courant de l'interpellation et de l'emprisonnement de Wolfdieter. La copine d'un membre de l'équipe de creusage avait accepté la mission, puis s'était désistée. Ellen s'arrête de manger parce qu'elle sait ce que Mimmo va lui demander avant même qu'il ne pose la question.

Quelques heures plus tard, couchée dans l'appartement d'une amie, Ellen réfléchit à la proposition. Elle n'a pas encore donné de réponse ; elle s'évertue à oublier le voyage à Berlin dont elle avait rêvé pour le remplacer par ce nouveau scénario incertain. Elle repense à sa conversation avec Mimmo. Il l'a qualifiée de messagère parfaite : grâce à son passeport ouest-allemand, elle peut se rendre à l'Est et en revenir ; de plus, étant une femme, elle susciterait moins la méfiance.

« Mais si ça vire au fiasco, a-t-elle observé, comme avec l'autre tunnel ? »

Mimmo a expliqué qu'elle devrait monter dans un train pour Varsovie, puis aller en Yougoslavie et solliciter l'aide de l'ambassade.

Ellen n'arrive pas à s'imaginer au cœur d'une telle aventure et reste allongée ici, à dérouler dans sa tête différentes versions de l'évasion. Dans chacune des variantes, elle se fait appréhender. Ellen finit par s'endormir et, lorsqu'elle se réveille, une seule pensée s'impose : *Si je ne le fais pas, nul ne le fera, et je ne veux pas être la personne qui les déçoit.*

54

INVESTIGATIONS

Tous les jours, ils en apprennent davantage sur ce mystérieux tunnel dans le nord de Berlin[1].

Siegfried ne cesse de rôder à la Maison de l'avenir, de poser des questions, et il obtient parfois des réponses. Il entend parler d'armes. De planchers qu'il faudra éventrer. Il transmet chaque détail à son officier traitant, la Stasi recoupe ces bribes avec les autres éléments dont elle dispose, les informations qu'elle tire des détenus de Hohenschönhausen, et, petit à petit, elle assemble les fragments. Comme dans l'histoire des aveugles et de l'éléphant, les agents secrets espèrent trouver le tunnel quand ils auront assez de mesures et de dimensions. Bientôt, ils ont connaissance de sa longueur, plus de cent mètres. Puis vient leur plus précieux renseignement jusque-là : le boyau débute dans une cave de la Bernauer Strasse.

55

PLAN DE VILLE

12 septembre

Installés dans un coin tranquille du café Bristol, à deux pas du Ku'damm, Ellen et Mimmo sont penchés sur une table, tasses à moitié vides écartées, stylos et carnets en main, l'odeur réconfortante des pains au chocolat et du café flottant autour d'eux. Mimmo énonce une à une les rues de Berlin-Est où Ellen devra se rendre : Schönholzer Strasse, Bernauer Strasse, Wolgaster Strasse, Brunnenstrasse, Ruppiner Strasse[1]...

Elle écoute et griffonne les informations dans un carnet qu'elle emportera à l'Est. Elle doit être astucieuse dans sa manière de les noter : les numéros, elle les présente comme des dates d'anniversaire ; les noms des rues, elle les incorpore dans des paragraphes de journal intime. Examinant le plan de la ville que Mimmo lui a donné, elle essaie de graver dans sa tête la configuration des lieux. Elle n'est encore jamais allée à Berlin-Est, n'y a aucun point de repère, il lui faut donc tout mémoriser puisque, par-delà le Mur, demander son chemin sera trop dangereux.

La veille, elle avait rencontré l'équipe de creusage, Joachim, Hasso, Uli et quelques autres dans leur résidence universitaire. Ils n'arrivaient pas à croire qu'elle avait accepté d'être leur messagère et l'avaient tellement couverte d'attention qu'elle en avait rougi d'embarras. À travers la fumée des cigarettes, ils avaient tous voulu fournir des indications à la séduisante fiancée de Mimmo. Ellen s'était troublée, embrouillée, raison pour laquelle

Mimmo et elle étaient seuls ici à présent. Dans un endroit calme pour détailler tout cela.

Sur le plan, Mimmo désigne trois pubs. Dans chacun, dit-il à Ellen, un petit groupe de fugitifs attendra. Surtout des familles avec de jeunes enfants. Lorsqu'elle entrera, Ellen devra annoncer par un message codé que le tunnel est prêt ; il y aura trois messages codés différents. Dès qu'elle les aura transmis, elle devra quitter l'Est. Le plus vite possible.

56

REUVEN

13 septembre

Il n'a pas pu s'empêcher de demander. Pendant des mois, Reuven Frank n'a presque rien su de cette mystérieuse cave de Berlin-Ouest depuis laquelle vingt hommes ont creusé des semaines et des semaines durant, mais aujourd'hui, à la veille de l'évasion, le moment est venu.

Deux jours plus tôt, à New York, il avait reçu un message codé de Piers Anderton : il devait venir sans tarder à Berlin-Ouest[1]. Reuven avait pris l'avion pour l'aéroport de Tegel, accompagné par l'un de ses meilleurs monteurs, cinquième personne de NBC seulement à découvrir l'existence du tunnel. Piers Anderton et Gary Stindt les avaient accueillis à leur arrivée.

« Combien de temps devons-nous attendre ? avait demandé Reuven, supposant que ce serait au moins huit jours.

— Ils traverseront demain soir, avait répondu Piers. Le tunnel est terminé. »

Le producteur avait souri jusqu'aux oreilles. « Puis-je le voir ? »

Désormais, assis dans la voiture de Gary qui serpente dans les rues, le long rideau de ciment gris les dominant de toute sa hauteur, Reuven est abasourdi par le renforcement du Mur. Gary se gare devant l'usine et lui dit que le tunnel est juste au-dessous.

C'est trop risqué d'entrer, il reste donc dans la voiture à regarder l'usine et à imaginer, plus bas, le tunnel que l'argent de NBC a financé en partie, profond de quatre mètres, long de cent vingt, qui pointe vers le cœur de Berlin-Est. Après quatre mois de creusage, il semble injuste que tout dépende des prochaines vingt-quatre heures.

Tandis qu'il observe l'usine et les bâtiments alentour, Reuven est envahi par une impression étrange : ce coin de Berlin-Ouest lui semble familier. C'est l'endroit, se rend-il soudain compte, où il avait installé la caméra de NBC l'année dernière, quand le Mur était apparu et que la chaîne avait été la première à le révéler au monde. Aujourd'hui, un an plus tard, Reuven est de retour au même endroit pour raconter une autre histoire : ce que des gens sont prêts à risquer pour s'enfuir.

Cet après-midi-là, au bureau, Reuven regarde les séquences que Peter et Klaus ont recueillies au cours des quatre derniers mois, puis développées en secret à Berlin-Ouest. Il y a vingt heures en tout.

Penché en avant, retenant son souffle, Reuven regarde chaque cadre, regarde les travailleurs creuser, tirer le chariot, vider la terre, suants, tremblants, épuisés, et il sait que ce matériau est exceptionnel.

Il s'attarde à visionner les séquences jusqu'à l'aube du vendredi – le jour de l'évasion – et, pendant qu'il est assis là, dans l'obscurité, à quelques rues d'ici, Ellen, couchée dans son lit, fixe le mur des yeux et remue les lèvres en chuchotant les noms qu'elle doit mémoriser, « Schönholzer Strasse, Bernauer Strasse, Wolgaster Strasse, Brunnenstrasse, Ruppiner Strasse », murmures qui disparaissent dans la nuit[2].

57

14 SEPTEMBRE

Ellen

À son réveil, elle sent ses oreilles bourdonner, la douleur est lancinante. Une otite attrapée dans l'avion, suppose-t-elle. Le soleil qui entre par la fenêtre illumine son lit et, couchée là, Ellen se demande ce qu'elle va mettre; elle se rend compte que les seuls vêtements qu'elle a apportés sont des robes ravissantes qui attireraient l'attention à Berlin-Est[1].

Elle cherche dans l'armoire de son amie une tenue plus ordinaire, trouve une jupe et une tunique sans manches. Elles sont trop grandes pour elle, amples sur son corps gracile, mais elles feront l'affaire. Elle recouvre ensuite sa flamboyante chevelure rousse d'un foulard crème. Attablée dans la cuisine, elle essaie de manger mais n'arrive pas à avaler grand-chose, ne boit que quelques gorgées de thé. Elle manque de sommeil, a l'estomac retourné, pourtant elle se calme, se répète encore une fois les instructions de Mimmo.

Ellen étale tout sur son lit. Passeport. Carnet. Mouchoirs. Maquillage. Lunettes de soleil. Cigarettes. Briquet. Enfin, l'argent: des deutsche Marks (de RFA) et des Ostmark (de RDA). Les Ostmark correspondent à son plan B; elle en aura besoin si l'évasion se passe mal, ils lui permettront d'acheter un billet de train pour Varsovie.

En milieu de matinée, elle quitte l'appartement et marche jusqu'à la gare du jardin zoologique, où elle rejoint Peter et Klaus Dehmel. Ils sont ici pour filmer son trajet vers

Berlin-Est, car ils veulent enregistrer autant d'images de la journée que possible. Dans le film, on voit Ellen en contrebas de la gare ferroviaire, foulard sur la tête et lunettes de soleil devant les yeux, tenant son sac à main. Les rues alentour sont animées : des hommes et des femmes bien habillés se hâtent, des groupes d'enfants jouent par terre. Parmi eux, Ellen se remarque ; malgré ses efforts de simplicité vestimentaire, elle ressemble toujours à une vedette de cinéma des années 1960. On la voit consulter sa montre : il est midi. Elle se tourne et pénètre dans la gare, fort peu discrète, perchée sur ses hauts talons blancs.

Le plan suivant montre Ellen assise dans un wagon vide, regardant par la fenêtre du train qui fonce sur la voie aérienne, se glisse entre les arbres et les immeubles loin au-dessus du sol. À l'arrêt avant la frontière, Peter et Klaus descendent et saisissent une dernière image du train au moment où celui-ci gagne Berlin-Est.

Evi, Peter et Annet

Evi s'engouffre dans la maison de son grand-père, non loin de la sienne, sa fille Annet calée sur sa hanche[2]. Peter travaille ici. Durant cet été, il est, contre un peu d'argent, le factotum du grand-père d'Evi.

« Il faut que tu rentres immédiatement ! ordonne Evi. Les gens du journal sont là. »

Peter se tourne vers elle, déconcerté, puis il croise son regard et comprend. « Je ne reviendrai pas aujourd'hui, dit-il au grand-père. À demain. »

Tandis qu'ils rentrent chez eux en vitesse, Evi explique à Peter que quelqu'un s'est présenté ce matin pour les informer que l'évasion aurait lieu aujourd'hui. Ils doivent partir sans délai et se rendre dans un pub près de la Schönholzer Strasse, puis y attendre le signal d'Ellen.

Les mains d'Evi tremblent ; elle a été nerveuse toute la semaine, depuis l'instant où Mimmo et Gigi sont venus les avertir que l'évasion était pour bientôt. Elle sait ce qui est arrivé aux gens arrêtés près du tunnel que la Stasi a découvert – ils ont été emprisonnés, les bébés arrachés à leurs mères et mis dans des maisons d'enfants. Evi revoit encore le moment où elle a aperçu les hommes en chapeaux et longs manteaux dans les rues, n'a pas oublié qu'elle et sa famille l'ont échappé belle. S'il y a un problème, elle le sait, elle risque de perdre sa fillette. Cette pensée l'horrifie.

La veille, alors qu'elle faisait des courses, elle avait rencontré une de ses voisines qui avait remarqué à quel point elle paraissait agitée. La voisine, de retour chez elle, en avait parlé à son mari, sans se douter qu'il espionnait pour la Stasi sous le nom de code « Walter ». Ce dernier avait ajouté ce renseignement à une liste d'informations qu'il livrerait à son officier traitant[3].

Une fois chez eux, ils se préparent : Peter enfile des sous-vêtements épais, capables de lui tenir chaud en prison s'il est arrêté, Evi habille Annet de sa meilleure tenue, puis met sa robe verte et ses chaussures bordeaux[4]. Elle fourre ensuite de l'argent et des couches pour bébé dans son sac à main blanc. Enfin, elle fait le tour de la maison et vérifie que les volets et les fenêtres sont bien ouverts. Personne ne doit remarquer quoi que ce soit d'inhabituel : ils sont une famille de sortie pour l'après-midi, rien de plus.

Alors, pour la deuxième fois en un mois, Peter et Evi quittent la maison avec Annet, espérant que c'est pour de bon. Tandis qu'ils s'éloignent, Peter jette la clé dans un fossé et Evi se retourne pour un dernier regard : elle voit deux couches accrochées à la corde à linge, le matelas sur lequel ils s'allongeaient ensemble quand le soleil brillait et les vêtements de bébé d'Annet qui trempent dans une cuvette. Un instantané de leur ancienne vie, figée dans le temps.

NBC

Sur le balcon d'un immeuble de la Wolgaster Strasse, Harry Thoess, un caméraman de NBC, s'installe. Du haut des cinq étages, il a un point de vue privilégié : son regard porte droit par-delà le Mur, vers la Schönholzer Strasse. C'est un si bon emplacement que les étudiants demandent s'ils peuvent l'utiliser pour donner l'ultime signal à Ellen : un drap blanc étendu à la fenêtre. Cela signifiera qu'ils ont atteint la cave est-berlinoise et qu'ils sont prêts à prendre les fugitifs en charge. Reuven Frank accepte, mais à contre-cœur, car il enfreint sa propre règle : que le film n'apporte jamais une assistance immédiate. Certes, il a financé le tunnel, mais jusqu'à maintenant personne de NBC n'a de manière directe aidé les jeunes gens. Néanmoins, il ne peut se décider à refuser.

Harry colle son œil à la caméra, zoome au-dessus du no man's land, puis des pièges antichars triangulaires, puis du Mur, vers l'immeuble sous lequel débouche le tunnel[5]. C'est un grand bâtiment, imposant par le passé, mais dont la façade est aujourd'hui recouverte de trous et de fissures, dégâts provoqués par des shrapnels durant la guerre. Au-dessus de la porte a été fixée une plaque de céramique blanche affichant le numéro 7. Un homme à vélo passe, deux femmes et un enfant descendent lentement la rue, une troupe d'écoliers poussent des bébés dans des landaus. Puis on aperçoit les Vopos : l'un fume une cigarette, perché sur un mirador, deux bavardent avec un groupe de garçons, deux autres suivent d'un pas tranquille la Schönholzer Strasse, jettent un coup d'œil dans l'entrée du numéro 7 et continuent leur chemin.

Evi, Peter et Annet

Sortant du S-Bahn, Evi, Peter et Annet (ainsi que la mère de Peter, qui veut fuir avec eux) se dirigent vers le pub. Lorsqu'ils y arrivent, ils s'affolent : le café est plein d'ouvriers venus dépenser leur paie hebdomadaire et les voici, famille élégamment vêtue, en complet décalage. Ils se faufilent au milieu des ouvriers et de la fumée, s'approchent d'une table dans l'angle et s'assoient, recroquevillés contre le mur, espérant que personne ne les remarquera.

La cave à Berlin-Ouest

C'est la plus grosse dispute qu'ils n'aient jamais eue. Tous crient, furieux et apeurés. Arrivés pour ce qu'ils pensaient être une journée de creusage ordinaire, Uli et quelques autres avaient appris que l'évasion aurait lieu le soir même. Puis ils avaient vu Peter et Klaus, sur place avec leur caméra et leur matériel d'éclairage. Que se passait-il donc ? C'était à ce moment-là que Mimmo et Gigi leur avaient enfin parlé de l'équipe de tournage américaine. Abasourdis, déconcertés, certains menacent de partir[6]. Si une chaîne de télévision américaine connaît l'existence du tunnel, qui d'autre ? Pour nous, c'est terminé, déclarent-ils, vous nous avez menti. Mimmo et Gigi s'efforcent de les rassurer – il n'y a pas de danger, vous pouvez leur faire confiance – mais la dispute se prolonge pendant presque une heure avant que Mimmo ne réussisse à les persuader d'accomplir le travail. Ils discuteront de l'affaire après.

Les cameramen filment les ultimes préparatifs. Joachim s'engage dans le tunnel, vérifie que la terre est ferme et que les ampoules fonctionnent toutes. Le tunnel est sombre, boueux, mais c'est aussi, d'une certaine façon, un bel ouvrage : ses lumières éclairent doucement le puits, chaque fil électrique est accroché avec soin, la pancarte de la frontière se balance toujours à mi-parcours. Ce n'est pas seulement le plus long tunnel creusé sous le Mur jusqu'à présent, c'est le plus sophistiqué et le plus méticuleusement construit.

Ils doivent maintenant décider qui s'y glissera et pénétrera dans la cave. Hasso s'avance. « Je veux bien », dit-il, puis il se tourne vers Joachim et Uli. Uli annonce qu'il ne peut pas accompagner Hasso : sa mère lui a défendu de risquer à nouveau sa vie ; il peut aider, mais pas se rendre à l'Est[7].

Tout le monde regarde Joachim. Il y a un silence. Contrairement à la plupart d'entre eux, Joachim n'a personne à secourir de l'autre côté, personne pour qui risquer sa vie. Il pourrait s'arrêter là, il a déjà tant donné, et laisser un autre y aller, quelqu'un qui est concerné personnellement. Nul ne lui poserait de questions ni ne lui adresserait de reproches. Mais, en l'occurrence, rien de tel ne vient à l'esprit de Joachim[8]. Il semble que chaque instant de sa vie l'ait conduit à ce moment : la première fois qu'il s'est enfui, dans la charrette tirée par le cheval, quand les soldats russes ont emmené son père ; ses trajets clandestins dans Berlin-Ouest ; les heures passées à expérimenter avec des fils, des bobines électriques et des circuits imprimés ; l'article de journal qui nommait et dénigrait des étudiants de Dresde ; sa fuite à Berlin-Ouest ; tous les mois à creuser le tunnel ; l'opération d'évasion avortée – et il se retrouve à dire : « Oui, j'irai. » Et bien sûr qu'il ira ; il ira parce qu'il y est déjà allé une fois, il ira parce que la série de décisions qu'il a prises l'a amené jusqu'ici et que c'est simplement l'étape suivante, il ira parce qu'il a appris que l'existence est une succession de problèmes – et qu'il suffit de les résoudre.

Ellen

Elle est assise sur un banc dans une aire de jeux qui ne contient qu'un toboggan et deux balançoires. Tenant un journal devant elle, le tabloïd est-berlinois *B.Z.*, Ellen fait mine de lire tout en lançant régulièrement un coup d'œil vers cette fenêtre du cinquième étage, par-delà le Mur, attendant avec impatience que le drap blanc apparaisse[9].

Elle a franchi la frontière plus vite qu'elle ne l'aurait cru, en une demi-heure seulement, puis est montée dans un taxi jusque dans les environs de la Schönholzer Strasse. Elle éprouve une impression étrange à être ici, à Berlin-Est, pour la première fois. Elle n'a jamais vu un endroit aussi sinistre : des bâtiments abandonnés, des magasins délabrés et presque aucun passant. Elle regarde deux femmes âgées qui traversent la chaussée en s'appuyant sur leurs cannes, elle lève les yeux vers des enfants à une fenêtre qui baissent vers elle des regards absents, et, soudain, elle se rappelle que c'est son anniversaire. Elle pense à sa mère, se remémore une prière qu'elle lui chuchotait quand elle était petite et se met à la murmurer.

Evi, Peter et Annet

Une heure plus tard, Ellen ne s'est toujours pas présentée au pub[10]. Faisant durer leurs boissons, Evi et Peter baissent la tête, terriblement soucieux de se fondre dans la masse. Il y a sûrement des informateurs de la Stasi parmi la clientèle et, à l'extérieur, des Vopos patrouillent. La porte s'ouvre, Evi a une poussée d'adrénaline comme chaque fois que quelqu'un entre. Mais ce n'est pas Ellen. C'est une femme en robe Dior et chaussures à talons, accompagnée d'un homme et d'un enfant. Des fugitifs aussi, sans aucun doute. La nervosité d'Evi augmente ; ils détonnent tous dans ce lieu.

Quand ils ont marché jusqu'à Berlin en 1945, Joachim Rudolph et sa famille ont pris part à l'une des plus vastes migrations forcées de l'histoire humaine.

Après une lutte atroce pour la ville, les Soviétiques plantent leur drapeau sur le Reichstag à Berlin. Mai 1945.

Avant l'édification du Mur, il était facile de franchir la frontière pour passer du monde des files d'attente et des rayons vides de Berlin-Est (ci-dessus) aux lumières étincelantes du Ku'damm de Berlin-Ouest (ci-dessous).

Le soulèvement du 17 juin 1953, première fois où des Allemands de l'Est qui manifestaient sans armes se heurtèrent à la puissance militaire soviétique.

Même si les barbelés furent installés en une nuit, la construction du Mur lui-même dura plus longtemps. Dans les premiers jours, de nombreux habitants, y compris des ouvriers du chantier, tentèrent leur chance et s'enfuirent par des trous dans la palissade.

Le saut d'Hans Conrad Schumann par-dessus les barbelés constitue l'une des images des plus iconiques de l'époque du Mur.

Des familles séparées par le Mur montrent des nouveau-nés à des parents de l'autre côté.

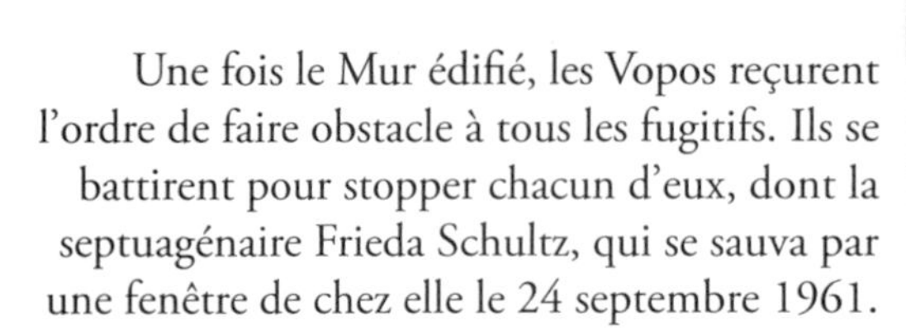

Une fois le Mur édifié, les Vopos reçurent l'ordre de faire obstacle à tous les fugitifs. Ils se battirent pour stopper chacun d'eux, dont la septuagénaire Frieda Schultz, qui se sauva par une fenêtre de chez elle le 24 septembre 1961.

Le mur de Berlin était long de 155 kilomètres : 43 kilomètres de frontière intra-muros et, moins connus du monde extérieur, 112 kilomètres séparant Berlin-Ouest de la campagne est-allemande.

© akg-images/ullstein bild

Des Vopos fouillant une voie d'évasion souterraine près du Mur.

© J Wilds/Getty Images

Même si Walter Ulbricht décrivait le mur de Berlin comme « le rempart antifasciste » conçu pour protéger les Allemands de l'Est des espions et saboteurs de l'Ouest, les jumelles des Vopos étaient toujours braquées sur leurs propres concitoyens.

Le corps sans vie de Peter Fechter, tué le 17 août 1962.

Et ainsi le Mur tomba, le 9 novembre 1989.

L'atmosphère s'assombrit. Evi observe le flot régulier d'hommes arrivant au pub puis, dans un frisson, elle sent une étrange chaleur se répandre sur ses cuisses et comprend que c'est la couche d'Annet, tellement pleine qu'elle fuit sur sa robe. Si quelqu'un aperçoit le tissu mouillé, il saura qu'il se trame quelque chose, alors elle serre Annet contre elle pour dissimuler la tache et continue de surveiller la porte.

Aux aguets. Dans l'attente.

Le tunnel

Hasso et Joachim (et un autre Joachim, Neumann) saisissent leurs sacs marins contenant chignoles, tournevis, marteaux et revolvers, s'introduisent dans le tunnel et se mettent à avancer[11]. Pataugeant dans l'argile mouillée, ils progressent sous la Bernauer Strasse, le no man's land et le Mur, et les bruits de la rue s'éloignent à mesure qu'ils s'enfoncent dans l'Est. À l'extrémité du tunnel, ils se redressent, bien droits dans le puits qu'ils ont dégagé durant les derniers jours, avant de lever les yeux vers le plafond. Ils donnent de petits coups de marteau : le son renvoyé est sec et creux. De la brique, devinent-ils.

Hasso grimpe sur les épaules de Joachim et attaque le plafond à la chignole. Des fragments de brique rose s'en détachent jusqu'à ce qu'un trou minuscule apparaisse et qu'ils entendent l'air siffler. Stimulé, Hasso appuie plus fort, fracasse la brique, élargit le trou… et s'aperçoit trop tard que le sifflement n'était pas celui de l'air, mais de l'eau, qui lui éclabousse maintenant le visage. Joachim et Hasso reculent, se rappelant les récits – la Stasi inonde les caves des sous-sols le long de la frontière afin d'empêcher les évasions. Ils savent que, si l'eau continue à couler autant, ils risquent la noyade. Mais le flot se réduit à un filet et, d'une main plus calme, Hasso empoigne à nouveau la chignole pour casser la brique. Le trou finit par être assez gros pour qu'ils s'y glissent et accèdent à la cave[12].

Elle est vaste. Noire. Il règne une odeur indéfinissable et, devant eux, il y a une porte. Immobiles, ils l'examinent, mais ils savent qu'ils n'ont pas beaucoup de temps car l'eau monte dans le tunnel. Hasso s'élance et se jette de tout son poids contre la porte, qui s'ouvre brusquement.

Derrière, une autre porte aux serrures plus robustes. Joachim prend deux jeux de passe-partout (empruntés à un ami) et s'agenouille, essayant chaque clé jusqu'à en trouver une qui corresponde à la serrure. Pour l'instant, tout se passe bien. Une dernière chose à faire avant de donner le signal à Ellen est de vérifier le numéro de l'immeuble. En cas d'erreur avec le théodolite, ils seraient au numéro 6 ou 8 et l'opération échouerait.

Fouillant dans son sac, Joachim sort un veston bleu qu'il enfile, avec l'espoir de ressembler à un ouvrier. C'est l'histoire qu'il racontera si les Vopos le capturent. S'ils ne le croient pas, il a un revolver dans sa poche.

À la porte, Joachim s'arrête, écoute par le trou de la serrure : l'après-midi se termine et les gens rentrent du travail, il doit donc attendre qu'il n'y ait personne dans le couloir.

Enfin, c'est le silence.

Il ouvre la porte, quitte la cave et cherche des yeux le *Stiller Träger* – le « portier silencieux », c'est-à-dire le tableau indiquant les noms des habitants et, espère-t-il, l'adresse. Il voit le tableau, les noms, mais aucun numéro ne figure. Une seule solution. Il marche à pas feutrés vers la porte principale, celle qui donne sur une rue grouillante de Vopos. Durant une fraction de seconde, il hésite. De tout ce qu'il a fait jusque-là, c'est le moment le plus dangereux. Il n'a aucune idée de ce qui l'attend derrière cette porte. Un Vopo pourrait être posté là mais il ne peut se permettre d'y penser, il doit continuer. Ce n'est qu'un énième problème à résoudre.

Il pousse la porte. Les bruits de la rue éclatent. Des enfants qui s'amusent. Deux femmes qui passent avec des landaus. Les Vopos distraits, occupés à parler avec des gens dans leur baraquement, Joachim saute sur l'occasion, traverse la rue à toutes jambes, se retourne vers l'immeuble, et le voilà : un gros numéro 7 au-dessus de la porte. Il rit presque de soulagement.

De retour dans le tunnel, il prend le téléphone et appelle les autres pour annoncer qu'ils sont arrivés au bon endroit. Ainsi le message circule-t-il de téléphone en talkie-walkie et de nouveau en téléphone, finissant par atteindre Harry Thoess, le cameraman de NBC perché dans l'immeuble au-dessus du Mur. Il attrape le drap blanc et le déroule à la fenêtre, espérant qu'Ellen est quelque part en bas, qu'elle le verra et se rappellera ce qu'il signifie.

Ellen

Elle le voit. Un éclat blanc qui jaillit à la fenêtre, une silhouette qui se devine derrière. Le drap active la mémoire d'Ellen et le plan de la ville surgit dans sa tête, sa peur se réveille, vite remplacée par l'assurance de connaître exactement l'itinéraire. Elle doit aller tout droit. Tourner à droite. Traverser la chaussée. Tourner encore à droite. Suivant le schéma dans son esprit, Ellen s'oriente sans effort au long des rues, certaine à chaque étape qu'elle a bien mémorisé le trajet.

Quinze minutes plus tard, elle est devant le premier pub. Bouche sèche, cœur battant la chamade, elle pousse la porte. Le vacarme la frappe. Elle n'est jamais entrée dans un pub, encore moins un pub comme celui-ci, et elle sent sur elle les regards d'une centaine d'hommes alors qu'elle se faufile entre eux à la recherche des fugitifs. Elle se demande comment elle va les distinguer mais alors, à droite du bar, elle les aperçoit : deux couples, des enfants, les yeux rivés sur elle, et elle sait qu'elle ne fait pas erreur.

Des allumettes, se souvient-elle, c'est le message codé dans le premier pub ; elle s'approche donc du comptoir et, d'une voix forte, en demande au barman. Il fronce les sourcils, étonné qu'elle ne lui demande pas à boire, mais il se tourne quand même pour en prendre tandis qu'Ellen risque un coup d'œil aux familles derrière elle. Elle voit Evi et Peter, remarque la tache sur la robe d'Evi. Le barman lui tend les allumettes, elle les paie, lentement, puis elle lui souhaite une bonne soirée et s'en va.

Tout ce qu'Ellen peut faire maintenant, c'est espérer qu'ils ont bien discerné le message codé. Elle regagne son banc sur l'aire de jeux pour vérifier que le drap est toujours visible. C'est le cas. Elle allume une cigarette et, peut-être à cause de la nicotine qui vibre dans ses veines, ou parce qu'avoir délivré le premier message la grise, elle se lève soudain et marche vers la Schönholzer Strasse. Elle est curieuse de voir à quoi ressemble cette rue. Fermant les yeux une seconde, elle se remémore le plan.

Elle trouve le numéro 7. Ellen s'est complètement écartée du chemin prévu, elle n'obéit plus aux consignes de Mimmo et, envahie par l'adrénaline, elle oublie ses craintes, les Vopos, et ne pense qu'à son désir de découvrir l'intérieur du bâtiment. Tel un cheval portant des œillères, Ellen fonce vers l'immeuble, sans se soucier des gens autour d'elle – les femmes avec leurs landaus, les enfants qui s'amusent, les Vopos.

De l'autre côté du Mur, Harry Thoess observe Ellen à travers son objectif, perplexe et terrifié. Par radio, il avertit Mimmo dans le tunnel qu'Ellen est devant la porte. Mimmo est éberlué, il ne comprend pas ce qu'elle fait, mais il ne peut qu'écouter, impuissant, Harry lui dire, dans un chuchotement affolé, qu'elle vient de disparaître à l'intérieur de l'immeuble.

La cave à Berlin-Est

Joachim, Hasso et plusieurs de leurs compagnons font le pied de grue à la porte de la cave, guettant les bruits dans le couloir. Il est six heures du soir et l'évasion aurait déjà dû commencer. Chaque fois que la porte de l'immeuble s'ouvre, ils frémissent, espèrent que ce sont des gens sur leur liste mais, aux sifflotements, aux pas sonores, ils devinent que ce sont des habitants qui rentrent chez eux. Ils ne comprennent pas ce qui se passe. Pourquoi les gens ne sont-ils pas encore là ? Ellen a-t-elle transmis les messages codés ? Les fugitifs se sont-ils égarés ? Joachim et Hasso sortent leurs revolvers, doigt sur la détente. Ils prêtent l'oreille.

Ellen

Elle est dans le couloir. Survoltée. Curieuse. Elle voit la porte de la cave, s'en détourne et se glisse vers l'escalier. Premier étage. Deuxième. Troisième. C'est seulement au quatrième qu'elle s'arrête et se rend compte du risque insensé qu'elle court. Elle dévale l'escalier, se hâte dans le couloir et débouche dans la rue.

Idiote ! se maudit-elle. *Où avais-je la tête ?* Les yeux baissés, Ellen passe près des Vopos et se précipite vers le deuxième pub.

Là, elle commande un verre d'eau : le deuxième message codé. Elle le boit et, au moment où elle s'en va, elle aperçoit les fugitifs, un groupe de gens assis dans un coin, raides et pâles, les mains crispées sur la table.

Il ne reste plus qu'un message à donner.

Le dernier pub est bondé comme aucun des précédents ; il est en effet dix-huit heures trente et la soirée du vendredi bat son plein. Ellen s'installe à une table, appelle un serveur et demande un café. Il secoue la tête, « Nous n'en avons pas », et le cerveau d'Ellen se fige. Ellen n'a pas envisagé cette situation avec Mimmo – que faire si le pub n'avait pas ce qu'elle voulait – et, tout à coup, la salle lui paraît très bruyante, son otite se ravive, le sang siffle à ses oreilles tandis qu'elle essaie de s'éclaircir les idées.

Réfléchis !

« Un café ! répète-t-elle au barman, très fort, criant presque, espérant que les fugitifs présents dans le pub l'entendront et recevront le message. Vraiment, vous n'avez pas de café ? Pas la moindre goutte ? »

Le serveur confirme. Les pensées d'Ellen se bousculent et elle trouve une autre idée.

« Si vous n'avez pas de café, dit-elle, alors apportez-moi un cognac. » Les deux mots ont au moins une petite ressemblance, se console-t-elle. Le serveur s'éloigne, revient avec le cognac et elle l'avale d'un trait. C'est la première fois qu'elle en boit et le goût vinaigré persiste dans sa bouche. Après une cigarette, elle va aux toilettes, sort son carnet, arrache la page où figurent les adresses et tire la chasse d'eau dessus. L'affolement la gagne, elle tremble sous l'effet de la nicotine et de l'alcool, et elle sait qu'elle doit partir immédiatement, filer vers le poste de contrôle avant que l'évasion ne commence, parce que si quelque chose tourne mal les autorités fermeront la frontière. Elle sort en courant, hèle un taxi et demande la gare de la Friedrichstrasse.

Assise dans le véhicule, elle regarde par la vitre les Trabant sur la chaussée, ces minuscules voitures pastel qui remplissent les rues de Berlin-Est ; elle observe les femmes à vélo qui louvoient entre les flaques, les groupes d'enfants qui jouent et crient ; et, comme elle s'absorbe dans sa contemplation, elle oublie le gros tas de billets dans son sac, l'argent dont elle devait se débarrasser avant d'arriver au poste de contrôle, car si quelqu'un le trouve, on saura qu'elle trempe dans quelque chose et ce sera la catastrophe.

Evi, Peter et Annet

Ils tournent dans la Schönholzer Strasse et voient le numéro 7. Il ne leur reste qu'à passer devant les Vopos. Ils marchent, les yeux baissés, s'efforçant de paraître détendus. Ils évitent les hommes en uniforme, kalachnikov plaquée contre la poitrine. Enfin, ils arrivent à la porte. Peter l'ouvre et ils pénètrent à l'intérieur.

La cave à Berlin-Est

Joachim le perçoit tout de suite : ces pas sont différents. Hésitants. Ni sifflotement ni causette. Il entend qu'on chuchote, qu'on piétine. La poignée de la porte remue. Joachim tend le bras, tourne la clé dans la serrure et les voit tous face à lui.

Le soulagement l'inonde lorsque Peter prononce le message codé : « Vous les ardents bricoleurs ! » Et ils descendent dans la cave, Gigi étreignant son ami Peter. Néanmoins, ils savent que ce n'est pas le moment de s'épancher ou de se réjouir, car à tout instant les Vopos pourraient avoir des soupçons en raison du nombre de personnes qui entrent dans l'immeuble. Ils doivent y aller sans délai.

Evi se courbe, tenant Annet dans ses bras. Un jeune homme lui fait signe de lui confier le bébé : la petite sera trop lourde pour qu'Evi la porte jusqu'au bout du tunnel. Elle hésite. Soudain, le poids de ce qu'ils s'apprêtent à faire l'accable ; des images d'Annet prisonnière surgissent dans sa tête et, l'espace d'une seconde, il semble que rien ne puisse valoir de prendre ce risque impensable[13].

Pourtant, le corps d'Evi se meut et la voilà qui donne Annet au jeune homme et commence à progresser dans le boyau. Le tunnel est plus exigu qu'elle ne l'avait imaginé ; ses épaules cognent contre les parois tandis qu'elle tâtonne dans la pénombre, et elle étouffe un cri lorsque le sol caillouteux lui égratigne la peau des genoux. Elle avance durant de longues minutes, souhaitant à toute force que le tunnel se termine, mais il semble s'étendre indéfiniment. Sa respiration s'accélère. « Ne vous affolez pas, lui dit, derrière elle, l'homme qui tient Annet. Il ne vous arrivera rien, continuez. »

Joachim les regarde s'éloigner, écoute le bruit de leurs pieds glissant sur l'argile. Il ne peut pas les suivre : sa mission est de rester ici, à l'Est, jusqu'à ce que tout le monde ait traversé. Tandis qu'Evi et Annet disparaissent, un détail le frappe : comme c'est étrange, le bébé n'a pas poussé la moindre plainte.

De l'autre côté, Peter et Klaus Dehmel sont en haut du puits menant au tunnel, caméra pointée vers le trou. C'est l'obscurité. Rien ne bouge. Soudain…

Un sac à main blanc apparaît. Suivi d'une main. D'un bras. Et une femme en robe sombre se hisse hors du tunnel. Elle est couverte de boue. Evi a les pieds nus, elle a perdu ses chaussures quelque part dans le boyau. Il lui a fallu douze minutes pour se traîner dans la terre détrempée. Elle lève la tête vers la caméra, recule devant la lumière et se met à gravir l'échelle, robe alourdie par l'eau, mains tremblantes d'épuisement. Elle est presque au sommet lorsqu'elle perçoit un tintement intense. Elle se demande s'il s'est produit quelque chose dans le tunnel, si c'est un avertissement, une alarme, mais, à l'instant précis où elle se rend compte que le son vient de ses oreilles, elle s'évanouit. Klaus, l'éclairagiste de NBC, se précipite pour la retenir. Il l'assoit sur un banc et elle demeure là, les yeux rivés sur le tunnel tandis que Mimmo apparaît, tenant Annet dans ses bras. Evi récupère son enfant, la berce doucement, son visage blotti contre le cou de la petite.

Ellen

Les murs vitrés de la gare de la Friedrichstrasse se dressent au-dessus du taxi. Quand elle ouvre son porte-monnaie pour payer le chauffeur, Ellen voit le tas d'argent et sa gorge se noue[14]. Elle sait qu'elle doit s'en débarrasser avant d'entrer dans la gare au cas où les garde-frontières la fouilleraient. Elle donne au chauffeur le prix de la course, puis lui fourre une liasse de billets dans la main. Il en reste muet de stupeur tandis qu'Ellen descend de la voiture et court vers la gare. Elle a encore trop d'argent, beaucoup trop, alors elle parcourt le sol des yeux et son regard se pose sur une bouche d'égout. Elle s'agenouille, enveloppe l'argent dans son mouchoir et l'enfonce dans la cavité.

Pendant qu'elle monte l'escalier de la gare, Ellen se calme – *il n'y a rien de suspect chez moi; j'ai fait tout ce que j'avais à faire* – et rejoint la file des gens qui attendent pour accéder au quai où les trains les emmèneront à Berlin-Ouest. Immobile, elle repense à ce chauffeur de taxi et se mord les lèvres en comprenant l'erreur monumentale qu'elle a commise en lui laissant une telle flopée de billets. *Et s'il travaille pour la Stasi ? Et s'il va raconter à quelqu'un qu'une femme bizarre lui a donné de l'argent à la frontière ?* Elle n'a pas le temps de s'attarder davantage sur cette réflexion, car une policière s'est campée face à elle.

« *Folgen Sie mir* », ordonne la femme – « Suivez-moi ».

La cave à Berlin-Ouest

La cave est bondée. Blottis les uns contre les autres, les fugitifs reprennent leur souffle après la longue traversée dans le boyau gorgé d'eau. Ils réchauffent leurs jambes trempées devant des radiateurs électriques. Certains quittent déjà les lieux; Wolf Schroedter les emmène hors de l'usine, les installe dans sa camionnette et les conduit jusqu'aux maisons d'amis où ils pourront passer leur première nuit à Berlin-Ouest – ce avant l'enregistrement au camp de réfugiés de Marienfelde[15].

Depuis qu'Evi, Peter et Annet sont arrivés, il y a une succession régulière de fugitifs, parmi lesquels la sœur d'Hasso, Anita, qui, vêtue d'une courte robe noire Dior et chaussée de hauts talons blancs, a cheminé dans le tunnel avec son mari et leur fillette. Une fois dans la cave, elle s'assoit près d'Evi sur un banc. La caméra filme les deux mères en train de laver leurs genoux boueux dans un seau, puis de nettoyer doucement leurs enfants avec des chiffons avant de leur mettre une couche en tissu bien propre. Les vêtements de la fille d'Anita sont si mouillés qu'elle l'enveloppe dans le pull de Joachim, les jambes de sa petite dépassant légèrement des manches.

Peter et Klaus filment tous ceux qui empruntent le tunnel, qu'ils aient sept, dix-sept ou soixante-dix-sept ans. Chacun est plus ruisselant que le précédent: l'eau monte désormais à mi-hauteur dans le tunnel.

De l'autre côté, à Berlin-Est, Joachim attend près de la porte. Il ne peut pas partir tant que tout le monde n'est pas là et il se sent nerveux. Ils ont eu de la chance de réussir à faire passer un tel nombre de gens, mais plus le temps s'écoule, plus le risque d'être découverts augmente. Les poussettes s'accumulent, très voyantes, dans le vestibule de l'immeuble – un problème que personne n'avait anticipé[16]. Dehors, dans la Schönholzer Strasse, comme la nuit s'installe, les Vopos ont allumé leurs torches et des ronds de lumière blanche éclairent la rue.

Autour de vingt heures, Joachim entend un bruit à la porte, voit la poignée se baisser, et là, dans l'encadrement, un homme gigantesque en chapeau et long manteau de cuir noir. Une main dans la poche.

La Stasi. C'est ce que Joachim pense aussitôt. Tandis qu'il s'affole, qu'il essaie de trouver comment réagir, derrière lui Hasso sort son revolver. « Haut les mains ! » ordonne-t-il d'une voix tremblante.

Même si l'homme obéit et lève les bras, le doigt d'Hasso actionne la détente.

Ellen

Ellen est assise, mal à l'aise, dans une petite salle de la gare ferroviaire[17]. La pièce ne contient que quelques chaises et une table carrée devant laquelle se tient la policière, qui fouille son sac. Elle vide tout son contenu et vérifie la doublure. Ellen observe la scène, les questions se bousculant dans sa tête : *La Stasi a-t-elle découvert le tunnel ? Quelqu'un m'a-t-il remarquée dans le pub ? Le chauffeur de taxi a-t-il parlé de l'argent à quelqu'un ?*

La policière la regarde. « Que faisiez-vous à Berlin-Est ?

— Une amie, j'étais là pour voir une vieille amie d'école. »

Le visage de la policière est un masque.

« Déshabillez-vous. Posez vos vêtements sur la table. »

Ellen retire son foulard, sa tunique et sa jupe, ses bas nylon, sa petite culotte et son soutien-gorge. La policière la fouille au corps. Entièrement. Ellen n'a rien connu de tel jusqu'à présent et elle se sent nauséeuse. Humiliée.

« Bien, finit par dire la policière, n'ayant rien trouvé. Vous pouvez y aller. »

Ellen se rhabille, sort de la pièce et se dirige vers le contrôle des passeports, avec l'impression de contenir en elle un combustible menaçant d'exploser d'une seconde à l'autre. Sur le quai, un train attend et elle s'y précipite. Elle s'assoit. Rigide, statufiée. Le train s'ébranle et elle entend l'annonce, la phrase la plus réconfortante qu'elle ait entendue depuis des jours : « Vous quittez maintenant Berlin-Est. »

Néanmoins, tandis que le train roule, Ellen respire à peine : elle réprime toutes les émotions de cette journée – sa peur de s'être trompée dans les messages codés, de se perdre ou de se faire prendre, son regret d'être entrée dans l'immeuble, l'affolement lié à l'absence de café, l'argent dans son sac, la fouille – et c'est seulement lorsque le train arrive à la Lehrter Bahnhof, premier arrêt dans Berlin-Ouest, que ses nerfs lâchent, qu'elle baisse les yeux vers ses genoux agités de tremblements incontrôlables et qu'elle se demande comment elle, Ellen Schau, jeune femme originaire de Düsseldorf, sans expérience de quoi que ce soit de semblable, a pu garder sa maîtrise aussi longtemps.

La cave à Berlin-Est

Au lieu d'une détonation, ils entendent un cliquetis métallique et le hoquet de surprise d'Hasso à l'instant où il comprend qu'il n'a pas actionné la détente mais le cran de sûreté. Alors, il voit une femme et un garçon debout derrière l'homme en manteau de cuir. Celui-ci n'est pas un agent de la Stasi. Ils ne sont qu'un couple avec leur fils.

Hasso et Joachim les tirent dans la cave ; le soulagement provoque chez eux tous des rires nerveux. Si le revolver d'Hasso avait fonctionné, les Vopos dehors l'auraient entendu, se seraient rués à l'intérieur et tout aurait échoué. L'avoir échappé belle les rend fébriles. Mais les familles suivantes arrivent à la cave et réussissent la traversée. Pas de drame.

Claus le boucher est maintenant le seul de l'équipe de creusage à attendre encore quelqu'un : son épouse Inge, la femme enceinte jetée dans une prison communiste après avoir été arrêtée près des barbelés. À cause de la méfiance des étudiants envers lui, il n'a été informé de l'évasion qu'à la dernière minute. Le jour même, il a demandé à quelqu'un de transmettre un message clandestin à Inge, avec le fol espoir qu'elle serait avertie à temps et viendrait.

Pendant que Joachim et Hasso attendent les personnes restantes de la liste, il se produit quelque chose que nul n'avait prévu : le gardien de l'immeuble ferme la porte principale à clé. Désormais, les fugitifs ne peuvent plus entrer.

Joachim empoigne son veston bleu d'un geste machinal, presque sans réfléchir. Il avance à pas de loup dans le couloir sombre, s'agenouille près de la porte et essaie ses passe-partout. Sa poitrine est oppressée, mais il a l'esprit calme. Il l'a déjà fait ; il peut le refaire. Il trouve la bonne clé, rouvre la porte et regagne la cave en silence. Le groupe suivant passe mais, dix minutes plus tard, un autre habitant de l'immeuble rentre et ferme la porte à clé. Joachim retourne aussitôt l'ouvrir. Maintes fois il ressort, rouvrant la porte qui donne sur la rue patrouillée par les Vopos, jusqu'à environ vingt-trois heures, lorsqu'une femme se présente avec deux enfants. Il les fait entrer, sachant qu'ils seront les derniers.

Dans la cave à Berlin-Ouest, la caméra est toujours fixée sur le tunnel. Claus se tient là ; il commence à désespérer qu'Inge vienne. Alors, il entend un bruit. Une main émerge du tunnel, puis une femme. Il fait sombre, tout le monde est couvert de boue, et la femme regarde à peine Claus au passage. Elle gravit l'échelle, l'air fatiguée, désorientée. Il entend un nouveau bruit en provenance du tunnel[18].

Un membre de l'équipe apparaît, une forme blanche dans les bras, et le cœur de Claus tressaille lorsqu'il comprend que c'est un bébé – minuscule, de quatre mois tout juste. Et à cet instant, mystérieusement, Claus devine que cet enfant est le sien. Il se penche, prend le paquet avec délicatesse et sort le bébé du tunnel.

Un garçon. Son fils. C'est la première fois qu'il le voit, la première fois qu'il le touche, qu'il le tient et, pendant que Claus berce son enfant, Inge se retourne. Elle voit cet homme qui câline son bébé et regarde vers le sol : plus tard, elle dira que c'est à ses pieds nus qu'elle l'a reconnu – lui, son mari[19]. Claus et Inge s'approchent l'un de l'autre, hors du champ de la caméra.

Joachim

Joachim est seul dans la cave à l'Est. Il est resté là jusqu'à l'extrême fin, à guider tous les fugitifs, à risquer sa vie quand il allait inlassablement rouvrir la porte. Il fait le compte et constate que vingt-neuf personnes ont emprunté le tunnel. Comme l'eau lui arrive aux genoux, il sait que c'est terminé. Il est temps de partir.

Tandis qu'il regarde les parois prêtes à s'ébouler, des images jaillissent dans son esprit, des instantanés des quatre derniers mois qui défilent dans sa tête tels les photogrammes d'une bobine de film. Les fuites d'eau. Les décharges électriques. La boue, l'énorme quantité de boue. Les ampoules aux mains. L'agent de la Stasi sous la fenêtre. Les gens venus ce soir. Sachant qu'ils sont tous en sécurité de l'autre côté de la frontière, il éprouve le bonheur le plus intense qu'il ait jamais connu. Plus délicieux que lors de sa propre évasion.

Puis, pour une raison qu'il ne peut expliquer, il pense à son père, à la dernière fois où il l'a vu quand, âgé de six ans, il était assis sur ses genoux, les yeux levés vers son visage, avant que les soldats ne l'emmènent[20]. Il s'accroche à ce souvenir, à cette sensation d'étreinte. Peut-être que, quand on perd quelqu'un dans une tentative de fuite, le seul remède est une évasion réussie. Ou peut-être que Joachim ressent ce dont tout enfant rêve : la fierté d'un parent.

Il existe une ultime séquence de cette soirée. Klaus et Peter filment les fugitifs en train de rassembler leurs affaires. La caméra suit chacun d'eux dans ses vêtements abîmés, maculés de boue, marchant vers la porte, celle qui les mène à Berlin-Ouest, l'autre moitié de leur ville qui s'est transformée en pays étranger. Lorsque le dernier échappé la franchit, ils se retournent et la porte se referme doucement derrière eux.

58

WALTER ET WILHELM

Trois jours après l'évasion, le 17 septembre, le sous-lieutenant de la Stasi Horn reçoit un appel de l'un de ses informateurs[1]. « Walter » voudrait le voir, car il a quelque chose d'important à lui dire. Ils conviennent d'un rendez-vous et Horn se félicite que Walter lui ait téléphoné : il semble que ses voisins aient commis l'un des crimes les plus graves en Allemagne de l'Est – ils se sont enfuis. Après l'entrevue, le sous-lieutenant rédige un rapport.

17 septembre 1962
Département principal II/5
Groupe opérationnel
BStU
[Office fédéral pour la documentation des services de la Sécurité d'État de l'ex-République démocratique allemande]
0228
Berlin, 17.09.1962
Entrevue avec la personne-source « Walter »
Employé : Sous-lieutenant Horn
Rapport sur l'entrevue

« Walter » a téléphoné aujourd'hui et demandé un rendez-vous parce qu'il avait des nouvelles importantes. En conséquence, une entrevue s'est déroulée avec lui, durant laquelle il a exposé les faits suivants :

Samedi 15 septembre, lorsqu'il est arrivé à Wilhelmshagen dans sa propriété de banlieue, il a appris de la bouche de sa femme que la jeune Evi Schmidt avait paru très bizarre quand elle faisait ses courses, jeudi 13, et que personne n'avait vu le jeune couple depuis ce jour. C'est étrange, parce que rien ne montre qu'ils sont partis... deux couches pour bébé restent accrochées à la corde à linge et le matelas se trouve toujours à l'endroit du jardin où ils prennent des bains de soleil. Pareillement, ni les fenêtres ni les volets ne sont fermés, alors qu'ils avaient l'habitude de les tirer quand ils s'absentaient.

« Walter » a constaté la même chose ensuite et cela lui a semblé bizarre aussi. Nul ne les a vus de tout le week-end et un autre voisin nommé [---] a révélé à « Walter » son inquiétude que les membres de la famille Schmidt soient des déserteurs de la république, notamment parce que le grand-père d'Eveline Schmidt s'est présenté plusieurs fois chez eux, le samedi et le dimanche, sans se douter qu'ils n'étaient pas là et sans savoir où ils pouvaient être.

Mesures :

Contacter l'informateur secret « Wilhelm » et obtenir de lui des renseignements supplémentaires. S'il est établi par ce moyen qu'ils ne sont pas revenus et qu'il n'y a pas de raison connue à leur absence, contact sera pris avec le commissaire de quartier (ABV).

Signé : sous-lieutenant Horn

20 septembre 1962
Département principal II/5
Groupe opérationnel
BStU
[Office fédéral pour la documentation des services de la Sécurité d'État de l'ex-République démocratique allemande]
0232

Berlin-Wilhelmshagen, 20.09.1962

Transcription de l'entrevue avec « Wilhelm »

Entre le jeudi 13 et le vendredi 14, j'ai remarqué que mon voisin avait quitté sa maison. La mère de Peter Schmidt est absente aussi depuis cette date. Le lendemain de la disparition, le grand-père, qui se nomme Sperling et habite à Neu-Venedig, est venu et a voulu entrer, mais cela ne lui a pas été possible. Il est revenu voir plusieurs fois.

La disparition a dû être très soudaine car j'ai vu Annet courir, tout excitée, à travers bois la veille au matin. Quelques jours auparavant, deux hommes sont venus dans une voiture immatriculée B – DA 466. Ils ont fait des photos de la famille entière [...] et ont donné un sac qui contenait quelque chose [...] je ne sais pas ce qu'il y avait dedans. Je n'ai pas revu les hommes.

Peter Schmidt lui-même partait à vélo tous les matins vers 8 h 30. Il revenait entre 16 h 30 et 17 heures. Il travaillait, prétendument. J'ai entendu quelqu'un crier « Eveline » (le prénom de Mme Schmidt) près de la barrière le matin qui a suivi la disparition. Mais je n'ai aperçu personne lorsque je suis sorti.

La cheminée de Peter Schmidt fumait terriblement la veille de la disparition. J'ai dit à mon épouse : « Ils enfument tout le quartier. » Ils brûlaient sans doute des documents gênants. Le départ a dû être très précipité puisque des couches pour bébé sont encore étendues sur la corde à linge. En outre, Peter Schmidt avait installé une barrière neuve et mis du désherbant. Je suppose qu'il a soudain reçu un message puis disparu.

Signé, « Wilhelm »

59

LA PERQUISITION

Après avoir lu les récits de Walter et Wilhelm, le commissaire de quartier de la Stasi envoie une petite équipe dans la maison d'Evi et de Peter. À l'intérieur, tout paraît normal : les meubles sont à leur place, comme les vêtements, les affaires de toilette et les provisions, et les fenêtres sont ouvertes. On pourrait croire que la famille est partie en excursion pour la journée, or les agents savent par leurs informateurs qu'Evi et Peter ne sont plus ici depuis trois jours.

L'un d'eux s'aperçoit que certaines choses manquent : il n'y a pas de sac à main, pas la moindre carte d'identité. Ils en concluent que Peter, Evi et Annet ont « quitté illégalement le Berlin démocratique ». Ils mettent ensuite la maison sous scellés[1].

Ils ont désormais la certitude que la famille Schmidt s'est enfuie, se rendant coupable du grave crime de *Republikflucht* ; il est temps pour eux de trouver quelqu'un à accuser. C'est la réaction ordinaire de la Stasi : en cas d'évasion, dénicher un parent ou un ami qui avait connaissance du projet et punir cette personne.

Grâce au rapport circonstancié de Wilhelm, qui donne les détails essentiels à son sujet, les agents n'ont aucun mal à mettre la main sur le grand-père d'Evi, Rudolf Sperling. Ils l'appellent et lui ordonnent de venir au commissariat de police. Ils vont l'interroger et, une fois qu'il aura avoué sa participation, ils pourront l'arrêter.

60

BOBINE DE FILM

Agenouillé sur le sol, Reuven Frank recouvre de peinture blanche un grand morceau de carton[1]. Celui-ci fera l'affaire : un écran de projection improvisé pour le film. Reuven a veillé une bonne partie de la nuit, avec le désir impérieux de le voir. Pendant qu'Evi, Peter, Annet et les autres empruntaient le tunnel, Reuven attendait au bureau de NBC. Comme on lui avait dit que tout serait terminé vers neuf heures du soir, il avait patienté là, heure après heure, espérant que Peter et Klaus arriveraient et lui annonceraient que tout le monde était en sécurité.

Aux alentours de vingt-deux heures, Reuven avait commandé un repas coûteux. Les plats étaient demeurés devant lui, intacts. Juste avant minuit, incapable d'attendre, il avait demandé à Gary Stindt de l'emmener en voiture jusqu'à l'usine. C'était un risque mais, prudents, ils ne s'arrêtèrent ni ne ralentirent lorsqu'ils passèrent à proximité du bâtiment. Scrutant par la vitre de la voiture, Reuven constata que la rue était calme, qu'il n'y avait aucun véhicule de police, aucun faisceau de lumière venant de l'Est, rien qui indiquait que l'évasion avait échoué. Rentré au bureau, il s'était de nouveau assis, avait sursauté au moindre bruit, levant les yeux pour voir si c'étaient les frères Dehmel.

Enfin, à deux heures du matin, ils arrivèrent. Leurs visages disaient tout : l'opération avait réussi. Pas de coups de feu. Pas d'arrestations. Ils avaient laissé le film au laboratoire d'un ami, enjoint au technicien de le développer rapidement, de ne pas poser de questions. Et maintenant, le lendemain midi, ils s'apprêtent à le regarder.

Peter place le film dans le projecteur, qui démarre avec un vrombissement, et Reuven voit un plan du tunnel apparaître sur le carton. Lui succède un plan de l'échelle appuyée contre le puits. Le producteur écarquille les yeux lorsqu'une main surgit du tunnel. Elle s'immobilise, s'écarte, puis une tête pointe et une personne entière sort et se dresse dans le puits. Evi. Le film est silencieux et, dans ce silence, Reuven respire à peine. Fasciné, les yeux brillants, il regarde les fugitifs émerger, les uns après les autres, dans Berlin-Ouest. Il sait ce qu'il en a coûté pour atteindre ce but. Il a regardé pendant des heures les séquences du creusage ; il a vu, sur les images, les visages exténués des travailleurs, la sueur ruisselant le long de leurs bras ; il a vu des bribes de l'évasion qui a mal tourné ; et il sait que nul n'a jamais fait un film pareil, dans lequel les caméras ont été présentes de bout en bout, un film qui montre la réalité effroyable, épuisante, du succès d'une telle entreprise. On pourrait parler de télé-réalité.

Reuven regarde, immobile, les fugitifs se succéder : des femmes en talons hauts, des hommes en costumes élégants, des grands-parents frêles... jusqu'au moment où il voit Claus tenir son fils pour la première fois. Et là, l'émotion l'étreint. Après une dernière séquence de la cave, un cliquetis se produit, la bande se termine et l'écran redevient inerte.

Reuven prend une minute pour réfléchir, puis le producteur de télévision en lui s'anime, son cerveau déborde d'idées sur le montage du film. Il commence à y travailler le jour même avec son monteur, continue le lendemain et enchaîne sur la journée suivante. Le montage de ce documentaire est une aventure inédite. Il n'y a ni son, ni interviews, uniquement de l'action. Il examine son matériau dans l'ordre chronologique, détermine sur quels protagonistes se concentrer, de quels fugitifs tirer le meilleur parti. Il veut un film enthousiasmant, captivant, mais il tient aussi à montrer la besogne répétitive qui consiste, heure après heure, jour après jour, semaine après semaine, à enfoncer une bêche dans la terre, ce labeur acharné. Outre le film du tunnel, il dispose de vidéos amateur, réalisées par Mimmo durant ses visites à Peter et Evi dans leur maison de Berlin-Est, et de séquences empesées des préparatifs de l'opération. Parce qu'ils avaient commencé à filmer seulement un mois après le début du creusage, Peter et Klaus avaient demandé à Mimmo, Gigi et Wolf de rejouer quelques-unes des premières scènes : leur recherche du site du tunnel, leurs réunions autour des cartes et des plans de la ville. Chapeaux sur la tête, lunettes de soleil sur le nez, cigarettes entre les doigts, ils avaient déambulé près de la frontière, inspecté les buissons – peu convaincants dans leur recréation de cette période initiale. Reuven dispose également d'images provenant de l'autre côté du Mur, de la vie à Berlin-Est : longues files d'attente devant des magasins, rues sinistres[2].

Tous les soirs, ils travaillent tard. Reuven veut boucler le montage du film à Berlin, garder secret l'engagement de NBC dans le tunnel tant qu'il n'est pas prêt à l'expliquer au monde. Il sait la question polémique.

Au bout d'une semaine de montage, alors qu'il arrive à la séquence de l'évasion, Reuven se rend compte qu'il manque quelque chose à son film : une fin. Il ne souhaite pas que l'évasion constitue la dernière scène ; il sait que les téléspectateurs voudront un ultime chapitre. Par conséquent, à la manière d'un producteur de télévision du XXIe siècle qui estompe la limite entre filmage et invention, il décide d'organiser une fête. NBC fournira la nourriture et le whisky et, en échange, tous les participants – les constructeurs du tunnel, les fugitifs, les messagers – accepteront d'être filmés.

Une dernière fois.

61

LE DISPOSITIF D'ÉCOUTE

L'agent de la Stasi plaque le casque sur ses oreilles, déplace le bouton de sa radio pour obtenir un meilleur signal, s'arrête sur 162,5 MHz[1]. Là. Il entend parfaitement. Deux personnes parlent. Des Berlinois de l'Ouest. Il ne connaît pas leurs noms mais ça n'a aucune importance, il peut utiliser des lettres. Il commence à taper :

A : As-tu appris qu'à dix-sept heures Bahr va donner une conférence de presse ?

B : Qui est Bahr ?

A : Le porte-parole du Sénat. Ce week-end, paraît-il, vingt-cinq Berlinois de l'Est sont venus à Berlin-Ouest par un tunnel.

B : Non, je ne suis pas au courant.

A : X m'a dit qu'il y avait une dépêche de l'Associated Press. Qu'est-ce que je peux faire pour en savoir plus ?

B : Appelle le service de presse du Sénat. Le numéro est dans l'annuaire. Ensuite, demande M. X…

L'agent de la Stasi se cale contre son dossier. C'est une information considérable. Un tunnel. Vingt-cinq Berlinois de l'Est l'ont emprunté pour s'enfuir. Il doit immédiatement avertir son supérieur. Mais, le temps qu'il le fasse, le secret est éventé et la Stasi est parmi les derniers à savoir.

62

LA POUSSETTE

Siegfried entend parler de l'évasion quatre jours après qu'elle a eu lieu : le 18 septembre. *Vingt-neuf personnes passées à Berlin-Ouest.* Il était au sein même du réseau d'évasion, pourtant il n'a rien pu empêcher.

Les dossiers de la Stasi ne mentionnent nulle part ce que ressent Siegfried, ne portent pas trace d'une entrevue avec son officier traitant pour en discuter. Le seul document datant de cette période est relatif à sa décoration : sa médaille d'argent. Erich Mielke l'a signé lui-même… le 15 septembre. Pendant que le directeur de la Stasi, vêtu de son uniforme, un stylo à la main, honorait l'un de ses espions les plus productifs, vingt-neuf fugitifs fêtaient leur première journée à Berlin-Ouest.

On perçoit la déception de la Stasi quant à cette opération. Dans leur premier rapport, les agents notent que « le départ de RDA des vingt-neuf individus se serait réellement produit[1] ». Humiliation supplémentaire, ils n'apprennent l'existence du tunnel que par une annonce du Sénat de Berlin-Ouest. La presse avait reçu l'ordre de ne rien révéler avant d'avoir la certitude qu'il n'y aurait aucun risque pour l'équipe de creusage. Ce fut donc seulement le 18 septembre que la nouvelle s'étala en première page des journaux à Berlin-Ouest, dans les capitales européennes, puis en Amérique, dans le *New York Times* :

VINGT-NEUF BERLINOIS DE L'EST
S'ENFUIENT PAR UN TUNNEL
LONG DE 400 PIEDS[2]

Les journalistes sont bien renseignés, les articles contiennent des précisions sur la fuite d'eau, l'aide des autorités ouest-berlinoises et la distance : cent vingt mètres, c'est le plus long tunnel creusé sous le Mur jusqu'à présent.

Mortifiée par la plus vaste opération d'évasion depuis la construction du Mur, la Stasi se démène pour s'emparer de l'histoire. Elle commence par le tunnel. Voulant à tout prix le trouver, ses agents passent au peigne fin les rues proches de la frontière. Deux journées durant, ils restent bredouilles. Puis, le 20 septembre à huit heures du soir, un Vopo jette un coup d'œil à l'intérieur du 7 Schönholzer Strasse et remarque une poussette déchirée dans la cave. Il la déplace et découvre ce qu'elle cachait : un petit passage, et là, le tunnel[3].

Bientôt, la cave grouille d'agents de la police secrète. Ils mesurent le tunnel (largeur, longueur), essaient ensuite d'y pénétrer mais il est plein d'eau. Sans se laisser décourager, ils creusent une galerie pour y accéder plus loin, mais elle s'écroule. Ils en creusent une autre. Qui s'écroule aussi. Ils envoient une section d'un régiment de garde équipée de six tuyaux pour aspirer l'eau, mais le résultat est piteux. Dans une dernière tentative coûteuse et désespérée, ils entreprennent de combler le tunnel en injectant du béton, jusqu'au moment où ils s'aperçoivent que les parois – sur toute la distance entre eux et la frontière – se sont éboulées[4].

Déterminés à faire quelque chose, n'importe quoi, ils dessinent une carte représentant le tracé du tunnel, basée pour l'essentiel sur des hypothèses. D'une plume soignée, un agent de la Stasi dessine le plan du quartier, inscrit les noms des rues, les numéros des bâtiments, le tracé présumé du tunnel ; puis, avec une minutie superflue, il ajoute les caractéristiques des sites, les zones de limon, même les fissures dans les trottoirs.

Il y a des raisons pratiques à vouloir connaître tous ces éléments – la Stasi en apprend davantage sur la compétence des constructeurs du tunnel, les méthodes qu'ils ont utilisées – mais c'est aussi le réflexe d'une organisation qui a pour vocation de tout consigner : les émotions de ses prisonniers, les vies de ses citoyens, les traits de visage des fugitifs, et maintenant les vestiges physiques d'une évasion qu'elle n'a pas réussi à empêcher.

Une fois qu'ils ont fait tout ce qu'ils pouvaient sur les lieux du tunnel, les agents passent à l'étape suivante de leur enquête. Ils veulent connaître le nom de tous les citoyens qu'ils ont perdus. Ils ont forcément laissé quelqu'un derrière eux. Quelqu'un à punir.

63

LA FÊTE

Dans un restaurant de Berlin-Ouest, Joachim, en costume et cravate, est assis à une table ovale recouverte d'une nappe blanche[1]. Il bavarde d'un air de conspirateur avec ses voisins : compagnons de travail, fugitifs, reporters de NBC. On dirait un banquet de noces ; les tables regorgent de plats entamés, de bouteilles de vin, et la fumée embrume l'atmosphère.

Comme la caméra fait un panoramique sur la salle, on voit Anita rire en tirant la barbe de son frère Hasso et Piers Anderton vider son verre. Les convives sont en pleine conversation : Claus et son épouse Inge, Mimmo et Ellen. Tous ont les yeux qui pétillent, une cigarette coincée entre l'index et le majeur. Les femmes ont acheté ou emprunté des robes chics, rassemblé leur chevelure en chignon haut. Les hommes arborent des cravates et costumes foncés. Cette fois, Peter et Klaus ont pris un micro, on entend les gens rire et babiller tandis qu'un orchestre de jazz joue dans l'arrière-plan. Assise dans le coin, Evi a les cheveux relevés, un collier de perles autour du cou. Elle est d'une beauté troublante.

Mais si l'on regarde plus attentivement, de temps en temps, au milieu des rires, on voit les visages passer de la joie à une autre émotion. De la tristesse : plusieurs d'entre eux espéraient faire venir des amis ou des parents supplémentaires le lendemain de l'évasion, mais l'eau avait envahi le tunnel. Claus était même retourné sur place avec du matériel de plongée ; ils avaient finalement dû renoncer. Mais aussi de la colère, au sujet du film de NBC, et des rumeurs selon lesquelles certains auraient gagné beaucoup d'argent. Et de la peur. Comme nombre de réfugiés ayant si longtemps rêvé de Berlin-Ouest, ils se heurtent à la réalité d'une terre promise qui ne correspond pas aux fantasmes. À Berlin-Est, même s'ils se sentaient prisonniers et redoutaient d'être enrôlés dans l'armée, ils bénéficiaient de la gratuité des soins et de l'enseignement, d'une alimentation bon marché et de loyers très abordables. Tous ont exploré Berlin-Ouest au cours des journées précédentes ; ils se sont rendu compte que la nourriture et les vêtements étaient chers, et que trouver un emploi ne serait pas facile. En dehors des habits qu'ils portent, ils n'ont rien. Ce soir, pourtant, ils mettent tout cela de côté. Ils boivent, dansent et rient que les journaux parlent d'eux.

À sa table, Joachim repose son verre et promène son regard sur chacun des invités, toutes ces personnes qu'il a contribué à secourir. Quelques jours plus tôt, il était allé récupérer ses outils et faire ses adieux au tunnel avant que l'eau ne l'anéantisse. Il avait éprouvé une sensation étrange. Durant quatre mois, il avait passé le plus clair de son temps ici : le creusage avait déterminé ses journées, l'évasion avait été le but vers lequel tendait sa vie entière, et maintenant le tunnel se désagrégeait. En s'y glissant une dernière fois, au-delà de ses tuyaux, fils électriques et téléphones, il avait remarqué quelque chose : une paire de chaussures. Minuscules, plus petites que sa main, elles étaient mouillées, maculées de boue. Il les avait ramassées et rapportées chez lui. Attablé là dans le restaurant, il y repense et se promet de trouver à quel enfant elles appartiennent[2].

Vers la fin de la soirée, Peter se lève : tout le monde veut qu'il chante une chanson en s'accompagnant à la guitare. Avec l'assurance de quelqu'un qui a bu trop de whisky, il titube à l'avant de la salle, sourire aux lèvres. Il remercie Mimmo et Gigi de les avoir sauvés, lui et sa famille, puis il entonne une mélodie italienne, une vieille ballade napolitaine, romantique, excessive ; certains la reconnaissent grâce à des versions de Frank Sinatra, d'Elvis Presley ou de Luciano Pavarotti, et Peter semble les convoquer tous pendant qu'il chante, visage empreint d'émotion, yeux implorant son public, se complaisant dans l'attention.

Quand il voit Peter chanter, Reuven sait qu'il a désormais la fin de son film. Ne reste qu'une ultime scène à enregistrer : une déclaration face caméra de son correspondant, Piers Anderton. Debout devant le restaurant, vêtu d'un long imperméable beige, le regard fixé sur l'objectif, Piers prend son souffle et commence. Il parle du Mur, des gens qui ont fui Berlin-Est durant l'année écoulée, des gens qui ont péri dans leur tentative. Il conclut par ces mots :

« Vingt et un [hommes] ont donné une moitié de leur vie pour creuser ce tunnel. Mais il y aura d'autres jeunes hommes. Et d'autres tunnels[3]. »

64

LE CANOË

Avoir connaissance d'un projet d'évasion et ne pas le révéler aux autorités est un crime passible d'emprisonnement. Le grand-père d'Evi, qui se trouve au commissariat de quartier de Köpenick, sait donc que ses déclarations durant cet interrogatoire signifieront soit qu'il sera libre de rentrer chez lui, soit qu'il sera arrêté. Il doit choisir soigneusement ses mots.

En préambule, l'interrogateur lui dit qu'Evi a commis le crime de *Republikflucht* et que si lui, Rudolf Sperling, le savait mais s'est tu, il risque la prison. S'il ment sur quelque chose, il risque la prison. Puis les questions commencent[1].

L'interrogateur se renseigne d'abord sur l'enfance d'Evi. Rudolf lui parle de leur famille, explique que sa femme et lui ont élevé la petite fille, devenue orpheline de mère à l'âge de six ans. Rudolf raconte la rencontre d'Evi avec Peter, rapporte les difficultés de Peter depuis la construction du Mur, précise qu'il lui a confié des travaux divers de temps à autre. Il mentionne également les « deux Italiens » qui leur ont plusieurs fois rendu visite.

Au bout de quelques heures, Rudolf en vient au vendredi 14 septembre – le jour de l'évasion. Il raconte qu'Evi a fait irruption chez lui et qu'elle est repartie sur-le-champ avec Peter. Il dit s'être inquiété de ne pas voir Peter revenir le lendemain, puis explique avoir marché jusqu'à leur maison. Là, il avait vu que des habits de bébé trempaient dans une cuvette au jardin. Il les avait essorés avant de les étaler sur la pelouse.

Son interrogateur écoute. Prend des notes.

« Avez-vous eu de leurs nouvelles depuis ?

— Non, répond Rudolf. Ni lettre, ni carte postale. Je ne sais pas où ils sont. » Et il ajoute : « Mais je suppose qu'ils sont allés à Berlin-Ouest. »

L'interrogatoire de Rudolf est tapé à la machine ; dates, noms, tout est consigné. Marquant une pause, son interrogateur essaie de déterminer s'il dit la vérité. Heureusement pour lui, c'est le cas, puisque, comme la majorité des gens qui comptaient s'enfuir, Evi n'avait mis personne dans la confidence, pas même ses parents de substitution. Elle avait été forcée de partir sans faire ses adieux, en ignorant s'ils se reverraient un jour. Le grand-père d'Evi se félicite de n'avoir rien su. C'est beaucoup plus facile d'être convaincant quand on ne ment pas.

À la fin de son interrogatoire, Rudolf mentionne une chose inattendue, qui paraît sans lien avec le reste : le canoë qu'il a jadis offert à Evi. Néanmoins, c'est peut-être tout naturel pour lui d'y penser au moment où il prend conscience qu'il risque de ne jamais revoir sa petite-fille. Il sait qu'il a rejoint les rangs des Berlinois de l'Est demeurés sur place, ceux qui sont trop vieux, trop jeunes ou trop craintifs pour s'exiler, ceux qui s'aperçoivent un matin au réveil que les gens qu'ils aiment sont partis et qu'il n'y aura peut-être jamais de retrouvailles.

Est-ce grâce à ces détails – le canoë, les vêtements dans la cuvette, la voix ferme ? En tout cas, Rudolf se tire bien de l'épreuve. Autorisé à quitter le commissariat, il rentre chez lui, regagne les lieux où il a vu Evi grandir, où elle a appris à lire, à faire du vélo, où elle a pagayé sur l'eau dans son canoë. Simple souvenir maintenant, l'embarcation est amarrée près de la maison, condamnée à ne plus servir, à bientôt disparaître sous l'herbe haute.

65

L'AVION

Reuven Frank pénètre dans l'avion[1]. Après deux semaines passées à Berlin-Ouest, il a terminé le montage du film et rentre à New York. Il n'arrive pas à croire qu'il est allé aussi loin, qu'il rapporte dans son pays le documentaire assemblé.

Redoutant de la perdre dans la soute, il a mis la bobine (longue de trois mille six cents mètres) dans un bagage à main. Il le tient serré contre lui. Un lourd secret. Les journaux du monde entier connaissent l'histoire des vingt-neuf fugitifs, mais seules quelques personnes savent que l'aventure a été fixée sur pellicule. Rien ne doit filtrer avant que Reuven n'ait rédigé un communiqué de presse, qu'il ne soit prêt à livrer un récit. Il sait combien cela est important.

La file des passagers avance et Reuven s'assoit sur son siège en première classe. Il glisse son sac dessous, à l'abri des regards. Calé contre le dossier, il ferme les yeux mais, à cet instant, il sent une main lui toucher légèrement l'épaule :

« Excusez-moi, dit un homme, nous avons Willy Brandt à bord ; pourriez-vous changer de place pour nous permettre d'être assis tous ensemble ? »

Sur la liste des incidents que Reuven avait envisagés concernant son retour à New York, celui-ci ne figure pas. Il hésite une fraction de seconde. Rejeter une demande du maire de Berlin-Ouest est impossible, alors il sourit, se dirige vers une autre place… et, comme il s'assoit, il se rend compte qu'il a laissé son précieux bagage sous le siège de Willy Brandt. À tout moment, le maire de Berlin pourrait baisser les yeux, le trouver, et, qui sait ? Peut-être même le confisquer. Reuven ne veut pas non plus attirer l'attention sur le film en retournant chercher son sac. Une sensation de malaise s'installe dans ses entrailles : il y a toujours quelque chose qu'on ne peut pas prévoir.

Tandis que l'avion décrit un arc de cercle et s'éloigne de la RFA, en contrebas, réduite à un point minuscule, se trouve l'usine. Si le tunnel s'est effondré, la cave est intacte, pleine de reliquats de l'opération : bêches, vêtements, pelles, pioches, chaussures de sport, fils électriques. Les constructeurs ont laissé leur matériel, sachant que, dès l'histoire du tunnel diffusée, les journalistes voudraient venir inspecter la cave, photographier le site de cette évasion spectaculaire. Il y a pourtant des choses qu'ils ont enlevées : les traces de NBC. Avant leur départ définitif, Peter et Klaus ont ratissé la cave, ramassé tout ce qui pouvait mener à la chaîne de télévision américaine, respectant la consigne de secret absolu donnée par Reuven Frank.

Ils croyaient n'avoir rien oublié mais, dans un coin, demeure un petit carton. À l'intérieur, un rouleau de pellicule.

66

LA DEUXIÈME FÊTE

Joachim parcourt la pièce des yeux. Une nouvelle fête, mais l'atmosphère est différente. Perturbée. Plus tôt, Hasso a jeté un verre contre le mur. Un geste entre célébration et défoulement. Chacun d'eux continue à sentir les répercussions d'une prise de risque qui aurait pu leur valoir de tout perdre.

Quelques jours auparavant, assise à la table de la cuisine dans l'appartement qu'elle louait avec son mari, Evi avait commencé à hurler, puis s'était trouvée incapable de s'arrêter. Elle s'était cramponnée à la table, redoutant de sauter par la fenêtre si elle ne s'accrochait pas assez fort[1]. Des souvenirs défilaient dans sa tête : la progression dans le tunnel, sa petite Annet dans les bras du jeune homme derrière elle, la peur affreuse que la Stasi ne les appréhende, ne prenne sa fille et qu'elles ne se revoient jamais. Même si rien de tel ne s'était produit, quelque chose avait ramené l'esprit d'Evi dans ce lieu, à ce moment. Sans doute était-ce seulement maintenant, en sécurité à Berlin-Ouest, qu'elle pouvait exprimer la terreur la plus animale qu'elle avait jamais éprouvée, à travers un hurlement qui montait du fond de son ventre et menaçait de ne jamais finir.

Mais ce soir, Evi est calme, l'alcool pétille dans ses veines alors qu'elle est attablée vêtue d'une courte robe noire. Ils ont tous bu beaucoup de vin et de whisky, et les danses ont commencé. Promenant son regard sur la salle, elle voit Joachim, dont les yeux sont rivés sur elle.

Elle rougit. Elle est intriguée par Joachim, l'homme qui a coopéré au creusage du tunnel mais n'avait personne à secourir. L'homme qui s'est chargé des parties les plus dangereuses de l'opération : sortir dans la rue pour vérifier le numéro du bâtiment, rouvrir à maintes reprises la porte extérieure. Elle ne comprend pas comment quelqu'un peut être aussi courageux alors que la peur habite ses propres souvenirs, jusqu'aux plus lointains. L'un d'eux resurgit : à l'âge de six ans, cachée dans un poulailler avec sa mère pour échapper aux soldats russes, dans les derniers jours épouvantables de la guerre. La mort de sa mère, quelques mois plus tard, l'avait condamnée à trouver ses réponses toute seule. Il y a quelque chose chez Joachim – dans sa vaillance, son sérieux – qu'elle admire et désire.

Il se lève, se surprend à marcher en direction d'Evi, ne sait pas ce qu'il dira une fois près d'elle, mais les mots sortent d'eux-mêmes : « Voulez-vous danser ? »

Elle éclate de rire et ils s'avancent vers le milieu de la salle. Joachim se demande pourquoi il l'a invitée à danser alors qu'il a toujours détesté ça. La musique est sensuelle, son rythme stimule les hanches, et Joachim commence à onduler, s'abandonne au twist des années soixante que tout le monde danse. Evi secoue la tête en riant. « Je ne sais pas faire », dit-elle.

Joachim fixe les yeux sur elle. Soutient son regard. « Je vais vous apprendre. »

Comme ils oscillent en harmonie, tous les gens autour d'eux se fondent dans le décor jusqu'à ce que, soudain, derrière Evi, Joachim voie du mouvement : quelqu'un qui marche vite. C'est Peter, le mari d'Evi, qui quitte les lieux. Evi l'aperçoit aussi, court et le suit, plantant Joachim là, au centre de la pièce.

67

LA CONFÉRENCE DE PRESSE

Reuven Frank regarde l'océan de caméras et de journalistes face à lui[1]. Une bonne centaine de personnes, toutes tournées vers lui, dans l'attente de réponses. Les choses n'étaient pas censées se dérouler ainsi.

Quelques jours plus tôt, des reporters étaient allés dans la cave de Berlin-Ouest pour prendre des photos. À cette occasion, l'un d'eux avait remarqué un carton sur lequel était imprimé « DuPont ». Ils savaient tous que NBC était la seule chaîne de télévision à utiliser cette marque. « NBC était là ! » avait crié le reporter[2]. Le magazine *Time* avait répandu la nouvelle, révélant dans un article intitulé « Tunnels S.A. » que NBC avait financé le tunnel en échange des droits cinématographiques[3]. Dès lors, la machine s'était emballée.

Furieuse, CBS écrivit au ministère des Affaires étrangères, se plaignant d'avoir été laissée de côté du fait qu'elle avait abandonné son film pendant que NBC, elle, continuait[4]. Le ministère envoya un télégramme à l'ambassade américaine à Berlin-Ouest: avait-elle donné son accord à NBC ? Non, absolument pas, répondit l'ambassade[5].

NBC essaya de rester silencieuse, avec l'espoir que l'affaire se tasserait. Mais la tempête avait enflé, au contraire, et la chaîne avait su qu'elle devait s'expliquer publiquement. Elle avait donc organisé une conférence de presse le jeudi 11 octobre 1962, raison pour laquelle Reuven Frank et Piers Anderton étaient maintenant assis sur une estrade au siège de NBC à New York.

Reuven Frank réfléchit soigneusement à ses réponses. La diffusion du film est prévue pour dans trois semaines, le 31 octobre. S'il ne se montre pas convaincant, elle sera annulée.

La conférence commence. Les journalistes posent la première question : quelle somme NBC a-t-elle versée à l'équipe de creusage ?

La vraie réponse est 12 000 dollars, qui ont servi à payer cinq tonnes d'acier pour les rails dans le tunnel, une camionnette Volkswagen, des câbles et des ampoules électriques, des pompes pour aspirer l'eau, des compresseurs et des tuyaux pour acheminer l'air, des poulies, des cordes et des moteurs pour le chariot, ainsi que toutes les provisions de thé, de café et de sandwiches nécessaires[6].

Aux journalistes, Reuven donne une réponse plus brève. « Pas grand-chose en matière de budget télévisuel. » Et il ajoute : « Le tunnel aurait été creusé sans. »

Quelqu'un demande quand NBC s'est engagée.

« Dans l'été, alors que les étudiants creusaient déjà depuis plusieurs semaines. » Il insiste : « Nous n'avons jamais entrepris de recruter de la main-d'œuvre. »

Il détaille ensuite à la presse la mécanique du filmage de l'opération, les longues heures dans le tunnel, toutes les mesures de sécurité mises en œuvre pour protéger les étudiants et garder l'opération secrète, puis la conférence se termine. Reuven Frank et Piers Anderton quittent l'estrade, espérant que ces éclaircissements mettront fin à la polémique.

Mais le lendemain, l'affaire repart de plus belle.

Le *New York Times* publie un article soutenant que NBC a contribué à bâtir le tunnel. D'autres papiers paraissent, qui contiennent des interviews de participants au creusage. En colère au sujet du film, ils déclarent qu'ils auraient dû recevoir une partie de l'argent. Certains réclament l'interdiction de la diffusion.

Le Sénat de Berlin-Ouest émet alors un communiqué disant que le film devrait être abandonné[7]. Le gouvernement est-allemand rédige une lettre dans laquelle il décrit le film comme une « attaque », se plaint que les voies d'évasion endommagent « les conduites de gaz et les lignes électriques » et exige que le gouvernement américain « inflige des sanctions sévères » aux journalistes de NBC[8]. Même une agence de presse étatique installée à Moscou intervient, affirmant que NBC a embauché les constructeurs du tunnel, que les fugitifs sont incarnés par des acteurs et que, s'il était diffusé, le film envenimerait la situation à Berlin[9]. Pour reprendre la formulation d'un journaliste du *New York Times*, le problème est devenu « un petit incident international[10] ». Tout cela se produit à l'automne 1962, période durant laquelle les Américains redoutent plus que jamais une guerre nucléaire accidentelle entre les États-Unis et l'Union soviétique, et où les abris antiatomiques poussent comme des champignons dans le pays.

Mais Reuven Frank espère encore que les choses se calmeront. Il se tapit dans son bureau avec Piers Anderton et tous deux, assis côte à côte, travaillent sur le film. Ils avancent bien. Comme la plupart des séquences sont muettes, Reuven a commandé une musique au contrebassiste de jazz Eddie Safranski. Il me faut une touche de Kurt Weill, a-t-il dit, mais légère, pour éviter le cliché. Reuven et Piers se consacrent maintenant au récit. Installés derrière leurs machines à écrire, ils passent des heures chaque jour sur le texte, le débarrassent des expressions telles que « monde libre », dont Reuven sait qu'elles peuvent anesthésier le public. Les mots qu'ils recherchent ne sont pas ceux de la politique ou de l'idéologie, mais le vocabulaire du tunnel : la terre, la boue, les cloques aux mains, les poulies, les chariots. Ils veulent que les téléspectateurs comprennent ce que c'est réellement de passer quatre mois de sa vie à creuser un tunnel; ce que risquent les gens qui l'empruntent, quelles horreurs ils doivent fuir pour prendre une décision pareille. Ils veulent que cette histoire s'adresse moins à l'esprit qu'au cœur et aux tripes.

Pendant qu'ils écrivent, la porte du bureau s'ouvre régulièrement et quelqu'un les informe des nouveaux événements dans la saga du film, mais ils n'en tiennent pas compte, s'absorbent davantage dans leur travail, multiplient les heures dans le studio de montage où ils associent les séquences vidéos à la musique et aux mots. Le 16 octobre, ils ont presque fini et savent qu'ils ont fabriqué un objet exceptionnel, différent de tout ce qu'ils ont vu jusque-là.

Dans l'après-midi, alors qu'ils peaufinent la dernière partie, la porte s'ouvre encore: c'est un membre de la rédaction de NBC qui a quelque chose à leur dire[11]. Reuven essaie de le renvoyer d'un geste, mais l'homme insiste: c'est important. Une conférence de presse vient d'avoir lieu, dit-il, et un porte-parole du ministère des Affaires étrangères a déclaré que le film de NBC n'était «pas dans l'intérêt national», qu'il était «risqué, irresponsable, inopportun et contraire aux intérêts supérieurs des États-Unis».

L'homme quitte la pièce et Reuven Frank, se tournant vers le film prêt à la diffusion, sait que personne, hormis Piers et lui, ne le verra jamais.

68

LA BIBLIOTHÈQUE

Evi regagne son bureau à la bibliothèque. Tout au long de la matinée, elle a trottiné entre les rayons, rangé les livres lus par les étudiants de l'université technique : gros volumes politiques, ouvrages de mathématiques, de poésie, de musique, et, bien sûr, les manuels d'ingénierie que l'équipe de creusage a utilisés pendant la construction du tunnel.

Elle est heureuse d'être ici, d'avoir trouvé un emploi, deux mois tout juste après son arrivée à Berlin-Ouest. Ça n'avait pas été facile. Il avait d'abord fallu chercher un endroit où vivre. Le couple avait trouvé un studio dans une cité universitaire à Grunewald, non loin de la villa de la CIA où Joachim avait mangé pour la première fois de la marmelade d'ananas. L'espace était minuscule, tous trois entassés dans une pièce unique, et ils savaient qu'il leur faudrait bientôt un logement plus grand. Evi avait donc commencé à chercher du travail.

Un frais matin de novembre, alors qu'elle marchait dans la Hardenbergstrasse, elle avait entendu son nom : « Frau Schmidt ? »[1]. C'était son ancienne cheffe à la bibliothèque de Berlin-Est et elle cherchait une collègue pour la bibliothèque universitaire. Evi était-elle intéressée ?

Elle prit son poste quelques semaines plus tard. Son rôle était de cataloguer les livres, comme elle l'avait fait à l'Est. C'était apaisant. Elle adorait respirer l'odeur du papier pendant qu'elle mettait de l'ordre dans toute cette masse de savoir. C'était aussi un éloignement bienvenu d'avec Peter. Depuis leur arrivée à l'Ouest, les choses allaient mal. Sans le Mur contre lequel lutter, ils se tournaient l'un contre l'autre, sentaient leurs différences avec plus d'acuité. Tandis qu'elle travaillait à l'extérieur, Peter traînait dans le studio, regardait par la fenêtre, grattait sa guitare. Le rêveur, toujours. Evi avait énormément aimé ce trait de caractère, mais la situation n'était plus la même. Comme lui le disait, ils ressemblaient à « un vol d'oiseaux qui se déplacent ensemble et qui, leur destination atteinte, se désagrègent[2] ».

De temps en temps, à l'université, Evi tombait sur Joachim ; ils s'attablaient à la cantine et elle éprouvait une attirance pour lui, cette attirance qu'elle avait perçue à la fête où ils avaient dansé ensemble. Mais elle devait penser à sa famille, à sa fille. Un jour, elle décida qu'elle ne pouvait pas tout risquer en fréquentant Joachim et, dès lors, se tint à distance.

Il y avait quelques semaines, Evi avait trouvé un logement plus vaste pour la famille. Ils avaient prévu de déménager mais, finalement, Peter était parti aux Pays-Bas pour des cours de lithographie, la laissant s'occuper seule du déménagement.

Aujourd'hui, alors qu'elle se trouve dans son bureau, Evi se sent épuisée, abandonnée par son mari et accablée par toute son existence. À cet instant, la porte s'ouvre : « Frau Schmidt, il y a un appel pour vous », lui dit une bibliothécaire[3].

C'est Joachim. Il explique avoir appris qu'elle déménageait seule : aimerait-elle de l'aide ? Bouleversée, Evi le remercie, lui donne son adresse.

Plus tard dans la semaine, l'étudiant se rend chez elle pour l'aider à vider ses placards. Pendant qu'ils mettent les vêtements et la vaisselle dans des cartons, ils bavardent et Joachim découvre qu'il se sent en confiance avec Evi, a l'impression qu'elle le comprend dans toute la diversité de son être. Vivre à Berlin-Ouest reste étrange pour quelqu'un qui a passé des années de l'autre côté de la frontière, et Evi est le cordon ombilical qui relie Joachim aux parties de lui-même qu'il pourrait oublier. Elle a eu une enfance très dure, privée de son père, de sa mère aussi. Il y a une timidité chez elle, mais aussi une résistance qui le fascine lorsqu'elle lui raconte avoir obtenu son premier emploi à quatorze ans, et trouvé son chemin dans le monde.

Joachim se rend compte qu'il est en train de tomber amoureux d'Evi. Mais il sait qu'il n'est pas du genre à s'immiscer dans un mariage. Il relègue donc ces sentiments au fond de son esprit.

69

UN MESSAGE

Reuven Frank est de nouveau à Berlin. Nous sommes en décembre 1962 et il a renoncé à l'idée de montrer le film un jour. Quelques semaines après sa conférence de presse, le monde avait changé : un avion d'espionnage américain survolant Cuba avait rapporté des photos de missiles installés sur l'île – des missiles à moyenne portée, à capacité nucléaire, placés là sur ordre de Khrouchtchev. Le dirigeant de l'URSS disposait maintenant d'armes nucléaires en mesure d'atteindre des villes américaines.

Le président Kennedy devait riposter, mais comment ? Les discussions à la Maison Blanche s'étaient poursuivies tard dans la nuit, le bloc-notes du président se couvrant de griffonnages noirs. Certains conseillers voulaient attaquer Cuba, mais Kennedy les réduisit au silence et décida de lancer un ultimatum à Khrouchtchev : s'il ne retirait pas ses missiles, les États-Unis instaureraient un blocus naval de Cuba. En coulisse, les diplomates se préparèrent à la guerre : le personnel de l'ambassade américaine à Berlin évacua les épouses et les enfants, et Kennedy envoya quarante navires américains prêts à établir le blocus. Le 22 octobre à dix-neuf heures, dans une allocution télévisée, Kennedy expliqua au pays ce qui se passait. Ce jour-là, NBC annonça qu'elle différait le film.

Puis le monde retint son souffle.

Si Kennedy s'était trompé sur Khrouchtchev, on était peut-être au bord de la guerre nucléaire. Mais, cinq jours plus tard, Khrouchtchev céda, accepta de démanteler tous ses missiles installés à Cuba[1]. C'était une victoire pour Kennedy, l'homme qui avait si peu fait quand le mur de Berlin avait été construit. Le « garçon en culottes courtes » avait tiré la leçon de cette expérience et prouvé qu'il pouvait tenir tête au dirigeant soviétique.

La presse s'intéressa bientôt à d'autres sujets et la controverse sur le film se calma. La chaîne versa de l'argent à quelques travailleurs du tunnel mécontents, le Sénat de Berlin-Ouest n'exigea plus l'interdiction du film et, point capital, après que NBC eut assuré que le film ne mettait pas en danger l'équipe de creusage et que les personnes apparaissant dans le documentaire avaient toutes donné leur accord, le ministère des Affaires étrangères adoucit sa position[2].

Néanmoins, il fut clairement signifié à Reuven que le film ne passerait jamais à l'antenne : les directeurs de la chaîne craignaient un retour de bâton de la Maison Blanche. Le producteur était anéanti. Il sentait que son zèle était excessif, qu'il prenait trop l'affaire à cœur, mais c'était parce qu'il avait vu le film terminé et qu'il savait que, contrairement à tous les autres films sur Berlin, celui-ci expliquerait aux téléspectateurs américains pourquoi cette ville comptait, pourquoi les États-Unis ne devraient jamais l'abandonner à son sort[3].

Un soir, dans un moment de désespoir, Reuven parla avec sa femme et décida de démissionner. NBC accepta, mais lui demanda d'attendre la fin de l'année. Il revenait maintenant à Berlin-Ouest pour travailler sur un dernier documentaire pour eux, un projet qui n'avait aucun lien avec le tunnel.

Arrivé à l'hôtel Kempinski, Reuven demande sa clé et la réceptionniste lui dit qu'il a deux messages dans sa boîte. Il l'ouvre, y trouve une pioche et une bêche minuscules, avec un mot de Peter et Klaus Dehmel. *En souvenir de ce que nous avons vécu ensemble*[4].

Souriant, Reuven regarde le deuxième message : c'est un télégramme en provenance de New York. Il le lit une fois. Puis il le relit, osant à peine y croire. Son chef lui annonce qu'ils ont programmé le film le lundi 10 décembre à vingt heures trente.

70

LE FILM

Lundi 10 décembre. D'un bout à l'autre des États-Unis, les habitants préparent des plateaux-repas, terminent leur toilette en hâte, tirent les rideaux sur le froid hivernal en prévision de la soirée télé à venir. D'ordinaire, le lundi, la majorité des foyers américains regardaient, sur CBS, des comiques en smoking jouer des sketches mille fois répétés. Mais aujourd'hui, juste avant vingt heures trente, les gens mettent NBC pour voir un film attendu depuis longtemps : *Le Tunnel.* Toute la polémique autour du documentaire, les articles, les critiques ont constitué la meilleure publicité qui soit.

À vingt heures trente précises, une courte annonce, et le film commence. Ce texte d'introduction s'affiche :

Le document que vous allez voir témoigne du courage humain dans la quête de la liberté. C'est le récit de première main, filmé sur place et dans l'instant, du creusage d'un tunnel et d'une évasion au-dessous du Mur qui divise Berlin[1].

Puis le numéro 7 Schönholzer Strasse apparaît. Un hautbois joue un air triste, la caméra zoome sur le bâtiment, par-delà le Mur, et Piers Anderton entame son récit.

Voici le 7 Schönholzer Strasse, un immeuble d'habitation étroit dans le Berlin-Est communiste...

On voit deux femmes en longs manteaux se promener, un homme à bicyclette, la façade grêlée. Piers Anderton continue son récit et décrit le trajet des fugitifs jusqu'à cette adresse le vendredi 14 septembre.

Certains avaient parcouru plus de trois cents kilomètres. Aucun d'eux ne connaissait cet endroit. Pour arriver ici, ils avaient dû passer tout près des [...] membres de la « police du peuple » qui patrouillaient, en armes [...]. Ils descendirent sans bruit l'escalier de cette cave et l'échelle menant au bas d'un puits. Ils se trouvaient alors à quatre mètres cinquante sous la surface de la Schönholzer Strasse. Il y avait là un tunnel, haut et large d'un mètre à peine. Par ce boyau, ils cheminèrent [...] sur une distance de cent vingt mètres jusqu'à Berlin-Ouest et un avenir libre. Je suis Piers Anderton, correspondant de NBC à Berlin. Et ceci est l'histoire de ces gens et de ce tunnel.

Durant les soixante-dix-huit minutes suivantes, dans dix-huit millions de foyers, des gens qui n'avaient encore vu que de brefs reportages sur le mur de Berlin, des gens qui ne comprenaient pas bien ce qui se passait dans la ville, regardent l'histoire se dérouler. Ils voient le Mur, le no man's land, les pièges antichars et les Vopos à proximité, ils écoutent Piers Anderton expliquer que les étudiants ont organisé « la plus audacieuse opération de secours de fugitifs dans l'histoire de Berlin ». Ils les regardent défoncer le béton à l'usine, travailler dans le tunnel, couchés, couverts de boue, puis ils voient la fuite d'eau qui a failli détruire le boyau, les planches flottantes, Joachim avec ses inventions et, images venues de l'autre côté du Mur, ils regardent les vidéos amateur d'Evi et Peter à Berlin-Est, se préparant à tout laisser derrière eux. Ils voient aussi la photo de Peter Fechter gisant, mort. Ils regardent Ellen s'éloigner dans Berlin-Est et, pour finir, Evi sortir du tunnel, monter l'échelle, puis vingt-huit autres personnes faire de même. À ce moment-là, Piers livre la réflexion suivante :

S'échapper par un tunnel est aussi dangereux qu'en construire un. Vous ne savez pas ce que l'avenir vous réserve. Les messagers étaient des inconnus. Le rendez-vous aurait pu être un piège. La mort ne représente pas le plus grand danger. Les camps de prisonniers sont parfois pires. Il s'agit là de gens ordinaires, ni formés ni habitués au risque. Que doivent-ils fuir pour risquer autant ?

Enfin, les téléspectateurs regardent Inge et son bébé quitter le tunnel. La caméra s'arrête sur le visage de Claus qui prend son fils dans ses bras pour la première fois.

Le lendemain, les articles paraissent. Rongé d'inquiétude, Reuven Frank se demande quelle en sera la teneur après l'énorme controverse autour du film, mais l'accueil dépasse tout ce qu'il a pu imaginer.

Le *Los Angeles Times* décrit le film comme « l'un des documents les plus profonds et enthousiasmants dans l'histoire de ce média ». Selon le *Boston Globe*, il est « probablement sans équivalent dans la courte histoire de la télévision ».

Un journaliste souligne que, durant la période qui a précédé les élections sénatoriales de cette année, les républicains ont accusé Kennedy de n'avoir presque rien fait pour parler au monde du « mur de la honte » berlinois[2]. Le journaliste propose que *Le Tunnel* soit maintenant « inscrit en tête sur la liste des films de l'État et diffusé dans tous les pays libres et au-delà du plus grand nombre de frontières communistes possible. Car, si le Mur symbolise "l'échec du communisme", le tunnel symbolise le perpétuel besoin de liberté du genre humain ». L'Agence d'Information des États-Unis (l'USIA, dirigée par Edward R. Murrow) achète des centaines de copies du *Tunnel* pour le projeter dans le monde entier. Des chaînes de télévision étrangères font de même, sauf, bien sûr, dans les pays communistes. Ainsi, le gouvernement qui avait menacé d'interdire le film de Reuven Frank le soutient désormais résolument. Une rumeur dit même que le président Kennedy en le regardant a été ému aux larmes.

Un semestre plus tard, le 26 juin 1963, Kennedy se rend à Berlin-Ouest pour sa première visite officielle. À l'hôtel de ville, il monte sur une vaste tribune en bois. Devant lui, massés sur la place et perchés sur des balcons, cinq cent mille Berlinois acclament et applaudissent[3].

Il appréhendait de venir car il craignait que les habitants ne lui gardent rancune de son absence de réaction au Mur. Mais, tout le long du parcours depuis l'aéroport de Tegel, des millions de Berlinois de l'Ouest ont bordé les rues sous le soleil de juin. Juchés sur des arbres, des lampadaires, des feux de circulation, debout sur des toits, ils ont agité foulards ou mouchoirs. Tandis que le président, dans sa limousine découverte, les saluait de la main et riait d'incrédulité, ils ont scandé jusqu'à l'enrouement : « Ken-ne-dy ! Ken-ne-dy ! Ken-ne-dy ! » Ils lui ont lancé des fleurs, et son chauffeur devait se pencher pour débarrasser le pare-brise des confettis qui l'empêchaient de voir la route[4].

S'il était venu dans les mois immédiatement postérieurs à la construction du Mur, Kennedy aurait peut-être été chahuté. À présent, pourtant, il est le héros de l'épisode des chars à la frontière, de la crise des missiles à Cuba, l'homme qui a tenu bon face aux Soviétiques.

Les gens l'ont regardé visiter Checkpoint Charlie puis la Bernauer Strasse. Du haut d'une plate-forme avec vue sur le Mur, Kennedy a observé le dispositif, apparemment stupéfié par la réalité des barbelés, des miradors et du béton gris s'étendant au loin. Plusieurs femmes courageuses à Berlin-Est lui ont adressé un signe de la main depuis leurs fenêtres, sous l'œil des Vopos. À sa descente, un journaliste du magazine *Time* (l'un des mille cinq cents reporters à suivre l'événement) a déclaré : « Kennedy a le visage d'un homme qui vient d'apercevoir l'enfer. »

Maintenant, à la tribune qui donne sur la place de l'hôtel de ville, Kennedy s'apprête à prononcer son discours.

Quand il était encore à Washington, il avait rédigé un texte truffé d'expressions dénuées de sens visant à ne pas provoquer les Soviétiques. Toute la matinée, la dissonance entre ses mots stériles et l'émotion débordante dans la ville l'a tracassé. Durant le trajet vers l'hôtel de ville, il a remanié son discours, jetant les notes qu'il avait apportées. Il sait que les Berlinois de l'Ouest ont besoin d'entendre quelque chose de différent de la bouche de l'homme qui a si peu fait pour s'opposer au Mur.

Se tenant devant eux tous, il commence. Lentement et calmement d'abord.

« Je suis fier de venir dans cette ville sur l'invitation de votre distingué maire, qui symbolise dans le monde entier l'esprit combatif de Berlin-Ouest. »

La foule est silencieuse. Pleine d'attente.

Kennedy regarde droit devant lui. « Il y a beaucoup de gens dans le monde qui ne comprennent pas [...] en quoi consiste le problème entre le monde libre et le monde communiste, continue-t-il. Qu'ils viennent à Berlin ! »

Des acclamations.

« Certains disent que le communisme est la voie de l'avenir. Qu'ils viennent à Berlin ! »

Des acclamations plus fortes.

Il mentionne alors l'esprit de Berlin-Ouest, assure qu'il ne connaît aucune ville, grande ou petite, qui, assiégée depuis dix-huit ans, vive encore avec la force, l'espoir et la détermination de Berlin-Ouest. Il décrit le Mur comme « la manifestation la plus évidente, la plus éclatante des échecs du système communiste » et comme une « insulte à l'histoire, séparant des familles, des maris et des femmes, des frères et des sœurs, et divisant un peuple qui souhaite être rassemblé ». Il affirme qu'un jour « cette ville sera réunie » puis, dans une phrase qu'il a répétée, sachant que tout tient à la prononciation juste, il déclare :

« Tous les hommes libres, où qu'ils vivent, sont des citoyens de Berlin et pour cette raison, en qualité d'homme libre, je m'enorgueillis de dire *Ich bin ein Berliner.* »

Les gens sur la place et les balcons alentour se déchaînent, hurlent, scandent : « Ken-ne-dy ! Ken-ne-dy ! Ken-ne-dy ! » Deux années plus tôt, Kennedy se souciait peu de Berlin, désirait uniquement être débarrassé du problème, et les habitants se sentaient abandonnés. Aujourd'hui, enhardi par sa réussite dans la crise des missiles cubains, il a montré qu'il se tiendra à leurs côtés. Plus tard ce soir-là, quand il s'installe dans l'avion présidentiel, il glisse à son conseiller : « Aussi longtemps que nous vivrons, nous ne connaîtrons plus jamais une journée comme celle-ci[5]. »

À Berlin-Ouest, les rues sont encore parsemées de confettis. Les balayeurs les enlèveront au cours de la semaine suivante. De l'autre côté du Mur, deux jours après la visite de Kennedy, Nikita Khrouchtchev arrive de Moscou. Ne voulant pas être en reste, il sillonne Berlin-Est dans une voiture découverte, quelques fonctionnaires du parti bordant l'itinéraire. À l'hôtel de ville, il prononce un discours qui, espère-t-il, égalera celui de Kennedy : le président américain a lancé une phrase en allemand, le dirigeant soviétique décide donc de faire pareil et, à la fin de son discours, crie : « *Ich liebe die Mauer !* » – « J'aime le Mur ! » Cette fois, il n'y a aucune acclamation, rien que de maigres applaudissements polis.

Ce même mois, à Berlin-Ouest, des femmes en robes légères et des hommes en T-shirts sont attablés à la terrasse des cafés le long du Ku'damm. Des cigarettes brillent dans la nuit, d'éclatantes enseignes au néon font la promotion du Coca-Cola, des hamburgers et des films, les radios passent du rock and roll américain. La promesse de l'été flotte dans l'air. Par les fenêtres entrouvertes des appartements du voisinage, on perçoit le scintillement et le murmure des téléviseurs, allumés pour un film exceptionnel.

À quelques rues de là, Joachim, Wolf et d'autres étudiants sont rassemblés dans l'une des chambres de leur résidence universitaire. Assis en tailleur sur le plancher, une bière à la main, ils attendent. Ils ne pensaient pas le voir un jour, ce film auquel ils ont participé – à leur insu pour certains. Mais aujourd'hui, il va être diffusé à Berlin-Ouest[6]. Et bien sûr, grâce à leurs antennes tournées vers l'Ouest, des Berlinois de l'Est le regarderont aussi.

Commentant les images, la voix grave et solennelle de Piers Anderton s'échappe par les fenêtres ouvertes sur les rues qui bordent le Mur. Dans la Bernauer Strasse, la collection de monuments improvisés en bois s'est agrandie ; au sommet de chacun figure le nom de la personne la plus récemment tuée dans sa tentative d'évasion. Otfried Reck. Hans Rawel. Horst Kutscher. Peter Kreitlow. Des fleurs de printemps en ornent quelques-uns, disposées là par des parents endeuillés domiciliés à l'Ouest. Durant la journée, les touristes en shorts et lunettes de soleil qui se promènent le long du Mur s'arrêtent pour prendre des photos. Sous leurs pieds, dans la pénombre et le silence, de nouvelles galeries s'ébauchent entre Berlin-Est et Berlin-Ouest. À l'intérieur, des hommes et des femmes enfoncent des bêches et dégagent des mottes de terre. Dans les cercles d'évasion, tout le monde connaît l'argile magique qui tient bon sous cette rue et il y aura bientôt des dizaines de tunnels. La plupart n'atteindront jamais leur destination mais, parfois, en partie inspiré du film qu'ils regardent ce soir, l'un d'eux aboutira. Comme les vingt-neuf personnes qui ont emprunté la voie souterraine en septembre 1962, d'autres s'enfuiront.

Néanmoins, à cette heure, c'est soirée film pour Joachim, Hasso, Uli, Wolf, Mimmo, Gigi, Ellen, Evi, Peter, tous les participants à l'opération qui peuvent s'absorber dans leur propre histoire. Lorsqu'il s'achève, ils éteignent leurs télévisions, boivent et bavardent tard dans la nuit. À l'une de ces fêtes rôde, tout ouïe, un informateur de la Stasi[7].

De nouvelles histoires commencent. De nouveaux projets. De nouvelles trahisons.

71

LA LETTRE

Juin 1963

Assis sur un tabouret en bois dans sa cellule, Wolfdieter écrit une lettre à Renate. L'espace manque, il a trois codétenus, mais ils lui font de la place à une petite table[1].

Il a passé la matinée à fabriquer des meubles dans l'usine de la prison, dès l'aube, huit heures durant. Depuis dix mois qu'il purge sa peine, il sait mieux comment survivre à l'incarcération, travaille plus longtemps pour gagner de l'argent supplémentaire qui lui sert à acheter des biscuits et de la confiture dans la boutique de l'établissement. Les gardiens donnent très peu à manger aux prisonniers, ces friandises lui permettent donc de tenir. Quand il rêve, c'est de nourriture la plupart du temps – toujours le même plat, celui qu'il préférait enfant : escalope de veau et spaghettis à la sauce tomate.

Wolfdieter essaie de trouver quoi écrire. Ce n'est pas facile : des règles strictes encadrent les lettres, vingt phrases au maximum, aucun contenu politique sinon les mots seront censurés par les gardiens. Mais tout ce qui lui vient à l'esprit alors qu'il réfléchit, stylo en l'air, ce sont des choses interdites.

Il voudrait parler à Renate du chœur de prisonniers qu'il a intégré, cinquante hommes dans une petite pièce, qui chantent à pleins poumons des chants russes, s'exercent en vue d'un concert devant les soldats de la caserne soviétique voisine. (Comme les nazis, la Stasi aimait donner des dehors de civilité à ses prisons.) Au bout de plusieurs semaines à s'entraîner au sein du chœur, quand les hommes avaient fini par lui accorder leur confiance, Wolfdieter avait découvert ce qui se passait réellement pendant les répétitions : c'était la résistance de la prison de Brandebourg. Il voudrait expliquer à Renate combien son existence a changé depuis, combien le groupe mène des actions remarquables, s'assure par exemple que les détenus qui reviennent de l'isolement reçoivent des couvertures et des rations moins chiches, transmet clandestinement des messages de prisonniers aux familles et amis. Wolfdieter n'aurait jamais imaginé, dans les horreurs de la prison de Brandebourg, où des hommes étaient mutilés par des accidents de travail, où ils devenaient fous à l'isolement et allaient jusqu'au suicide, rencontrer ce genre d'espoir. Cette solidarité.

Il voudrait parler à Renate du prêtre catholique isolé dans la cellule voisine depuis neuf mois déjà, raconter qu'ils communiquent par le tuyau d'évacuation qui relie leurs cellules, le prêtre chuchotant la messe pour lui, cierges allumés.

Et il voudrait dire à Renate la joie qu'il éprouve quand il est, de temps en temps, autorisé à se promener dans la cour. Il regarde les avions volant vers l'ouest, rêve de monter un jour dans l'un d'eux et de retourner voir son père et sa mère chez eux.

Tandis qu'il écrit les premières phrases, des platitudes quelconques sur la vie en prison, il pense à Renate, se demande comment elle s'en sort, si elle a trouvé un groupe de résistance qui fortifie son âme comme le sien affermit la sienne. Il se désole de ne pas savoir ce qu'elle ressent et il voudrait, d'une certaine façon, lui donner ce que ces hommes lui donnent : le réconfort, de quoi lui insuffler de la force et de l'espoir. À cet instant surgissent dans sa tête des vers d'*Hamlet* qu'il a envie de partager. Mais il sait qu'il ne peut pas écrire la citation, elle serait barrée à l'encre noire. Alors il dit simplement qu'il pense à *Hamlet*, en particulier à la scène 3 de l'acte I, pour que Renate comprenne à quel passage il fait allusion.

Plus tard dans la journée, quand le gardien se présente, Wolfdieter lui tend la lettre. Il espère avoir choisi les mots justes.

72

« HAMLET »

Renate marche dans la cour de la prison. Un espace étriqué, entre quatre murs de béton qui se dressent haut vers le ciel. Autour d'elle, des femmes parcourent le périmètre en cercle, l'une derrière l'autre, voûtées, les yeux baissés. Des bêtes en cage reprenant le chemin qu'elles ont pris la veille et l'avant-veille. Mais aujourd'hui, quelque chose – quelqu'un – est différent : Renate. Elle marche la tête haute, le buste redressé ; même les femmes qui la suivent s'en aperçoivent et devinent qu'un événement s'est produit[1].

Ce matin-là, elle avait reçu une lettre de Wolfdieter. Courte mais peu importait. C'était son écriture à lui, ses mots à lui, et aucun n'avait été censuré. Déjà, elle les savait par cœur, ces lignes disant qu'il se portait bien en prison, puis, à la fin, cette étrange phrase au sujet d'*Hamlet*. Elle avait ri. Les auteurs que lisait Wolfdieter étaient toujours si graves, si intenses : Dostoïevski, Shakespeare. Wolfdieter mentionnait une scène précise d'*Hamlet*, mais Renate n'avait pas la moindre idée de son contenu ; elle décida de demander la pièce de théâtre plus tard au surveillant. La prison avait en effet une bibliothèque, dans le cadre de la « rééducation ». *Hamlet* était sans doute parmi les ouvrages disponibles.

Jusqu'à présent, Renate n'avait pas beaucoup lu pendant son incarcération ; lire un livre lui semblait être un acte d'espoir et elle en manquait. Les cinq mois à l'isolement l'avaient presque détruite ; elle n'avait rien trouvé à quoi se raccrocher. Puis un jour où elle était sur la cuvette de

W.-C. dans sa cellule, elle avait pris le journal tenant lieu de papier toilette et découvert l'article consacré au procès de Wolfdieter. Elle avait vu sa condamnation : sept ans de prison. Elle serait libérée longtemps avant lui. Seule dans sa cellule, jour après jour, semaine après semaine, elle avait pleuré. Et pleuré encore. Elle avait versé tant de larmes qu'à un moment un gardien avait ouvert la porte et lui avait dit d'arrêter parce qu'il fallait garder assez de larmes pour sa vie d'après la prison. Quelque chose dans ce conseil l'avait touchée et elle avait cessé de pleurer. Elle s'était mise à chanter, surtout *Die Gedanken sind frei*, un chant de résistance que les opposants aux nazis reprenaient dans leurs cachots : « Elles sont libres, les pensées [...] Personne ne peut les deviner [...] ». Renate avait chanté d'une voix forte dans sa cellule, inlassablement, jusqu'à ce que les gardiens tambourinent contre sa porte.

Au bout de cinq mois, elle avait enfin été tirée de l'isolement et mise au travail dans une usine de la prison qui confectionnait des robes – un bonheur absolu, car elle côtoyait à nouveau des gens. Elle avait sympathisé avec ses compagnes de cellule, des prostituées pour la majorité d'entre elles, leur enseignait les mathématiques, les aidait à écrire à leurs familles. Mais il n'y avait pas de chœur de femmes. Pas de groupe de résistance. Cette lettre était la première chose qui lui donnait de l'espoir.

Ce jour-là, Renate s'adresse à un surveillant pour faire la demande d'*Hamlet*. Elle sait que ce sera long ; elle devra être patiente. Elle attend durant des semaines, des mois, presque une année. Puis, un beau jour, un gardien lui apporte la pièce de théâtre dans sa cellule. Les mains tremblantes, elle tourne les pages, arrive à la bonne scène, parcourt le texte jusqu'au moment où elle voit les vers que Wolfdieter lui destinait, elle en est certaine.

Ceci surtout : envers toi sois loyal,
Et aussi sûrement que la nuit suit le jour,

Il s'ensuivra que tu ne pourras pas tromper les autres.
Adieu. Que ma bénédiction fasse fructifier tout ceci[2].

Elle comprend sur-le-champ le message : ne te fie à personne, reste fidèle à toi-même. Les mots l'électrisent, et ainsi les amants, les correspondants jadis séparés par le Mur, reprennent contact, d'une cellule de prison à une autre, et font le compte à rebours des jours restants avant leurs retrouvailles.

73

LA MERCEDES DORÉE

Août 1964

Wolfdieter sait que quelque chose cloche lorsque le gardien, celui qu'ils surnomment « Pied de tabouret » (c'est ce qu'il utilise pour frapper les gens) entre dans sa cellule et lui dit de ne pas rejoindre son poste de travail[1]. Wolfdieter s'affole : *Va-t-on me mettre à l'isolement ? M'interroger à nouveau ? M'envoyer dans une autre prison ?*

Dix minutes plus tard, un autre gardien entre et conduit Wolfdieter jusqu'à une cellule où sont empilés ses vieux vêtements – ceux qu'il portait le soir de son arrivée en prison, il y a presque exactement deux ans. Le gardien lui fait signe de se changer. Il enfile les vêtements : ils flottent autour de ses bras et jambes squelettiques. Arrive ensuite un troisième gardien, qui l'emmène dans une autre cellule encore.

Wolfdieter identifie la pièce : elle sert aux détenus qui sont sur le point de quitter la prison. Mais il n'a purgé qu'un petit tiers de sa peine, il lui reste cinq ans ; il redoute qu'ils n'aient inventé un nouveau grief contre lui, une accusation supplémentaire. Peut-être que son départ pour la salle d'audience est imminent. Par la fenêtre, il aperçoit deux amis qui travaillent à la blanchisserie. Il leur adresse un geste de la main ; il veut qu'ils sachent où il est si jamais une chose terrible l'attendait.

Quelques minutes plus tard, il est escorté au rez-de-chaussée. La porte s'ouvre et le voici à l'extérieur de la prison, un agent de la Stasi armé d'un pistolet se tient devant lui. La bouche sèche, Wolfdieter suit l'homme jusqu'à une voiture et s'assoit à l'intérieur. Tandis que le véhicule roule hors du complexe pénitentiaire, il pense à Renate. Elle est sortie de prison, elle l'attend désormais. Il enfonce ses ongles dans la chair de ses mains : *Pourvu que ma condamnation ne soit pas prolongée.*

Au bout d'un trajet de deux heures, la voiture se gare près d'un vaste immeuble en béton de Berlin-Est, dont les centaines de fenêtres s'empilent haut vers le ciel. Quand il descend du véhicule, Wolfdieter voit la plaque de la rue, Magdalenenstrasse, et ses jambes mollissent. Tout le monde connaît cette adresse : c'est l'une des pires prisons de la Stasi, en plein cœur du siège de l'organisation, le bâtiment où se trouve Erich Mielke lui-même. Conduit dans une cellule, Wolfdieter s'assoit sur le lit, la lumière baissant alentour.

Cette nuit-là, il ne dort pas. Il a peur de qui pourrait franchir la porte et, comme un animal, il veut être prêt à y faire face. Tous les quarts d'heure, une cloche sonne à une église voisine. Il écoute chaque tintement pendant que, peu à peu, l'obscurité décroît et l'aurore commence à poindre. Au lever du soleil, épuisé, affamé, il surveille la porte jusqu'à ce qu'elle s'ouvre enfin. Un gardien entre avec un plateau. Quand Wolfdieter voit ce qui est posé dessus, l'eau lui en vient à la bouche. C'est un morceau de pain avec du beurre ; à côté, une saucisse. Il n'a rien mangé de pareil depuis deux ans et il engloutit la nourriture, l'esprit plongé dans une perplexité complète.

Après ce petit déjeuner, il est emmené dans une pièce où un cadre de la Stasi est assis derrière un large bureau, ses épaules ornées d'insignes. « Wolfdieter Sternheimer, vous êtes libéré aujourd'hui grâce à la générosité de Walter Ulbricht conformément au paragraphe 346 du droit pénal qui indique qu'un prisonnier peut bénéficier d'une remise de peine pour bonne conduite. »

Wolfdieter le regarde d'un air ébahi. Il n'ose pas y croire. *Bonne conduite ?* Ils ont peut-être découvert le groupe de résistance de la prison et tout cela est un stratagème.

À sa sortie de la pièce, Wolfdieter voit deux autres prisonniers : un homme maigre à la peau grise et une fille pâle, de petite taille. Derrière eux, un bel homme en costume et cravate chics. Ce dernier invite les trois détenus à le suivre et les entraîne hors du bâtiment vers une Mercedes dorée. Les trois prisonniers y montent et demeurent silencieux tandis que l'homme les conduit jusqu'à son cabinet, où il se présente : « Je suis Wolfgang Vogel, avocat. »

Ultérieurement, ils apprendront que Wolfgang Vogel travaille pour le gouvernement est-allemand, qu'il négocie des libérations de prisonniers comme celle-ci. Un jour, son nom sera célèbre pour le nombre incroyable d'échanges et de libérations qu'il a organisés mais, pour l'heure, Wolfdieter ne s'intéresse pas à lui, il veut seulement passer la frontière car, tant qu'il ne sera pas à Berlin-Ouest, rien de cet épisode ne lui semblera réel.

Bientôt, un autre avocat arrive. Il est ouest-berlinois et accompagne les prisonniers jusqu'à sa voiture. Une autre Mercedes. En regardant par la vitre les rues de Berlin-Est qui défilent, Wolfdieter se rend compte, les jambes tremblantes, que la voiture roule vers le poste de contrôle où il a été arrêté le soir de l'évasion désastreuse. Maintenant qu'il est installé dans une Mercedes, la barrière s'ouvre sans effort, la voiture gagne Berlin-Ouest et se gare devant le cabinet de l'avocat. Là, Wolfdieter voit sa mère et court, se blottit contre elle, émacié, en larmes, criant : « Ces foutus salauds ! Ces foutus salauds ! » Toute la colère, la terreur et la solitude des deux années écoulées jaillissent de lui et se répandent.

Quelques heures plus tard, Wolfdieter et sa mère sont dans un avion à destination du sud de l'Allemagne.

L'avocat avait expliqué que Wolfdieter ne pouvait pas rester à Berlin-Ouest, car il ne fallait pas que quelqu'un apprenne la libération des prisonniers : c'était la première d'une série et, si les journalistes en avaient connaissance, la prochaine pourrait bien capoter. La méthode était en effet contestable. La libération de Wolfdieter avait eu un prix : 40 000 deutsche Marks (49 300 francs français en 1964, l'équivalent de 10 400 euros actuels), payés par l'État ouest-allemand. Huit cent soixante autres détenus figuraient sur la liste, la même somme versée pour chacun. Wolfdieter était abasourdi, abasourdi que la RFA paie pour des gens de cette manière, donne de l'argent à son ennemi, la RDA.

« Et pourquoi ai-je été choisi ? » avait-il demandé.

L'avocat l'avait alors informé d'une liste secrète qu'un prêtre catholique avait fait sortir clandestinement de la prison de Brandebourg, dissimulée dans un cierge, recouverte de cire. Les poils s'étaient dressés sur la nuque de Wolfdieter quand il avait compris qu'il s'agissait de son voisin de cellule, du prêtre qui chuchotait la messe avec lui. Le groupe de résistance savait que certains avocats d'Allemagne de l'Ouest négocieraient avec leurs homologues de l'Est, mais il ne voulait pas que la Stasi décide des prisonniers à libérer. Il y avait douze mille prisonniers politiques dans les geôles est-allemandes et il importait de choisir les bonnes personnes : des gens qui croupissaient à l'isolement depuis des années, qui sombreraient probablement dans la folie s'ils ne bénéficiaient pas d'une libération anticipée ; des gens qui n'étaient pas devenus des informateurs de prison[2]. Et le nom de Wolfdieter était sur la liste. Le prêtre catholique avait réussi à porter le document clandestin jusqu'au cabinet de l'avocat à Berlin-Ouest. Quel risque énorme il avait pris, s'était dit Wolfdieter. Si les gardiens avaient découvert la liste, le prêtre aurait été renvoyé en prison, peut-être pour cinq nouvelles années. Peut-être toutes à l'isolement.

À présent, comme l'avion décrit un arc de cercle dans le ciel en direction du sud-ouest, Wolfdieter regarde par le hublot et son cœur se serre lorsqu'il la voit au-dessous de lui : la prison. Sa prison. Brandebourg.

C'est seulement à cet instant, alors qu'il survole le complexe pénitentiaire, qu'il prend pleinement conscience de sa liberté retrouvée. Et, tandis qu'il imagine ses compagnons de cellule dans la cour, sachant qu'ils auront les yeux levés vers l'avion, il aimerait pouvoir leur dire de tenir bon ; leur dire qu'un jour, plus tôt qu'ils ne le pensent, eux aussi, peut-être, retrouveront la liberté.

74

DERNIER RAPPORT

Novembre 1976

Siegfried est assis face à son officier traitant. Il y a quinze ans que la Stasi l'a recruté. L'organisation souhaite savoir si elle doit continuer à lui faire confiance. Les agents ont une mauvaise impression à son sujet, quelque chose qu'ils n'arrivent pas à définir[1].

Les résultats de Siegfried sont irréprochables : quatre-vingt-neuf arrestations, dont treize passeurs installés en Allemagne de l'Ouest. Quarante de ces arrestations étaient liées au premier tunnel, le reste à des opérations d'évasion qu'il avait révélées depuis : d'autres tunnels, des systèmes de faux passeports, une tentative de fuite dans un camion transportant de la bière[2]. L'ironie était que, comme Siegfried n'avait pas trahi le tunnel creusé sous la Bernauer Strasse, personne ne se doutait qu'il était un espion. Nul ne devina que c'était parce que Siegfried ne détenait pas les informations suffisantes pour le livrer.

Il s'était donc enhardi. Il avait invité Bodo Köhler chez lui à dîner et lui avait soutiré des renseignements autour d'une bouteille de cognac. Il avait coupé les cheveux de Wolf Schroedter à son salon de coiffure tout en le questionnant sur les nouveaux projets de tunnel. Il avait même dit à son officier traitant que Bodo Köhler vivait seul et que, s'il recevait un coup sur la tête, ou était enlevé et conduit à Berlin-Est, personne ne s'en apercevrait tout de suite. Siegfried était devenu l'un des espions les plus productifs que la Stasi avait à Berlin-Ouest mais, au bout du compte, il réussissait trop bien. Il trahit un si grand nombre d'opérations du groupe Girrmann que celui-ci se sépara en 1963. Ses membres savaient qu'ils avaient été infiltrés, sans jamais comprendre par qui. Les agences de renseignements ouest-berlinoises convoquèrent une fois Siegfried pour l'interroger, mais ne trouvèrent rien de compromettant.

La Stasi pensait néanmoins que, tôt ou tard, quelqu'un à Berlin-Ouest découvrirait que Siegfried était un espion. Par conséquent, elle le forma au chiffrage et à la communication radio unidirectionnelle puis l'envoya à Baden-Baden avec pour consigne d'infiltrer les cercles d'occupation français. Siegfried arriva, et…

Rien. Au cours des années suivantes, il passa de recrue exemplaire à nullité. Il contactait rarement ses officiers traitants, ne leur fournissait pas d'informations, et ils s'inquiétaient. Lorsque la Stasi le convoqua à Berlin-Est, il expliqua qu'il faisait de son mieux mais que personne à Baden-Baden ne voulait lui donner du travail parce que les gens avaient appris sa condamnation pour homosexualité toutes ces années auparavant. Ils tenaient à garder leurs distances. La Stasi ne le crut pas, lui reprocha d'être « extrêmement peu fiable à tous égards » et, comme un professeur déçu, le somma de réfléchir au moyen de redresser la situation[3]. Mécontent à Baden-Baden, Siegfried avait réemménagé à Berlin-Ouest, promis de redoubler ses efforts, assuré à la Stasi qu'il était « prêt à n'importe quelle tâche », mais ensuite il était retombé dans le silence, avait commencé à refuser des missions.

Il est difficile de savoir pourquoi Siegfried se conduisait ainsi. On n'a ni lettres ni journaux de sa main où puiser. Toutefois, quand on regarde ce qu'il fit ultérieurement, il semble qu'il avait des regrets. Vers la fin des années 1960, Siegfried eut une activité bénévole auprès d'Amnesty International, participa à plusieurs campagnes pour sortir des gens des prisons est-allemandes, parmi lesquels un homme appelé Günter, qu'il avait lui-même trahi. La campagne n'eut aucun effet – évidemment, puisque l'Allemagne de l'Est considérait Amnesty comme une organisation extrémiste. Alors, quand Günter fut enfin libéré, Siegfried s'occupa de lui et contribua même à créer un groupe au sein d'Amnesty pour aider les anciens détenus[4].

Ayant découvert que Siegfried travaillait pour « cette formation d'ultra-gauche », les agents de la Stasi se frottèrent les mains, le chargèrent d'en infiltrer les opérations et de leur rapporter le fruit de ses recherches. Siegfried accepta mais, à trois reprises, il ne se présenta pas au rendez-vous avec la Stasi. Aujourd'hui, quatre ans plus tard, 27 novembre 1976, ils exigent de savoir ce qui se passe vraiment.

Le rendez-vous est bref. Siegfried donne sa réponse habituelle : bien sûr, je continuerai à vous aider, pour tout ce que vous voudrez. Cependant, chaque fois que son officier traitant lui demande de faire telle ou telle chose, il trouve une raison de refuser.

C'est comme si, tel un somnambule soudain tiré du sommeil, Siegfried était revenu sur chacun de ses actes et avait été très contrarié par ce qu'il avait vu. Sa trajectoire avait été spectaculaire : informateur des plus modestes, il s'était élevé à une vitesse fulgurante, torpillant des opérations d'évasion, décrochant des primes et des médailles. Il était le genre de personne que la Stasi adorait recruter : quelqu'un qui se plaisait à livrer des informations, qui allait au-delà des espérances ; quelqu'un qui s'apercevait trop tard qu'il n'était pas obligé de faire tout ce que la police secrète lui demandait.

Malgré les pages et les pages de rapports sur Siegfried Uhse, il demeure impossible de comprendre pleinement pourquoi il a continué d'espionner aussi longtemps. Peut-être qu'il ne le savait pas bien lui-même. Siegfried parlait souvent de sa foi idéologique dans l'Allemagne de l'Est, mais ses officiers traitants ne le crurent jamais vraiment. La menace de détention à cause de son homosexualité planait toujours, et ce depuis son premier interrogatoire, pourtant de nombreux informateurs également victimes d'un chantage de la Stasi trouvaient des moyens d'être moins productifs. Maintenant, semble-t-il, Siegfried cherchait une issue. Voire une expiation.

Après l'entrevue, l'officier traitant rédige un long rapport, décrit le bon travail accompli par Siegfried mais aussi la déception des dix dernières années. Comme avec un amant dépossédé, il y a beaucoup d'interrogations sur ce qui a mal tourné, les raisons pour lesquelles Siegfried s'est éloigné. Son officier traitant finit par conclure que les agences de renseignements ouest-berlinoises ont dû l'endoctriner quand elles l'ont interrogé. L'agent de la Stasi termine ce rapport, ultime compte rendu à propos de Siegfried Uhse, par cette phrase : « Il est [...] proposé de mettre un terme à la relation avec le collaborateur secret et d'archiver les documents dans le département XII[5]. »

Ainsi, quinze ans après l'avoir pris dans ses filets, la Stasi laissa enfin Siegfried Uhse partir. Comme un crayon taillé trop de fois, il n'y avait plus grand-chose à faire du petit bout restant, sinon le jeter.

75

DANS LES AIRS

Joachim s'assoit dans l'avion. Le petit appareil tremble quand il quitte le tarmac et s'élève dans le ciel au-dessus de l'Allemagne. Joachim regarde l'aiguille de l'altimètre[1].

Mille mètres.

Deux mille mètres.

Et la voilà, cette poussée d'adrénaline familière.

Deux mille sept cents mètres.

Trois mille mètres.

Certes, Joachim n'a pas réalisé son rêve d'enfant de devenir astronaute, mais cela s'en rapproche. C'est le moment. La porte est ouverte ; il vérifie ses lanières, prend son souffle et saute.

C'est sa partie préférée.

La chute libre.

Au bout d'une petite centaine de sauts, il a trouvé comment maîtriser son corps. Tandis qu'il se laisse glisser dans l'air glacé, il tourne une hanche, cambre le dos jusqu'à la position parfaite, les bras tendus devant lui, les jambes en arrière, tombant en direction du sol.

Joachim vérifie l'altitude. Deux mille mètres. Il n'est pas encore temps d'ouvrir le parachute.

Tout avait commencé par une annonce pour un club de parachutisme qu'il avait vue dans un journal. Il ne savait pas pourquoi, mais ça l'avait attiré. Il était allé au club, s'était entraîné au cheval d'arçons jusqu'à réussir sans effort les sauts et les roulés-boulés, puis, quelques mois plus tard, il s'était rendu à Hanovre pour son premier saut. Cette première fois, il l'avait éprouvée – une sensation si enivrante qu'il avait su qu'il devrait y revenir. Ainsi avait-il recommencé, à maintes reprises, pour atteindre ce paroxysme qu'il s'apprête à connaître tandis qu'il plonge vers les champs, les arbres, les tracteurs et les vaches d'Allemagne de l'Ouest, tandis qu'il arrive à mille mètres, puis à huit cents, puis à six cents, son objectif. Et c'est pour ce moment qu'il effectue tout cela, sachant que ce qu'il fait à cette seconde déterminera s'il vivra ou mourra – Joachim qui a été chassé de sa maison et a perdu son père ; Joachim qui s'est toujours senti piégé à Berlin-Est ; Joachim qui, ne pouvant s'empêcher d'aider d'autres gens à s'enfuir, a passé des mois sous terre. Maintenant, à six cents mètres d'altitude, il éprouve sa liberté plus intensément qu'à n'importe quel autre instant de sa vie, une sensation pure et extrême de maîtrise lorsqu'il lève la tête, saisit les lanières sur ses épaules et tire d'un coup sec.

Épilogue

1989

Le 9 octobre 1989, la rumeur se répand dans la ville comme une traînée de poudre. C'est pour ce soir.

Six mois plus tôt, un petit groupe de gens avait commencé à manifester tous les lundis devant une église de Leipzig, en Allemagne de l'Est. Ils n'étaient qu'une poignée à réclamer des élections libres, mais, de semaine en semaine, ils avaient été plus nombreux à venir : cent, cinq cents, un millier, deux mille, dix mille, vingt mille, jusqu'à ce soir où, semble-t-il, chacun des habitants de Leipzig prévoit de manifester. Aux quatre coins de la ville, adolescents, mères de famille, étudiants, professeurs, médecins, chauffeurs de bus et grands-parents se penchent sur des feuilles de papier et des morceaux de carton, fabriquent des pancartes, enfilent des couches de vêtements chauds dans l'éventualité d'une arrestation. Les gens se sentent plus audacieux, non pas en raison d'un événement qui se serait produit en RDA, mais à cause de ce qui s'est passé dans le pays qui lui sert de modèle : l'URSS.

Après qu'une série de dirigeants âgés étaient morts durant leur mandat ou mourants au moment de se retirer du pouvoir, l'Union soviétique avait désormais à sa tête le presque jeune (cinquante-quatre ans) Mikhaïl Gorbatchev. Pour la première fois, la Russie communiste était gouvernée par quelqu'un qui était né après la révolution de 1917, et cela se voyait. Gorbatchev tourna le dos au stalinisme, réforma le pays grâce à ses politiques jumelles de *glasnost* (transparence) et de *perestroïka* (reconstruction économique). Il s'agissait moins d'idéalisme que de pragmatisme : l'URSS traversait une crise économique et c'était la solution mise en œuvre par le nouveau dirigeant. L'année précédente, en 1988, le président américain Ronald Reagan était venu le voir à Moscou. Là, les deux hommes avaient annoncé être dorénavant « amis », malgré la visite précédente de Reagan à Berlin, où il avait exhorté Gorbatchev à « démolir ce Mur ! ».

Il y avait quelques mois, en juillet 1989, Mikhaïl Gorbatchev avait déclaré que son armée ne soutiendrait plus les gouvernements communistes d'Europe de l'Est ; les populations pourraient choisir leurs propres dirigeants. Il appelait cela la « doctrine Sinatra », pour plaisanter : les gens pouvaient désormais faire les choses « *their way* », à leur façon. Et, très vite, c'est exactement ce qu'ils se mirent à faire.

En Hongrie, les gens élurent un nouveau gouvernement réformiste, qui démantela sa frontière de barbelés avec l'Autriche[1]. En Pologne, des élections partiellement libres eurent lieu et les communistes perdirent des centaines de sièges. À travers l'Estonie, la Lettonie et la Lituanie, deux millions de personnes formèrent la plus longue chaîne humaine de l'histoire, réclamant leur indépendance vis-à-vis de l'Union soviétique. L'un après l'autre, les pays de l'Est se détournaient du stalinisme. Seul un pays demeurait résolument, obstinément stalinien : la RDA. Malgré une économie secrète dans le commerce des armes et des prisonniers (en trois décennies, l'Allemagne de l'Est avait vendu trente-quatre mille prisonniers à l'Ouest, gagnant trois millions quatre cent mille deutsche Marks), elle était très endettée, au bord de la faillite. Son nouveau dirigeant, le septuagénaire Erich Honecker, était résolu à continuer coûte que coûte. Un médecin fou essayant de maintenir en vie un patient agonisant.

Outre les peines de prison ferme pour les dissidents, Honecker espérait obtenir la loyauté des gens par des cadeaux : de grands événements dont il pensait qu'ils éloigneraient peut-être la jeunesse de la révolution. Il organisa une série de concerts de rock – Bob Dylan, Depeche Mode, Bryan Adams, Joe Cocker – puis, en 1988, Bruce Springsteen et son E Street Band montèrent sur scène dans un vélodrome désaffecté et jouèrent pour trois cent mille Allemands de l'Est, qui dansèrent et chantèrent en chœur *Badlands*, *War* et *Born to Run*, tout en agitant des drapeaux américains cousus main. Donnons-leur un nombre suffisant de ces moments et ils en viendront peut-être à aimer le pays, se disait Honecker. En fait, quand ils rentraient chez eux à la fin des concerts et retrouvaient leur réalité banale, la plupart des gens se sentaient encore plus désireux d'une situation différente. Mais ils étaient coincés, coincés derrière l'unique chose qui, savait Erich Honecker, permettait la survie de la RDA : le Mur.

Presque trente ans après sa construction, une brèche dans le Mur relevait de l'impossible. Des garde-frontières patrouillaient l'intégralité de sa longueur – postés tous les trois cent vingt mètres le jour, tous les deux cent soixante mètres la nuit. Leur équipement consistait en 2 295 véhicules, 10 726 mitraillettes, 600 mitrailleuses lourdes ou légères, 2 753 pistolets, 992 chiens policiers, 48 mortiers, 48 canons antichars, 114 lance-flammes, 682 fusils antichars et 156 voitures blindées. C'est notamment pour cette raison que l'Allemagne de l'Est était quasi ruinée : la sécurité du Mur lui coûtait un milliard de deutsche Marks par an[2].

Néanmoins, le Mur n'était pas parfait. En dépit des Vopos et des armes à feu, chaque année, des gens réussissaient à s'enfuir. Peu, quelques centaines, mais assez pour inciter Erich Honecker à mijoter de prolonger l'existence du Mur durant un siècle, à le porter vers un haut degré de technicité, avec des détecteurs électriques et des caméras alertant les Vopos de la présence de fugitifs avant même que ceux-ci ne s'approchent, évitant les morts brutales qui faisaient encore la une de temps en temps et embarrassaient le gouvernement.

Pour protéger la frontière, il comptait aussi sur la Stasi. Dans les années 1960, elle n'avait que quelques milliers d'employés, mais l'effectif avait augmenté au point d'atteindre, en 1989, un total de 274 000[3].

Les tunnels étaient maintenant désuets ; plus de soixante-dix avaient été creusés au début des années 1960, mais dix-neuf seulement achevés et utilisés avec succès – y compris un tunnel « du troisième âge », creusé par douze vieilles personnes depuis un poulailler. La plupart des tunnels furent dénoncés avant d'être terminés, ou s'effondrèrent, ou ne furent pas terminés faute d'argent. Les gens recoururent à des moyens de plus en plus imaginatifs, comme Winfried Freudenberg, un ingénieur de trente-deux ans au visage poupin qui fabriqua une montgolfière haute de treize mètres avec des feuilles de polyéthylène, grimpa dedans le 8 mars 1989, s'envola au-dessus du Mur mais en perdit le contrôle, montant à deux mille mètres dans l'air glacé, où il flotta pendant cinq heures avant de s'écraser au sol et de mourir sur le coup, les os brisés. Il serait la dernière personne à périr à Berlin dans une tentative d'évasion.

La majorité des habitants avaient à cette heure accepté le Mur comme un fait inéluctable. Il avait survécu au président Kennedy, malgré le discours prononcé lors de la visite officielle de 1963, puis à cinq autres présidents américains. En général, les Berlinois de l'Ouest ne prêtaient pas attention à lui et n'en pouvaient plus des touristes qui continuaient à venir le voir par milliers, photographiant les grands blocs de béton couverts de rosiers, de clématites, de fresques et de graffitis.

Mais, tandis que le Mur persistait, solide, une nouvelle issue de secours était apparue : le chemin détourné. La frontière entre la Hongrie et l'Autriche étant désormais ouverte, des quantités d'Allemands de l'Est se rendaient en Hongrie au volant de leurs Trabant et passaient la frontière avec l'Ouest. Lorsque la fin des années 1980 arriva, ils étaient aussi des centaines de milliers à faire une demande de départ au travers d'un permis de sortie; Honecker autorisait en effet un certain nombre de gens à partir chaque année, estimant qu'il valait mieux que ses opposants s'en aillent plutôt qu'ils ne restent et ne causent de l'agitation.

Les gens qui laissaient la RDA derrière eux éprouvaient souvent de la suffisance. *Der doofe Rest* – « les idiots de restants » –, ainsi certains décrivaient-ils ceux qui ne s'exilaient pas. Mais depuis quelques mois, alors qu'ils voyaient le monde changer autour d'eux, au lieu de demander à partir, ces « idiots de restants » avaient une nouvelle exigence plus inquiétante pour le gouvernement: ils ne voulaient pas quitter le pays et réclamaient que le gouvernement, lui, s'en aille.

La vitesse du changement avait surpris tout le monde, mais le parti se défendait. Le 7 octobre 1989, la RDA avait fêté son quarantième anniversaire avec une immense parade militaire dans Berlin. Des chars. Des drapeaux rouges. Un défilé aux flambeaux. Deux jours plus tard, alors que le pays se prépare à manifester, la Stasi élabore sa stratégie pour vaincre ce mouvement. Elle est à présent une petite armée dotée de ses propres avions et véhicules de transport de troupes, de milliers de mitrailleuses et de missiles antichars. Et son chef demeure Erich Mielke. À quatre-vingt-un ans, il est plus belliqueux que jamais et compte poursuivre le combat. Mais, tel un chien blessé qui riposte tandis que sa fin approche, il devient de plus en plus imprévisible. De plus en plus dangereux.

La veille, il avait émis une alerte rouge, donnant aux hommes de la Stasi la permission de tuer dans les rues. Il avait vu, plus tôt dans l'année, l'armée chinoise tuer des centaines de manifestants sur la place Tiananmen et il somma les commandants de la Stasi d'en prendre bonne note. Puis il activa son plan secret pour le « jour X », le jour de crise qui, savait-il, était arrivé[4]. Il ordonna aux commandants des branches locales de la Stasi d'ouvrir des enveloppes secrètes, à l'intérieur desquelles se trouvaient les ordres d'arrêter et d'emprisonner quatre-vingt-cinq mille neuf cent trente-neuf Allemands de l'Est. Mielke avait établi un emploi du temps afin que ces arrestations soient échelonnées : huit cent quarante personnes toutes les deux heures. Elles seraient mises dans des prisons, des camps de concentration, des usines, des écoles, des hôpitaux ; chacune d'elles recevrait deux paires de chaussettes, deux serviettes de toilette et une brosse à dents, sans oublier un stock de protections hygiéniques pour les femmes. Mielke avait fait tout ce qu'il pouvait.

À présent, comme le crépuscule tombe sur le 9 octobre, il attend. Au siège de la Stasi à Leipzig, les hommes sont postés aux fenêtres avec des fusils et pistolets chargés, des grenades à main.

Partout dans la ville, les gens font des calculs. Ils savent à quoi ils se heurteront : ils ont vu la police anti-émeute armée de boucliers bloquer les grands axes, ils ont vu les soldats avec leurs mitraillettes plaquées contre la poitrine, et le bruit court déjà que ce sera la place Tiananmen de la RDA. Les hôpitaux se sont procuré des stocks de sang supplémentaires et se tiennent prêts à une arrivée massive de blessés. Les gens savent que, s'ils sortent ce soir, ils pourraient ne jamais rentrer.

Alors, une par une, des lueurs tremblantes surgissent dans Leipzig. Bougies à la main, des gens s'avancent dans les rues sombres et se dirigent vers la place principale. Au début, ils sont peu nombreux ; puis, regardant par leurs fenêtres et apercevant le cortège illuminé, d'autres prennent courage. Ils enfilent un gros manteau, allument une bougie, disent au revoir et s'en vont. Bientôt, ils sont des milliers, des dizaines de milliers, soixante-dix mille au total à remplir les rues, à chanter des cantiques, à réclamer des élections, la liberté, la démocratie, jusqu'à ce qu'un slogan prédomine et que la foule scande inlassablement :

WIR SIND DAS VOLK!
– NOUS SOMMES LE PEUPLE !

Comme la multitude augmente, les gens regardent autour d'eux, en croyant à peine leurs yeux, échangeant des coups d'œil incrédules, surveillant les policiers qui les cernent, terrifiés par ce qu'ils pourraient faire. La dernière fois qu'une manifestation semblable a eu lieu, c'était en 1953, quand Joachim et ses amis avaient défilé dans les rues et que les chars soviétiques avaient écrasé des adolescents.

Par des caméras dissimulées aux angles de rues, les hommes de la Stasi observent la manifestation qui enfle, tâchant de trouver comment répliquer. Ils écoutent les chants. Les slogans. Ils observent plusieurs policiers qui se joignent à la clameur. Et ils se rendent compte qu'ils assistent à la scène la plus terrifiante qu'ils aient jamais vue, à la perte de l'unique chose qui garantissait la loyauté de la population : la peur.

Le commandant du siège de la Stasi à Leipzig sait qu'il doit prendre une décision. Vite. Certes, il a le soutien de Mielke pour commencer à tirer, mais il sent qu'avec un tel nombre de manifestants, le moindre coup de feu pourrait déclencher la guerre civile. Et, comme il regarde ses hommes, postés aux portes et aux fenêtres du bâtiment, pistolets et mitraillettes chargés dans les mains, il finit par trancher.

Il ferme la porte à clé.

Ce soir-là, il n'y a pas de fusillade. Pas de chars. Pas de cadavres. Et le lendemain, tout est différent. Les gens qui avaient compris quelles étaient les règles, compris les limites de leur pouvoir, savent que les choses ont changé. Une nouvelle ère s'ouvre, dans laquelle ils peuvent prendre des risques, tester les bornes, voir jusqu'où il est possible d'aller. De nouveaux partis et syndicats se forment, les défilés se multiplient à travers l'Allemagne de l'Est, gagnent Potsdam, Dresde, Rostock, Halle, Magdebourg et, dans chaque ville, les manifestants visent le même endroit : le siège local de la Stasi. Tandis que les foules scandent, chantent et crient, à l'intérieur les employés de la police secrète font ce qu'ils excellent à faire : ils rédigent des rapports détaillés sur tout ce qu'ils voient et entendent.

Pendant ce temps, le parti s'affole. Ses membres congédient leur chef, Erich Honecker, espérant que cette mesure suffira.

Il n'en est rien.

Les manifestations continuent de grossir.

Le parti annonce un nouveau dirigeant, un homme au visage chevalin et aux grandes dents – Egon Krenz – qui promet des réformes.

Trois cent mille personnes se rassemblent à Leipzig, brandissent des pancartes raillant Krenz et sa « tête de cheval ». Elles exigent son départ.

Le 4 novembre se tient une manifestation différente de toutes les autres. Jusque-là, c'est seulement dans des villes en dehors de Berlin-Est que les gens ont eu le courage de protester dans la rue. À Berlin-Est, où les habitants sentent le regard de Mielke depuis « la maison aux mille yeux », peu ont eu cette audace. Mais ce soir-là, et au cours de la semaine qui va suivre, des dizaines de milliers de personnes se massent devant le siège de la Stasi, l'édifice où tant de gens ont été interrogés et emprisonnés. À l'intérieur, Erich Mielke, assis à son bureau, dactylographie les slogans qu'il entend derrière les fenêtres : « Le feu aux bâtiments, dehors les salauds de la Stasi, tuez-les[5] ! »

Le 9 novembre, les membres du Politburo se réunissent. Une action majeure s'impose pour sauver le pays, et ils finissent par imaginer une solution, un geste dont ils espèrent qu'il calmera les protestations. Ils vont assouplir les restrictions de voyage, permettre à tout citoyen de quitter le pays s'il demande une autorisation écrite, ne refuser que dans des cas particuliers. Une fois la décision prise, ils chargent l'un des leurs, Günter Schabowski, de parler à la presse. Schabowski est nerveux. Il n'a pas participé à la réunion, ne connaît pas vraiment les détails, mais il se résout à improviser.

Juste avant dix-huit heures, Günter arrive au centre de presse international de la Mohrenstrasse et s'assoit à une longue table devant des journalistes qui travaillent pour des télévisions et des titres de presse du monde entier. Il y a d'autres points à l'ordre du jour ; son annonce vient une heure plus tard, à la fin de la conférence de presse, quand la moitié des journalistes sont endormis. Littéralement. L'air épuisé, Günter Schabowski fait la lecture de la feuille qu'il a reçue, dévoilant aux journalistes le nouveau règlement.

Des visages déconcertés. Des murmures. Un journaliste demande s'il s'agit d'une erreur. Schabowski confirme que ça n'en est pas une. Puis une autre question : « Quand cette nouvelle disposition entrera-t-elle en vigueur ? »

Assailli par l'embarras, Schabowski se rend compte qu'il n'en sait rien. Il baisse les yeux, retourne sa feuille, y cherche une réponse, mais n'en trouve pas. Il regarde les journalistes. « Elle entrera en vigueur... euh... à ma connaissance... immédiatement. »

Les journalistes quittent la pièce, toujours déconcertés, et commencent à classer les reportages. Puis, à dix-neuf heures cinq, l'Associated Press condense la longue déclaration de Schabowski en une phrase pleine de force : « D'après les informations fournies par le membre du

Politburo du SED Günter Schabowski, la RDA ouvre ses frontières. »

Les chaînes de télévision la reprennent et, en l'espace d'une heure, une centaine de personnes se présentent dans divers postes de contrôle et demandent à rejoindre Berlin-Ouest.

Les garde-frontières leur disent de revenir le lendemain.

Plus de gens arrivent, deux cents, quatre cents, et bientôt des milliers se pressent aux postes de contrôle, exigeant de partir, poussant les cloisons. C'est le début d'une ruée.

Schabowski avait cafouillé. La nouvelle réglementation ne devait prendre effet que le lendemain et, même alors, les gens étaient censés demander une autorisation, non pas se précipiter sur place.

Erich Mielke appelle Krenz et lui explique ce qui se passe. Les deux hommes discutent, effleurent l'idée de fermer totalement la frontière, d'y envoyer des chars, mais ils savent que c'est trop tard. Et donc, finalement, Erich Mielke abandonne son combat et ne peut que regarder, en simple spectateur, le pays qu'il a passé sa vie à construire et à défendre tomber en ruine à une vitesse folle.

Aux postes de contrôle, les officiers constatent que la situation devient périlleuse – d'ici peu, une bousculade pourrait causer des centaines de morts. Alors, l'un d'eux se décide.

Il ouvre la frontière et laisse les gens passer.

Et ainsi, ils entrent à flots : des mères qui n'ont pas vu leurs enfants depuis des années, des adolescents en pyjamas qui accourent main dans la main, des vieillards en manteaux épais qui s'appuient sur des cannes, les mains tremblantes d'excitation, et s'effondrent dans les bras de Berlinois de l'Ouest venus les accueillir, tous riant, pleurant, acclamant alors qu'ils regardent les gens grimper jusqu'en haut du Mur et danser, hurler et chanter dans la lumière éblouissante des projecteurs, au-dessus de la ville qui a été divisée en une seule nuit, puis est demeurée, durant trois décennies, coupée en deux, et qui est aujourd'hui enfin réunie.

Postface

Dans son appartement, Joachim demande si nous pouvons interrompre l'entretien pour boire un peu d'eau.

Evi apporte une carafe, avec une assiette de biscuits, puis elle s'assoit pour me montrer des photos de leur vie commune. Il y a une photographie d'eux le jour de leurs noces, Joachim vêtu d'un costume sombre et d'une cravate rouge, et Evi, les cheveux coupés au carré, habillée d'une courte robe blanche et chaussée d'escarpins à petits talons. Joachim se tient légèrement derrière elle, comme en appui ; Evi a l'air au comble du bonheur. Ils se sont mariés en 1971, six ans après qu'elle eut divorcé de Peter.

Outre les photos, Evi me montre son dossier de la Stasi. Elle n'en a appris l'existence que récemment, en 2017. Quelques années plus tôt, en visitant un musée, elle avait lu des informations sur tous les dossiers dévoilés et elle avait déposé une demande, sans s'attendre à une réponse. Mais, un jour, était arrivée une lettre qui l'invitait aux archives de la Stasi sur l'Alexanderplatz. Là, elle avait découvert son propre dossier, long de soixante-dix pages, et compris que deux de ses voisins – « Walter » et « Wilhelm » – les avaient épiées, elle et sa famille, des années durant.

De tels dossiers furent trouvés par millions dans les bureaux de la Stasi lorsque les manifestants défoncèrent leurs portes d'acier à l'aide de briques, les envahirent et tombèrent sur des caves secrètes débordantes de champagne, d'ananas et de pêches, et qui contenaient aussi des dizaines de milliers de sacs pleins de papiers. Certains dossiers étaient intacts, des centaines de milliers d'autres en lambeaux.

Ainsi commença le processus d'*Aufarbeitung der Vergangenheit* – d'examen critique du passé. Au fur et à mesure de la reconstitution des dossiers, le degré auquel la Stasi avait manipulé et contrôlé la vie des gens à l'Est apparut, à la stupeur de ceux qui avaient connu ce régime : les micros, les caméras, le népotisme, les brutalités ; puis les bizarreries les plus macabres, comme les substances radioactives que la Stasi mettait dans les vêtements des personnes afin de les suivre à la trace, sans aucun égard pour leur santé à long terme[1].

En 1991, le parlement allemand adopta une loi autorisant la consultation des dossiers dans l'optique de démasquer les criminels et informateurs de la Stasi. En quelques années, plus de trois millions d'habitants demandèrent à voir leurs dossiers et découvrirent ce qui était réellement arrivé à leurs amis et aux membres de leurs familles ayant disparu ou été tués près du Mur. Comme Evi, beaucoup s'aperçurent qu'un ami, un frère, une sœur, même un parent ou un enfant les avait trahis, et des liens furent détruits à travers tout le pays. Les Allemands de l'Ouest aussi furent choqués de découvrir que la Stasi avait placé des milliers d'espions chez eux, infiltrant leurs agences de renseignements, leurs journaux, leurs entreprises, leur police, leur personnel politique[2].

Ironiquement, la Stasi avait consigné de façon si méticuleuse les moindres détails de la vie à l'Est que ses écrits furent utilisés pour monter des dossiers contre les responsables des pires violences. Alors que le nombre de gens tués autour du Mur a été relativement bas (environ cent quarante), le total de ceux qui moururent des mains de l'État depuis sa création s'est élevé, selon les estimations les plus hautes, à cent mille[3].

Le procès le plus retentissant fut celui d'Erich Mielke. L'instance commença lorsque le nouveau parlement le convoqua quelques jours après la chute du Mur. Tel le magicien d'Oz niant l'effondrement de son royaume, Mielke bomba le torse et prononça un discours dans lequel il prétendit maîtriser la situation et affirma que la Stasi était la meilleure gardienne de la RDA. Comme les nouveaux parlementaires le huaient et le sifflaient, il recula, bégayant et bredouillant, peu habitué à ce sentiment de rejet ; il finit par lever les bras et crier, au bord des larmes : « Mais je vous aime tous ! J'aime tous les êtres humains ! » L'homme le plus craint d'Allemagne de l'Est, l'homme qui avait vécu dans une maison magnifique avec piscine intérieure, fut arrêté, mis à l'isolement et, en 1993, condamné à six ans de prison pour le meurtre de deux policiers en 1931 – les seuls chefs d'accusation pour lesquels les preuves étaient suffisantes[4]. En 1995, il bénéficia d'une libération anticipée pour raisons de santé et mourut cinq ans plus tard. Avant de s'éteindre, il demanda comme ultime requête à consulter son propre dossier de la Stasi, devinant à juste titre qu'il en existait un sur lui[5].

Il y eut quelques autres procès très médiatisés concernant des garde-frontières qui avaient tué des fugitifs près du Mur ; les rares à être déclarés coupables ne reçurent que des peines courtes ou avec sursis. Puis il y eut certains employés de la Stasi qui essayèrent de se racheter : ils furent une centaine à parler publiquement de leur travail et à exprimer des regrets. Mais la majorité d'entre eux se fondirent dans la masse et espérèrent que jamais personne ne découvrirait ce qu'ils avaient fait[6].

Pendant ce temps, leurs victimes demeuraient souvent prisonnières du passé, dans l'idée fixe de trouver ceux qui les avaient trahis. À une période, deux des victimes de Siegfried Uhse ayant passé des années en prison le dépistèrent, demandèrent aux autorités de le traduire en justice, mais celles-ci dirent qu'il était trop tard, que ses crimes remontaient à une époque trop lointaine. Durant mon entretien avec Wolfdieter, l'unique moment où l'émotion le saisit fut lorsqu'il évoqua Siegfried Uhse : il me raconta qu'il le cherchait depuis des lustres, me montra une chemise pleine de photos, se dit convaincu qu'il était vivant quelque part. Néanmoins, il n'était pas sûr de ce qu'il ferait s'il réussissait un jour à le retrouver.

Quand on parle avec des gens qui ont vécu derrière le Mur, ce sont ces trahisons personnelles qui semblent avoir causé les souffrances les plus profondes : des enfants trahis par leurs parents, des parents trahis par leurs enfants, des amis trahis l'un par l'autre. Ils veulent savoir pourquoi et comment quelqu'un a pu commettre un acte pareil, et moi-même je me demande ce que Siegfried dirait ; s'il y a une réponse qu'il pourrait donner pour expliquer la décision qu'il a prise dans cette salle d'interrogatoire, à l'âge de vingt et un ans…

C'est maintenant le soir et, dans l'appartement de Joachim, la pénombre nous environne. Nous nous levons et nous dégourdissons les jambes, nous approchons des fenêtres où les lumières de Berlin scintillent en contrebas. Même s'il n'en reste plus grand-chose, la ville doit encore une large part de son identité au Mur. Joachim me raconte que, dans les jours qui ont suivi l'ouverture de la frontière, il marchait jusqu'au Mur et, immobile sous son parapluie, il le regardait être démonté, bloc par bloc. Des morceaux seraient bientôt vendus à des musées et à des acquéreurs privés du monde entier, au grand soulagement de beaucoup d'habitants qui vivaient à côté et voulaient oublier qu'il avait existé[7]. Aujourd'hui, hormis quelques sections ici et là, il n'y en a presque plus de trace ; seulement une bande de granit, gris foncé, au sol, et l'inscription *Berliner Mauer 1961-1989*.

Joachim et moi parlons de ce qui s'est passé dans les années postérieures à la chute du Mur, au *Wende* – le « tournant ». Des amateurs de techno ont afflué à

Berlin-Est, créant un paradis pour les raveurs dans les centrales électriques et les bunkers abandonnés, dansant dans des lieux où, peu de temps auparavant, ils auraient péri sous les balles. Des centaines de milliers de travailleurs est-allemands sont allés dans l'autre sens, voulant à tout prix faire l'expérience de la vie en Allemagne de l'Ouest, ont acheté des Toyota resplendissantes pour leur nouvelle vie et sont partis à Majorque en voyage organisé, avant de s'apercevoir que leur ancienne vie à l'Est leur manquait – la gratuité de l'enseignement et des services médicaux, l'esprit de solidarité – et d'être submergés par l'*Ostalgie*, nostalgie de la vie à l'Est. Car, en 1989, la majorité des Allemands de l'Est n'avaient connu que l'existence derrière le Mur et celle-ci, pour eux, était normale. Mais voilà que, soudain, ils étaient des curiosités exotiques; le monde qu'ils avaient connu, leur disait-on, appartenait au passé.

Nous parlons des villes et des bourgs d'Allemagne de l'Est qui ont perdu leur raison d'être, dont les usines polluantes vieillies ont fermé, où des milliers d'ouvriers ont été licenciés, puis ont massivement rejoint l'extrême droite en quête d'une nouvelle idéologie à laquelle croire.

Et nous parlons du « *Mauer im Kopf* » – « Mur dans la tête » – en référence au mur psychologique qui persiste, un grand nombre d'Allemands continuant à se considérer comme Ossis (gens de l'Est) ou Wessis (gens de l'Ouest). Joachim me dit que, chaque fois qu'il rencontre des personnes de sa génération, il sait toujours s'il s'agit d'un Ossi ou d'un Wessi parce que, au fond, ils ont vécu des vies complètement différentes; l'Est demeure nettement plus pauvre que l'Ouest et il faudra encore des années pour que les deux Allemagne se sentent une.

Au moment où nous nous apprêtons à terminer l'entretien, Joachim me demande si je souhaite les voir: les chaussures qu'il a trouvées dans le tunnel quelques instants avant que les parois se désagrègent. Il se dirige vers sa chambre et réapparaît, la minuscule paire au creux de sa main. Elles sont en cuir beige; jadis souples sur le dessus, elles se sont raidies avec le temps. Je les retourne et, sous les semelles, je distingue des fragments de boue du tunnel, toujours là six décennies plus tard.

Je rends les chaussures à Joachim, qui les prend d'un geste protecteur. Elles ont une valeur particulière pour lui, souvenirs de l'époque où il consacra six mois de sa vie à aider plusieurs dizaines d'inconnus. Mais elles sont particulièrement chères à son cœur pour une autre raison aussi: c'était en effet Annet, la fille d'Evi, devenue sa belle-fille, qui les avait perdues près de la sortie du boyau. Evi et lui les conservent dans leur chambre, en hommage au tunnel ayant mené vingt-neuf personnes à l'Ouest et apporté une famille à Joachim.

Pour finir, je demande à Joachim son avis sur les murs du monde actuel, car la planète en est plus hérissée que jamais: il y a celui à la frontière entre les États-Unis et le Mexique, la barrière qui sépare Israël de la Cisjordanie et de Gaza, le mur entre l'Égypte et Israël, la Jordanie et la Syrie, la Turquie et la Syrie, la Grèce et la Macédoine, la Macédoine et la Serbie, la Serbie et la Hongrie, le Koweït et l'Irak, l'Iran et le Pakistan, la Malaisie et la Thaïlande, le Pakistan et l'Inde, l'Inde et le Bangladesh, la Chine et la Corée du Nord, le Botswana et le Zimbabwe, le Zimbabwe et l'Afrique du Sud – des milliers et des milliers de kilomètres de murs séparant des pays dans le monde entier, souvent accompagnés de miradors, de mines, de clôtures électriques, de véhicules blindés, de caméras infrarouges, de chiens, exactement comme le mur de Berlin.

En outre, il y a les murs à l'intérieur des pays: les « murs de la paix » qui divisent les quartiers protestants et catholiques en Irlande du Nord, les murs qui séparent les communautés les unes des autres au Cap, à Lima et à Sao Paulo, les murs pare-souffle qui entourent des zones de Bagdad et de Damas. Il y en a qui s'étendent dans le désert, tel le mur marocain long de deux mille sept cents kilomètres, et même des projets de barrière flottante en mer, au large de l'île de Lesbos, visant à faire obstacle aux traversées par bateau depuis la Turquie.

Comme à son habitude, Joachim est pensif. Il souligne que les politiques derrière bon nombre de ces murs varient : au fond, certains sont construits pour empêcher des gens de s'enfuir, d'autres pour empêcher des gens d'entrer ; certains sont élevés pour contenir la violence et y réussissent, d'autres sont érigés pour donner à un pays un sentiment d'identité.

Puis une idée lui vient. « Mais ils ont tous un point commun », observe-t-il. Tenant les chaussures dans sa paume, il poursuit : « Partout où il y a un mur, les gens essaient de passer par-dessus. » Puis il conclut en riant : « Ou en dessous. »

CE QU'ILS ONT FAIT ENSUITE

Piers Anderton a quitté NBC en 1964 et travaillé pour deux autres chaînes (ABC et KNBC) avant d'arrêter le journalisme en 1971 et de s'installer en Angleterre, dans le Sussex. Il est mort d'un cancer en 2004.

Reuven Frank est devenu président de NBC en 1968. Il a effectué deux mandats. *The Tunnel* a été son plus grand succès : le film a remporté trois Emmy à la cérémonie de 1963, dont la récompense la plus convoitée, « programme de l'année ». Lorsqu'il s'est adressé sur scène aux cinquante millions de téléspectateurs, il a critiqué les immixtions du ministère des Affaires étrangères, puis dédié les récompenses à l'équipe de creusage du tunnel[1]. Après sa mort en 2006, une notice nécrologique du *New York Times* a décrit Reuven Frank comme un « père fondateur du journalisme audiovisuel[2] ».

Joan Glenn a continué son travail pour le groupe Girrmann, même si l'ambassade américaine à Berlin-Ouest l'avait avertie que la Stasi la surveillait. Lorsqu'elle a fini par quitter le réseau d'évasion de Berlin-Ouest, elle est restée en RFA, menant une activité occasionnelle de traductrice.

Hasso Herschel a creusé de nouveaux tunnels – dénoncés par des espions pour certains, couronnés de succès pour d'autres. Associé à un camarade, Burkhart Veigel, il a imaginé un système d'évasion inédit grâce auquel quantité de gens ont pu passer la frontière, cachés dans une Cadillac. Plus tard, il a géré des boîtes de nuit et des restaurants. Il vit maintenant dans une exploitation ovine près de Berlin.

Erich Honecker, qui dirigeait la RDA au moment de la chute du Mur, a été arrêté en 1990 pour suspicion de corruption et de haute trahison. Il s'est enfui à Moscou mais, deux ans plus tard, a été extradé vers Berlin pour être jugé. Néanmoins, atteint d'un cancer du foie en phase terminale, il a obtenu la suspension de son procès. Il est mort au Chili en 1994.

Le président **John Fitzgerald Kennedy** a été assassiné à Dallas, au Texas, cinq mois après sa visite à Berlin-Ouest. Des dizaines de milliers d'Allemands de l'Ouest se sont de nouveau rendus sur la place de l'Hôtel de Ville, flambeaux à la main, pour pleurer sa mort. Même si le Mur a survécu à Kennedy et à cinq autres présidents américains, aucun d'eux n'a renié la promesse de soutien faite dans son discours et Khrouchtchev ne s'est plus jamais mêlé des affaires de Berlin-Ouest.

Uli Pfeifer a aidé au creusage de trois autres tunnels, qui ont tous échoué. À la fin des années 1960, il a traversé l'Afrique en Land Rover avec Hasso Herschel et, à son retour en Allemagne, il a monté sa propre entreprise d'ingénierie. Lorsqu'elle est sortie de prison, son ancienne amoureuse Christine est devenue, sous la contrainte, informatrice pour la Stasi; cependant, à la différence de Siegfried Uhse, elle n'a jamais livré d'informations utiles à l'organisation, qui l'a libérée au bout de deux ans. Christine s'est mariée et a eu des enfants, de même qu'Uli. Ils se sont retrouvés le 9 novembre 1989 et ont dîné ensemble quelques heures avant la chute du Mur. Veuf depuis 2015, Uli habite à Berlin-Ouest et continue à voir Christine de temps en temps.

Evi Rudolph a poursuivi son travail de bibliothécaire jusqu'à son départ à la retraite en 1992. Quand les Berlinois de l'Ouest ont enfin eu le droit de rendre visite à leurs familles et amis installés à Berlin-Est en 1972, Evi a demandé une autorisation pour voir ses grands-parents. Mais, à cette date, son grand-père était mort et sa grand-mère, victime de démence sénile, ne la reconnaissait plus. Sa fille Annet est devenue enseignante et a deux fils.

Joachim Rudolph a fini par obtenir son diplôme d'ingénieur en télécommunications malgré toutes les semaines consacrées au tunnel plutôt qu'à ses études. Après l'université, il a travaillé avec les frères Dehmel comme ingénieur du son, puis est devenu professeur de mathématiques et de physique et a enseigné dans une école au Nigéria. En 2012, il a reçu l'une des plus prestigieuses distinctions d'Allemagne, la croix fédérale du mérite, pour son courage dans la construction du tunnel. Joachim vit à Berlin avec sa femme Evi.

Wolf Schroedter a aidé au creusage d'autres tunnels avec une partie des fonds de NBC. Il a abandonné l'un d'eux après avoir entendu des bruits souterrains et compris que la Stasi creusait dans sa direction pour lui couper la route. Wolf vit au milieu d'une forêt proche de Berlin avec sa femme et un beau chien de Rhodésie.

Hans Conrad Schumann, le jeune garde-frontière que l'on voit sauter par-dessus les barbelés dans la célèbre photographie, s'est marié et a travaillé dans une usine automobile en Allemagne de l'Ouest. Après la chute du Mur, Schumann est allé voir sa famille à l'Est, où il a découvert que beaucoup le considéraient comme un traître. Déprimé, sombrant dans l'alcool, il s'est pendu.

Ellen Sesta a écrit un livre sur sa participation à l'opération du Tunnel 29. Intitulé *Der Tunnel in die Freiheit* (*Le tunnel vers la liberté*), il a été publié peu après le décès de Mimmo.

Luigi Spina et **Mimmo Sesta** sont allés à Paris, Rome, Vienne et Zurich pour vendre des photos et des séquences de l'évasion à des magazines et à des chaînes de télévision. Grâce à une partie de cet argent, Mimmo a pu financer son mariage avec Ellen fin 1963. Il est mort d'une crise cardiaque en 2002.

Renate et **Wolfdieter Sternheimer** sont restés séparés par le Mur pendant une année après la sortie de prison de Wolfdieter, car ils estimaient qu'une nouvelle tentative de passage à l'Ouest était trop risquée. Wolfdieter allait voir Renate à Berlin-Est le week-end, mais ils étaient persuadés qu'il y avait des micros cachés dans son appartement et ne s'y sentaient pas en sécurité. Un soir, Renate a dit à Wolfdieter qu'ils devraient rompre, qu'il devrait se trouver une compagne à Berlin-Ouest. Mais, en secret, Wolfdieter avait engagé des avocats pour négocier le départ de Renate. En septembre 1965, à la gare de la Friedrichstrasse, Renate a franchi la frontière avec Wolfdieter et ils se sont mariés quelques années plus tard. Tous les 8 août, date anniversaire de leur arrestation, Wolfdieter et Renate mangent au restaurant et fêtent leur vie commune, leurs deux superbes fils et leur refus d'avoir laissé la Stasi détruire leur existence. À la fin de la soirée, ils lèvent leurs verres et lancent: « *Ätsch !* » (« Bien fait ! »)

Claus Stürmer voulait aider au creusage d'autres tunnels, mais sa femme, Inge, a dit stop. Cela suffisait avec les émotions.

Siegfried Uhse n'a jamais retravaillé pour la Stasi après l'entrevue de 1977. On ne sait presque rien de ce qui lui est arrivé ensuite. Il semble qu'il soit mort en 2007, d'une maladie du foie, en Thaïlande[3].

Joachim et Evi le jour de leur mariage, le 7 juin 1971.

Le 7 Schönholzer Strasse aujourd'hui. À gauche de l'entrée, la plaque commémorative du Tunnel 29 porte l'inscription suivante : « Dans la cave de cette maison se terminait un tunnel long de 135 mètres, creusé depuis Berlin-Ouest, par lequel 29 personnes réussirent à rejoindre l'Ouest les 14 et 15 septembre 1962. Construit par des hommes courageux, qui choisirent cette voie périlleuse afin de pouvoir à nouveau serrer dans leurs bras leurs femmes, enfants, parents et amis, il a connu une célébrité mondiale sous le nom de « Tunnel 29 ». Aux alentours de la Bernauer Strasse, douze tunnels au moins furent commencés, dont trois seulement aboutirent. Les autres projets échouèrent – pour la plupart à cause d'une dénonciation. Ces voies d'évasion souterraines montrent le désespoir des gens après la construction du mur de Berlin et leur désir de trouver un chemin, par-delà une frontière inhumaine, jusqu'à la liberté. »

LIEUX

Après la sortie des podcasts de la BBC, beaucoup d'auditeurs m'ont contactée pour me demander si je pouvais donner le détail des adresses berlinoises liées aux événements de Tunnel 29. *Voici donc une liste. Quelques bâtiments ont changé au point d'être impossibles à reconnaître, mais la plupart sont restés intacts, beaucoup étant aujourd'hui des musées destinés à conserver des souvenirs de l'époque du Mur.*

Ancien Berlin-Ouest

Haus der Zukunft – Maison de l'avenir : siège du groupe Girrmann, le plus vaste réseau d'évasion de Berlin-Ouest. Goethestrasse 37, Zehlendorf.

Appartement de Siegfried Uhse à Berlin-Ouest : Augsburger Strasse 21, Schöneberg.

Camp de réfugiés de Marienfelde : aujourd'hui un musée. Marienfelder Allee 66/80.

Cave ouest-berlinoise à partir de laquelle Joachim et ses amis ont creusé le tunnel, sous l'usine de pailles : Wolgaster Strasse. Le bâtiment lui-même n'existe plus.

Appartement avec vue sur le Mur où Harry Thoess avait placé la caméra de NBC pour filmer l'évasion : Ruppiner Strasse.

Réplique du Tunnel 29 : au sein du Berliner Unterwelten-Museum dans le quartier de Wedding. Le musée propose des visites guidées sur l'histoire des profondeurs de Berlin, depuis les bunkers jusqu'aux voies d'évasion souterraines. Brunnenstrasse 105.

Maison de la CIA où Mimmo parla aux Américains de la fuite d'eau : « P9 », Podbielskiallee 9.

Checkpoint Charlie : poste de contrôle par lequel passaient Mimmo et Gigi quand ils allaient voir Peter et Evi à Berlin-Est. Friedrichstrasse 43-45.

Mémorial du mur de Berlin : du haut d'une plateforme d'observation, on découvre une portion de soixante-dix mètres du mur d'origine équipée d'un mirador. Ce site contient aussi l'émouvante « fenêtre du souvenir », un ensemble de photos des gens qui sont morts à proximité du Mur. Bernauer Strasse 111.

La station RIAS, *Rundfunk im amerikanischen Sektor,* se trouvait sur la Hans-Rosenthal-Platz, à Schöneberg. C'est maintenant le siège de Deutschlandfunk, l'une des chaînes de radio publiques les plus appréciées d'Allemagne.

John-F-Kennedy-Platz : place où le président Kennedy prononça son célèbre discours en 1963, située près de la Rathaus (mairie) de Schöneberg.

Ancien Berlin-Est

Gare de la Friedrichstrasse : gare ferroviaire où Siegfried Uhse a été pris en flagrant délit de contrebande de cigarettes et principal point de passage entre Berlin-Est et Berlin-Ouest.

Heinrich-Heine-Strasse 46 : poste de contrôle où Wolfdieter Sternheimer a été arrêté.

Siège de la police est-berlinoise, où a été conduit Wolfdieter Sternheimer après son interpellation : Keibelstrasse 36, Mitte.

Tränenpalast – « palais des larmes » : hall des départs en verre et en acier, jouxtant la gare de la Friedrichstrasse, où Wolfdieter a dit au revoir à Renate après sa visite à Berlin-Est. Devenu un musée. Reichstagufer 17, Mitte.

Maison des Sendler, où aboutissait le tunnel dénoncé à la Stasi : Puderstrasse 7, Treptow.

Angle de la Puderstrasse et de l'Herkomerstrasse : endroit où la Stasi a interpellé un grand nombre des personnes qui espéraient s'enfuir par le tunnel.

Point d'arrivée du tunnel que les fugitifs ont emprunté avec succès : Schönholzer Strasse 7, Prenzlauer Berg. Une plaque commémorative est apposée au mur à l'entrée de l'immeuble.

« Orient » : lieu sûr dans lequel Siegfried Uhse a rejoint son officier traitant le jour où il a dénoncé l'opération d'évasion. Au temps de la RDA, la rue s'appelait Wilhelm-Pieck-Strasse, en l'honneur du célèbre homme politique communiste. Depuis lors, elle a retrouvé son ancien nom : Torstrasse 72, Mitte.

Siège de la Stasi : aujourd'hui un musée, où les bureaux d'Erich Mielke demeurent dans leur état d'origine. Plus de huit cents millions de pages de dossiers sont stockés là. Normannenstrasse 20, Lichtenberg.

BStU (Office fédéral pour la documentation des services de la Sécurité d'État de l'ex-République démocratique allemande), archives de la Stasi : c'est dans cet organisme que les dossiers de la Stasi sont mis à disposition quand on demande à les consulter. Karl-Liebknecht-Strasse 31-33, Mitte. Des expositions temporaires s'y tiennent.

Prison de Hohenschönhausen : c'est là qu'a été enfermé Wolfdieter durant sa détention provisoire. Aujourd'hui un musée. Genslerstrasse 66, quartier de Hohenschönhausen.

Hors de Berlin

Prison de Brandebourg : Anton-Saefkow-Allee 38, dans le quartier de Görden à Brandebourg sur la Havel. Aujourd'hui un musée.

NOTES

Avant-propos

1. Élisabeth Vallet, directrice de l'Observatoire de géopolitique, Université du Québec à Montréal (UQAM).

Chapitre 1. La plage

1. Entretien de l'autrice avec Joachim Rudolph.
2. Enregistrement de l'annonce du ministère de l'Intérieur de la RDA relative à la fermeture de la frontière berlinoise, le 13 août 1961. Source : Archives de la radiodiffusion allemande (Deutsches Rundfunkarchiv).
3. *Ibid.*

Chapitre 2. La première fuite

1. Entretien de l'autrice avec Joachim Rudolph.
2. Beevor, *La Chute de Berlin*, p. 45.
3. Dans *La Chute de Berlin*, Anthony Beevor dit qu'environ huit millions cinq cent mille Allemands fuirent leurs foyers dans l'Est entre le 12 janvier et la mi-février 1945.

Chapitre 3. La longue marche

1. Entretien de l'autrice avec Joachim Rudolph.
2. Beevor, *La Chute de Berlin*, p. 365.
3. Beevor, *La Chute de Berlin*, p. 435.
4. Richie, *Faust's Metropolis*, p. 594.

Chapitre 4. Renouvellement

1. Entretien de l'autrice avec Joachim Rudolph.
2. Epstein, *The Last Revolutionaries : German Communists and their Century*, p. 83.
3. Richie, *Faust's Metropolis*, p. 620.

4. Cité par Wolfgang Leonard, l'un des dix communistes allemands qui revinrent avec Ulbricht, dans un entretien pour *Der Spiegel*, le 18 avril 2005 ; www.spiegel.de/spiegel/print/d-40077646.html.

Chapitre 5. Le contrebandier

1. Entretien de l'autrice avec Joachim Rudolph.
2. Cité par Kempe, *Berlin 1961*, p. 109.
3. Taylor, *Le Mur de Berlin*, p. 93-94.
4. Richie, *Faust's Metropolis*, p. 672.

Chapitre 6. La radio

1. Entretien de l'autrice avec Joachim Rudolph.
2. Le général Clay cité dans Richie, *Faust's Metropolis*, p. 669.
3. Entretien de l'autrice avec Joachim Rudolph.

Chapitre 7. Le char

1. Richie, *Faust's Metropolis*, p. 684.

Chapitre 8. Mille petites choses

1. Entretien de l'autrice avec Joachim Rudolph.
2. Jampol, *The East German Handbook*, p. 147.

Chapitre 9. La maison aux mille yeux

1. Koehler, *Stasi*, p. 49.
2. Koehler, *Stasi*, p. 130. KgU signifie *Kampfgruppe gegen Unmenschlichkeit*.
3. Comme le disait la Stasi, « Le ministère de la Sécurité d'État a pour tâche de prévenir ou d'étouffer à leur stade le plus précoce – en employant n'importe quel moyen ou méthode nécessaire – toutes les tentatives visant à retarder ou à entraver la victoire du socialisme ». Instructions de la Stasi de 1958, citées dans Fulbrook, *Anatomy of a Dictatorship*, p. 47.
4. Koehler, *Stasi*, p. 108.
5. Koehler, *Stasi*, p. 109.
6. Hertle, *The Berlin Wall Story*, p. 34.
7. « Universal Appeal », *Time*, 28 juillet 1961.

Chapitre 10. L'opération Rose

1. Taylor, *Le Mur de Berlin*, p. 233.
2. Chronik der Mauer (site Internet).
3. Taylor, *Le Mur de Berlin*, p. 232.
4. Kempe, *Berlin 1961*, p. 326.
5. Kempe, *Berlin 1961*, p. 324.
6. Kempe, *Berlin 1961*, p. 325.

Chapitre 11. Souricière

1. Interview de Robert Lochner enregistrée dans les archives nationales américaines.
2. Taylor, *Le Mur de Berlin*, p. 259.

Chapitre 13. Les évasions

1. Richie, *Faust's Metropolis*, p. 720.
2. Taylor, *Le Mur de Berlin*, p. 360.

Chapitre 14. Le garçon en culottes courtes

1. Ils étaient en garnison en Allemagne de l'Est et dans d'autres parties du territoire soviétique à proximité. Kempe, *Berlin 1961*, p. 56.
2. Taylor, *Le Mur de Berlin*, p. 162-163.
3. *Financial Times*, 25 août 1991, p. IX.
4. Wedge, « Khrushchev at a Distance : A Study of Public Personality », *Society* 5, p. 24-28 (1968).
5. O'Donnell, *Johnny, We Hardly Knew Ye*, p. 295.
6. Smyser, *Kennedy and the Berlin Wall*, p. 67.
7. Harrison, *After the Berlin Wall*, p. 152.
8. Hersh, *La Face cachée du clan Kennedy*, p. 255-256.
9. O'Donnell, *Johnny, We Hardly Knew Ye*, p. 306.
10. Reeves, *President Kennedy : Profile of Power*, p. 204.
11. Smyser, *Kennedy and the Berlin Wall*, p. 106.
12. Ausland et Richardson, « Crisis Management : Berlin, Cyprus, Laos », *Foreign Affairs* 44 (2 janvier 1966), p. 301.
13. Taylor, *Le Mur de Berlin*, p. 330.
14. Raconté ainsi par le lieutenant de l'armée américaine Vern Pike, cité dans Kempe, *Berlin 1961*, p. 473.

15. L'accord stipulait que l'Allemagne de l'Est n'aurait pas le droit de restreindre les déplacements à Berlin. C'est précisément ce qu'avait fait Ulbricht en édifiant la clôture de barbelés.

16. *Foreign Relations of the United States, 1961-1963*, Vol. XIV, *Berlin Crisis, 1961-2*, Doc. 181, Lettre du représentant spécial du président à Berlin (Clay) au président Kennedy, Berlin, 18 octobre 1961.

17. Cité dans Bainbridge, « Die Mauer », *New Yorker*, 20 octobre 1962.

Chapitre 15. La vallée des ignorants

1. Entretien de l'autrice avec Joachim Rudolph.
2. Taylor, *Le Mur de Berlin*, p. 268-269.
3. Dennis, *The Rise and Fall of the German Democratic Republic 1945-1990*, p. 102.
4. Walter Ulbricht, *Neues Deutschland*, 28 août 1961.
5. La télévision est-allemande diffusa cette émission hebdomadaire pendant trente ans.

Chapitre 16. Jumelles

1. Entretien de l'autrice avec Joachim Rudolph.
2. Kempe, *Berlin 1961*, p. 405.
3. Hertle et Nooke, *The Victims at the Berlin Wall*, p. 37.
4. PdVP-Rapport Nr 234, 23.8.1961 in PHS, Bestand nPdVP-Rapporte, Archive-No. 8037, Bl. 8.
5. Hertle, *The Berlin Wall Story*, p. 53.
6. Journal berlinois *B.Z.*, 25 août 1961.
7. Kempe, *Berlin 1961*, p. 366.
8. Hertle et Nooke, *The Victims at the Berlin Wall*, p. 25.

Chapitre 17. La tour de guet

1. Entretien de l'autrice avec Joachim Rudolph.

Chapitre 18. Le camp

1. Dans son entretien avec moi, Joachim a utilisé une belle expression allemande pour décrire ce moment : « *Mir fällt ein Stein vom Herzen* », ce qui signifie littéralement « une pierre tombe de mon cœur ».

2. Richie, *Faust's Metropolis*, p. 715.
3. L'un des espions travaillant à Berlin-Ouest quand Joachim et Manfred arrivèrent était David Cornwell, un officier de renseignements qui écrivait son premier livre sous le pseudonyme de John le Carré. George Smiley, son personnage le plus aimé, décrivait Berlin : « Cet endroit est un vrai champ de mines [...] même les foutus chats sont piégés. »

Chapitre 19. L'espion

1. Rapport de la Stasi, 29 septembre 1961, BStU / MfS AIM 13337/00016.
2. Richie, *Faust's Metropolis*, p. 763.
3. Ernst Wollweber, « Schlusswort auf der Dienstkonferenz in der Bezirksverwaltung Halle am 15.5.1957 », cité dans Müller-Enbergs, *Die Inoffiziellen Mitarbeiter* (MfS-Handbuch), Berlin, 2008, p. 5.
4. Entretien avec un ancien agent de la Stasi, cité dans Funder, *Stasiland*, p. 249.
5. Richie, *Faust's Metropolis*, p. 764.
6. Koehler, *Stasi*, p. 9.

Chapitre 20. Le dossier

1. BStU / MfS (archives de la Stasi).
2. Rapport de la Stasi, 2 octobre 1961, BStU / MfS AIM 13337/00016.
3. Richie, *Faust's Metropolis*, p. 763.
4. Rapport de la Stasi, 30 septembre 1961, BStU / MfS AIM 13337/64.
5. *Ibid.*
6. Rapport de la Stasi, 13 novembre 1961, BStU / MfS AIM 13337/64.

Chapitre 21. Evi et Peter (et aussi Walter et Wilhelm)

1. Les détails de cette visite viennent d'un entretien de l'autrice avec Evi Rudolph.
2. Tiré d'une interview de Mimmo Sesta dans *Der Tunnel*, réalisé par Marcus Vetter, 1999.
3. Entretien de l'autrice avec Evi Rudolph.

4. Hertle, *The Berlin Wall Story*, p. 106.

5. Dossier de la Stasi sur Eveline Rudolph, BStU / MfS 0202, département II/5.

6. *Ibid.*

Chapitre 22. Le groupe Girrmann

1. Entretien de l'autrice avec Joachim Rudolph.

2. Taylor, *Le Mur de Berlin*, p. 475.

3. Hertle et Nooke, *The Victims at the Berlin Wall*, p. 63.

Chapitre 23. La maison de l'avenir

1. Les détails de cette rencontre avec Bodo Köhler viennent du rapport de Siegfried Uhse pour la Stasi daté du 19 mars 1962, BStU / MfS AIM 13337/64.

2. Anweisung Nr 1/60 des Ministers für Staatsicherheit v. 4.5.1960; BStU / MfS, MdL/Dok., Nr. 3499, mentionné dans l'ouvrage dirigé par Damian von Melis et Henrik Bispinck *Republikflucht: Flucht und Abwanderung aus des SBZ/DDR 1945 bis 1961*, Munich, 2006, p. 215.

3. Koehler, *Stasi*, p. 148.

4. Détails tirés de l'interview de Joan Glenn parue dans le journal *Stanford Daily* du 10 octobre 1962.

5. Comme Joan le dirait plus tard dans une interview: « Nous étions un peu aveugles aux dangers. Nous voulions apporter notre aide. Je sais que ça semble naïf mais, quand un Allemand de l'Est vous demande de lui prêter assistance, il est impossible de refuser. »

6. Rapport de la Stasi daté du 19 mars 1962, BStU / MfS AIM 13337/64.

Chapitre 24. L'usine

1. Entretien de l'autrice avec Wolf Schroedter.

2. *Ibid.*

3. Interview de Luigi Spina dans *Der Tunnel*, réalisé par Marcus Vetter, 1999.

4. Interview de Mimmo Sesta et Luigi Spina dans *Der Tunnel*, réalisé par Marcus Vetter, 1999.

Chapitre 25. Béton

1. Entretien de l'autrice avec Joachim Rudolph.

2. Entretien de l'autrice avec Joachim Rudolph ; Wolf Schroedter dans le film de NBC *The Tunnel*, diffusé le 10 décembre 1962.

Chapitre 26. Le cimetière

1. Entretien de l'autrice avec Joachim Rudolph et Ulrich (Uli) Pfeifer.

2. Profil d'Hasso Herschel consulté sur le site du mémorial du mur de Berlin.

3. Interview d'Hasso Herschel dans *Der Tunnel*, réalisé par Marcus Vetter, 1999.

4. Entretien de l'autrice avec Uli Pfeifer.

5. Entretien de l'autrice avec Uli Pfeifer.

Chapitre 27. Organisation du travail

1. Interview d'Hasso Herschel dans *Der Tunnel*, réalisé par Marcus Vetter, 1999.

Chapitre 28. Un nouveau nom

1. Rapport de la Stasi daté du 22 mai 1962, BStU / MfS AIM 13337/64 (000152).

2. Rapport de la Stasi daté du 5 avril 1962, BStU / MfS AIM 13337/64 (000091).

3. Rapport de la Stasi daté du 10 avril 1962, BStU / MfS AIM 13337/64 département II/1 (000118).

4. Rapport de la Stasi daté du 22 mai 1962, BStU / MfS AIM 13337/64 (000152).

5. *Ibid.*

Chapitre 29. La bombe

1. *New York Times*, 27 mai 1962.

2. Mitchell, *Les Tunnels de la liberté*, p. 107.

3. Hertle, *The Berlin Wall Story*, p. 80.

Chapitre 31. Le producteur de télévision

1. Frank, *Out of Thin Air*, p. 172.
2. Frank, *Out of Thin Air*, p. 30.
3. Frank, *Out of Thin Air*, p. 30.
4. Frank, *Out of Thin Air*, p. 181.
5. « Number of TV Households in America: 1950-1978 » www.tvhistory.tv/Annual_TV_Households_50-78.JPG americancentury.omeka.wlu.edu/items/show/136
6. Frank, *Out of Thin Air*, p. 172.
7. Frank, *Out of Thin Air*, p. 182.
8. Frank, *Out of Thin Air*, p. 173.

Chapitre 32. Le marché

1. Lettre de Piers Anderton dans Reuven Frank Papers, Tufts University.
2. Il s'agissait d'Heinz Jercha, boucher et père âgé de vingt-sept ans. Informations dans Hertle et Nooke, *The Victims at the Berlin Wall*, p. 74.
3. Interview de Wolf Schroedter, ainsi que Sesta, *Der Tunnel in die Freiheit*, p. 43-47.
4. *Der Spiegel*, « Flucht durch die Mauer », 27 mars 1962.
5. Article de l'Associated Press, 12 mai 1962.
6. Article du *Los Angeles Times*, 21 mai 1962.
7. Entretien de l'autrice avec Wolf Schroedter.
8. Lettre de Piers Anderton datée du 24 juillet 1988 dans Reuven Frank Papers, Tufts University.

Chapitre 33. New York

1. Frank, *Out of Thin Air*, p. 193, et lettre de Piers Anderton, Reuven Frank Papers, Tufts University.
2. Interview de Reuven Frank, Newseum.

Chapitre 34. Caméras

1. Lettre du directeur de NBC Robert Kintner à Dean Rusk, 20 novembre 1962, Reuven Frank Papers, Tufts University.
2. Lettre de Piers Anderton à Frank Reuven, 24 juillet 1988, Reuven Frank Papers, Tufts University.
3. Frank, *Out of Thin Air*, p. 195.

Chapitre 35. Parapluies

1. Rapport de la Stasi du 25 juin 1962, BStU / MfS AIM 13337/64 département II/1.
2. Rapport de la Stasi du 30 juin 1962, BStU / MfS AIM 13337/64 département II/1.
3. Rapport de la Stasi du 30 juin 1962, BStU / MfS AIM 13337/64 département II/1.
4. Il s'agissait de Siegfried Noffke, âgé de vingt-deux ans.

Chapitre 36. Le no man's land

1. Entretien de l'autrice avec Joachim Rudolph.
2. Lettre de Piers Anderton, Reuven Frank Papers, Tufts University.

Chapitre 37. Wilhelm, à nouveau

1. Rapport de la Stasi du 20 juin 1962, BStU / MfS 0202 département II/5.

Chapitre 38. Règles de base

1. Lettre de Piers Anderton, 24 juillet 1988, Reuven Frank Papers, Tufts University.
2. *The Tunnel*, NBC, diffusé le 10 décembre 1962.
3. Frank, « The Making of the Tunnel », p. 14.
4. Lettre du directeur de NBC Robert Kintner à Dean Rusk, 20 novembre 1962.

Chapitre 39. La fuite d'eau

1. Les détails contenus dans ce chapitre viennent des entretiens de l'autrice avec Joachim Rudolph, Uli Pfeifer et Wolf Schroedter.
2. Münkel, *State Security*, p. 144.
3. Interview de Mimmo Sesta dans *Der Tunnel*, réalisé par Marcus Vetter, 1999.
4. Interview radiophonique rediffusée par la Deutschlandfunk le 20 août 2015.
5. Interview de Luigi Spina dans *Der Tunnel*, réalisé par Marcus Vetter, 1999.

Chapitre 40. Le deuxième tunnel

1. Richie, *Faust's Metropolis*, p. 727.

Chapitre 41. Les amoureux

1. Les détails contenus dans ce chapitre viennent des entretiens de l'autrice avec Wolfdieter et Renate Sternheimer.

Chapitre 42. La veille

1. Entretien de l'autrice avec Renate Sternheimer.
2. Entretien de l'autrice avec Wolfdieter Sternheimer.
3. Lettre manuscrite de Siegfried Uhse, 20 juillet 1962, BStU / MfS (00174).
4. Rapport d'entrevue de la Stasi du 27 juillet 1962, BStU / MfS AIM 13337/64 département II/1 (000177).
5. Rapport d'entrevue de la Stasi du 6 août 1962, BStU / MfS AIM 13337/64 département II/1 (000186).

Chapitre 43. 7 août

1. Entretien de l'autrice avec Renate Sternheimer.
2. Rapport de la Stasi du 27 août à 13 heures, BStU / MfS, département II/3 (0054).
3. Entretien de l'autrice avec Wolfdieter Sternheimer.
4. Mitchell, *Les Tunnels de la liberté*, p. 177.
5. Entretien de l'autrice avec Joachim Rudolph.
6. Dimensions extraites du rapport de la Stasi sur le tunnel de la Kiefholzstrasse, 10 août 1962, BStU / MfS 0018.
7. Rapport de la Stasi, 7 août 1962, BStU / MfS, département VII / 1553 (0057).
8. Rapport de la Stasi sur le tunnel de la Kiefholzstrasse, 8 août 1962, BStU / MfS, département II (0064).
9. Entretien de l'autrice avec Evi Rudolph.
10. Rapport de la Stasi sur le tunnel de la Kiefholzstrasse, 7 août 1962, BStU / MfS, département XIII (0062).
11. Rapport de la Stasi sur le tunnel de la Kiefholzstrasse, 7 août 1962, BStU / MfS, département XIII (0066).
12. Lettre de Robert Kintner à Dean Rusk, 20 novembre 1962, Reuven Frank Papers, Tufts University.
13. Entretien de l'autrice avec Joachim Rudolph.

14. Entretien de l'autrice avec Wolfdieter Sternheimer.
15. Rapport de la Stasi sur le tunnel de la Kiefholzstrasse, 7 août 1962, BStU / MfS, département XIII (0066).
16. Entretien de l'autrice avec Wolfdieter Sternheimer.

Chapitre 44. Hohenschönhausen

1. Les informations contenues dans ce chapitre viennent des entretiens de l'autrice avec Wolfdieter Sternheimer ainsi que de l'excellent mémorial de Berlin-Hohenschönhausen (à la fois son site web et le musée installé dans l'ancienne prison).
2. Rapport de la Stasi, 8 août 1962, BStU / MfS AIM 13337/64 département II/1 (000196).
3. Interrogatoire de Wolfdieter Sternheimer, août 1962, BStU / MfS AIM 13337/64, département II/1 (000203).
4. Rapport de la Stasi, 8 août 1962, BStU / MfS AIM 13337/64, département II/1 (000098).
5. Rapport de la Stasi, 8 août 1962, BStU / MfS AIM 13337/64 département II/1 (0075).
6. Münkel, *State Security*, p. 128.
7. Entretien de l'autrice avec Wolfdieter Sternheimer.
8. Interrogatoire d'Edith Sendler, août 1962, BStU / MfS, 13337/64 département II/1 (000216).

Chapitre 45. Chasse à la taupe

1. Rapport de la Stasi du 12 août 1962, BStU / MfS, 13337/64 département II/1 (000214).

Chapitre 46. Le silence

1. Entretien de l'autrice avec Joachim Rudolph.

Chapitre 47. La mascarade de procès

1. Entretien de l'autrice avec Wolfdieter Sternheimer.
2. Koehler, *Stasi*, p. 18-19.
3. Münkel, *State Security*, p. 128.
4. Münkel, *State Security*, p. 124.
5. Entretien de l'autrice avec Renate Sternheimer.

Chapitre 48. Le boucher

1. Entretien de l'autrice avec Joachim Rudolph.
2. Frank, *Out of Thin Air*, p. 194.
3. Hertle et Nooke, *The Victims at the Berlin Wall*, p. 102.
4. Wyden, *Wall*, p. 273.
5. Ahonen, *Death at the Berlin Wall*, p. 55.
6. Wyden, *Wall*, p. 273.
7. Ahonen, *Death at the Berlin Wall*, p. 56.
8. Hertle, *The Berlin Wall Story*, p. 83.
9. Ahonen, *Death at the Berlin Wall*, p. 60.
10. *Schwarze Kanal*, DDR-Fernsehen, 27 août 1962.

Chapitre 49. L'histoire de Claus

1. D'après les interviews de Claus et Inge Stürmer dans *Der Tunnel*, réalisé par Marcus Vetter, 1999.
2. Entretien de l'autrice avec Wolf Schroedter.

Chapitre 50. Paris

1. Frank, *Out of Thin Air*, p. 195.
2. Smyser, *Kennedy and the Berlin Wall*, p. 128.
3. Magazine *Time* du 20 octobre 1961.
4. Cate, *The Ides of August*, p. 482.
5. Taylor, *Le Mur de Berlin*, p. 383.
6. William Kaufmann, un stratège de l'administration de Kennedy qui donna des conseils et sur Berlin et sur Cuba, déclara : « Berlin fut le pire épisode de la guerre froide [...] même si je m'étais beaucoup engagé durant la crise des missiles cubains, je pensais pour ma part que l'affrontement à Berlin [...] où les chars soviétiques et américains se faisaient littéralement face, canons pointés, était une situation plus dangereuse. » Interview du professeur William Kaufmann, National Security Archive, George Washington University.
7. Analyse du général Clay telle qu'elle est citée dans Smyser, *Kennedy and the Berlin Wall*, p. 142.

Chapitre 51. Mesures

1. Hertle et Nooke, *The Victims at the Berlin Wall*, p. 110.

Chapitre 52. La dernière visite

1. Rapport de « Wilhelm » pour la Stasi, 20 septembre 1962, BStU / MfS 0232.

Chapitre 53. La messagère

1. Entretien de l'autrice avec Ellen Sesta.

Chapitre 54. Investigations

1. Rapport de la Stasi du 13 août 1962, BStU / MfS, département II (000214).

Chapitre 55. Plan de ville

1. Entretien de l'autrice avec Ellen Sesta; voir aussi Sesta, *Der Tunnel in die Freiheit*, p. 180.

Chapitre 56. Reuven

1. Frank, *Out of Thin Air*, p. 196.
2. Entretien de l'autrice avec Ellen Sesta.

Chapitre 57. 14 septembre

1. Entretien de l'autrice avec Ellen Sesta.
2. Entretien de l'autrice avec Eveline Rudolph et interrogatoire du grand-père d'Evi dans le rapport de la Stasi du 27 septembre 1962, BStU / MfS 0264.
3. Rapport de la Stasi du 17 septembre 1962, BStU / MfS 0228.
4. Interview de Peter Schmidt dans *Der Tunnel*, réalisé par Marcus Vetter, 1999.
5. *The Tunnel*, NBC, diffusé le 10 décembre 1962.
6. Entretien de l'autrice avec Uli Pfeifer.
7. Entretien de l'autrice avec Uli Pfeifer.
8. Entretien de l'autrice avec Joachim Rudolph.
9. Entretien de l'autrice avec Ellen Sesta; voir aussi Sesta, *Der Tunnel in die Freiheit*, p. 200.
10. Entretien de l'autrice avec Evi Rudolph.
11. Entretien de l'autrice avec Joachim Rudolph.
12. Interview d'Hasso Hersh dans *Der Tunnel*, réalisé par Marcus Vetter, 1999.

13. Entretien de l'autrice avec Evi Rudolph.
14. Entretien de l'autrice avec Ellen Sesta.
15. *The Tunnel*, NBC, diffusé le 10 décembre 1962.
16. Lettre de Piers Anderton à Reuven Frank, 24 juillet 1988, Reuven Frank Papers, Tufts University.
17. Entretien de l'autrice avec Ellen Sesta.
18. Interview de Claus et Inge Stürmer dans *Der Tunnel*, réalisé par Marcus Vetter, 1999.
19. Interview d'Inge Stürmer dans *Der Tunnel*, réalisé par Marcus Vetter, 1999.
20. Entretien de l'autrice avec Joachim Rudolph.

Chapitre 58. Walter et Wilhelm

1. Rapport de la Stasi d'après l'entrevue avec la personne-source « Walter », 17 septembre 1962, BStU / MfS, 0228.

Chapitre 59. La perquisition

1. Fax de la Stasi au commissariat de la « police du peuple » du quartier de Köpenick, 25 septembre 1962, BStU / MfS, 0253.

Chapitre 60. Bobine de film

1. Frank, *Out of Thin Air*, p. 199, et Frank, « The Making of the Tunnel ».
2. *The Tunnel*, NBC, diffusé le 10 décembre 1962.

Chapitre 61. Le dispositif d'écoute

1. Rapport de la Stasi du 18 septembre 1962, BStU / MfS, 000015.

Chapitre 62. La poussette

1. Rapport de la Stasi, BStU / MfS, 2743 / 69189.
2. *New York Times*, 18 septembre 1962.
3. Rapport de la Stasi sur le tunnel daté du 26 septembre 1962, BStU / MfS, 000004.
4. Rapport de la Stasi sur le tunnel daté du 19 octobre 1962, BStU / MfS, 000035.

Chapitre 63. La fête

1. *The Tunnel*, NBC, diffusé le 10 décembre 1962.
2. Entretien de l'autrice avec Joachim Rudolph.
3. Piers Anderton dans *The Tunnel*, NBC, diffusé le 10 décembre 1962.

Chapitre 64. Le canoë

1. Rapport de la Stasi sur l'interrogatoire de Rudolf Sperling, 27 septembre 1962, BStU / MfS, 0265.

Chapitre 65. L'avion

1. Frank, « The Making of the Tunnel », p. 20-21.

Chapitre 66. La deuxième fête

1. Entretien de l'autrice avec Evi Rudolph.

Chapitre 67. La conférence de presse

1. Frank, *Out of Thin Air*, p. 202, et article du *New York Times* du 12 octobre 1962.
2. Frank, *Out of Thin Air*, p. 202.
3. Dans son édition du 5 octobre 1962.
4. Télégramme du ministère des Affaires étrangères américain à l'ambassade américaine à Berlin-Ouest, 19 septembre 1962.
5. Télégramme de l'ambassade américaine à Berlin-Ouest au ministère des Affaires étrangères américain, 6 octobre 1962.
6. Frank, *Out of Thin Air*, p. 194.
7. *New York Times*, 14 octobre 1962, et télégramme de l'ambassade américaine à Berlin-Ouest au ministère des Affaires étrangères, 16 octobre.
8. Lettre du gouvernement de la République démocratique allemande à l'ambassade américaine à Berlin-Ouest, 18 octobre 1962. Comme les États-Unis ne reconnaissaient pas la RDA, il n'y avait pas de contact direct entre eux : dans une démarche diplomatique compliquée, le gouvernement est-allemand confia la lettre dactylographiée au ministère des Affaires étrangères tchèque à Prague, qui la transmit à l'ambassade américaine.
9. Mitchell, *Les Tunnels de la liberté*, p. 371-372.
10. *New York Times*, 22 octobre 1962.

11. Frank, « The Making of the Tunnel », p. 20-21, et article *du New York Times* du 20 octobre 1962.

Chapitre 68. La bibliothèque

1. Entretien de l'autrice avec Evi Rudolph.
2. *Der Tunnel*, réalisé par Marcus Vetter, 1999.
3. Entretien de l'autrice avec Evi Rudolph.

Chapitre 69. Un message

1. En échange, le président Kennedy retirerait de Turquie des missiles américains – cette partie de l'accord fut tenue secrète.
2. Lettre de Robert Kintner (NBC) à Dean Rusk, 20 novembre 1962, Reuven Frank Papers, Tufts University.
3. Frank, *Out of Thin Air*, p. 206.
4. Frank, « The Making of the Tunnel », p. 22.

Chapitre 70. Le film

1. Carton du début du film, Reuven Frank Papers, Tufts University.
2. Rod Synnes dans *The Milwaukee Journal Stations*, 14 décembre 1962.
3. Smyser, *Kennedy and the Berlin Wall*, p. 4.
4. Smyser, *Kennedy and the Berlin Wall*, p. 4.
5. Sorensen, *Kennedy*, p. 61.
6. Le film montré à Berlin-Ouest était une version modifiée, diffusée par un producteur allemand qui avait acheté les droits exceptionnels à Mimmo et Gigi.
7. Rapport de la Stasi, BStU / MfS HAI 132564 7.

Chapitre 71. La lettre

1. Entretien de l'autrice avec Wolfdieter Sternheimer.

Chapitre 72. « Hamlet »

1. Gerda, une autre fugitive arrêtée près du tunnel, dirait plus tard à Renate avoir deviné qu'elle souriait, à la manière dont elle se tenait.
2. William Shakespeare, *Hamlet, Le Roi Lear*, trad. Yves Bonnefoy, Folio Classique, 1978.

Chapitre 73. La Mercedes dorée

1. Entretien de l'autrice avec Wolfdieter Sternheimer.
2. Hertle, *The Berlin Wall Story*, p. 99.

Chapitre 74. Dernier rapport

1. Rapport de la Stasi, 4 novembre 1977, BStU / MfS AIM 13337/64 département I/1 (000269).
2. Rapport de la Stasi, 4 juin 1964, BStU / MfS AIM 13337/64 (000009).
3. Rapport de la Stasi, 2 juillet 1966, BStU / MfS 000245.
4. Veigel, *Wege durch die Mauer*, p. 297.
5. Rapport de la Stasi, 23 novembre 1977, BStU / MfS 104 AIM 13337/64 (000269).

Chapitre 75. Dans les airs

1. Entretien de l'autrice avec Joachim Rudolph.

Épilogue. 1989

1. Hertle, *The Berlin Wall Story*, p. 119.
2. Hertle, *The Berlin Wall Story*, p. 116.
3. Koehler, *Stasi*, p. 8.
4. Thomas Auerbach et Wolf-Dieter Sailer, *Vorbereitung auf den Tag X – Die geplanten Isolierungslager des MfS*, publié en 1995 par le BStU.
5. MfS, ZAIG, Nr 496/89 réimprimé dans Mittler et Wolle, *Ich lieb euch doch alle ! Befehle und Lageberichte des MfS Januar-November 1989*, p. 250.

Postface

1. Funder, *Stasiland*, p. 242-243.
2. Dans *State Security : A Reader on the GDR Secret Police*, Daniela Münkel écrit que, les années 1980 venues, trois mille citoyens est-allemands environ travaillaient comme *Inoffizielle Mitarbeiter* (IM), « collaborateurs non officiels », pour la Stasi et que nombre d'entre eux étaient en activité depuis plusieurs décennies. L'espionnage qu'effectuait la Stasi à Berlin-Ouest ne visait pas seulement à découvrir des secrets politiques, militaires

et industriels, mais consistait aussi à pratiquer l'intoxication et à révéler des informations compromettantes pour influencer la politique ouest-allemande – le genre de campagnes de désinformation que nous voyons aujourd'hui un peu partout dans le monde. Münkel, *State Security*, p. 140.

3. Richie, *Faust's Metropolis*, p. xlv.

4. Koehler, *Stasi*, p. 410.

5. Funder, *Stasiland*, p. 320.

6. Koehler, *Stasi*, p. 29.

7. Une des sections les plus longues du mur de Berlin se trouve aujourd'hui à Los Angeles, le long du Wilshire Boulevard (Miracle Mile district), installée là dans le cadre d'un projet commémoratif. Ces vieux morceaux du mur de Berlin sont devenus un site de manifestations contre d'autres murs, celui entre le Mexique et les États-Unis par exemple.

Ce qu'ils ont fait ensuite

1. *The International Newspaper of Radio and Television*, 27 mai 1963.

2. Bill Carter dans le *New York Times*.

3. Selon une correspondance avec Burkhart Veigel, passeur et auteur de *Wege durch die Mauer*.

BIBLIOGRAPHIE

Archives et documents

Chronik der Mauer, projet associant la Bundeszentrale für politische Bildung/bpb – l'agence fédérale pour l'éducation civique –, Deutschlandradio et le Zentrum für Zeithistorische Forschung Potsdam/ZZF – le centre de recherche en histoire contemporaine de Potsdam).

Lien vers le site : https://www.chronik-der-mauer.de

Bundesbeauftragte für die Unterlagen des Staatssicherheitsdienstes der ehemaligen Deutschen Demokratischen Republik (BStU) : archives de la Stasi, Berlin, Allemagne.

Deutsches Rundfunkarchiv : archives de la radiodiffusion allemande.

National Archives and Records Administration, College Park, Maryland, États-Unis.

Rapports déclassifiés de la CIA.

Rapports déclassifiés du ministère des Affaires étrangères américain.

Lettres et notes internes de NBC.

Télégrammes de l'ambassade américaine à Berlin, 1962.

Journaux militaires de la Brigade de Berlin, 1962.

Reuven Frank Papers, Tufts University, Medford, Massachusetts.

Publié sous la direction de Daniela Münkel, l'ouvrage *State Security: A Reader on the GDR Secret Police* (Berlin, Federal Commissioner for the Records of the State Security Service of the former German Democratic Republic, 2015).

Articles essentiels

Bainbridge, John, « Die Mauer : the early days of the Berlin Wall » (*The New Yorker*, 20 octobre 1962).

Frank, Reuven, « The Making of the Tunnel » (*Television Quarterly*, 1963).

Films documentaires

Der Tunnel, documentaire réalisé par Marcus Vetter, 1999.
The Tunnel, documentaire de NBC, diffusé aux États-Unis le 10 décembre 1962.

Entretiens (avec, par ordre alphabétique)

Ulrich Pfeifer
Eveline (Schmidt) Rudolph
Joachim Rudolph
Wolf Schroedter
Ellen (Schau) Sesta
Renate Sternheimer
Wolfdieter Sternheimer

Livres

Ahonen, Pertti, *Death at the Berlin Wall*, New York, Oxford University Press, 2011
Beevor, Antony, *La Chute de Berlin*, trad. Jean Bourdier, Paris, De Fallois, 2002
Cate, Curtis, *The Ides of August*, Londres, Weidenfeld & Nicolson, 1978
Clare, George, *Berlin après Berlin : 1946-1947*, trad. Jean Clem, Paris, Plon, 1990
Dennis, J.M., *The Rise and Fall of the German Republic 1945-1990*, Routledge, 2000
Epstein, C., *The Last Revolutionaries: German Communists and Their Century*, Cambridge, MA, Harvard University Press, 2003
Frank, Reuven, *Out of Thin Air: The Brief Wonderful Life of Network News*, New York, Simon & Schuster, 1991
Fulbrook, Mary, *Anatomy of a Dictatorship: Inside the GDR 1949-1989*, New York, Oxford University Press, 1995
Funder, Anna, *Stasiland*, trad. Murielle Vignol, Paris, Héloïse d'Ormesson, 2007
Garton Ash, Timothy, *The File: A Personal History*, Londres, HarperCollins, 1997
Harrison, Hope M., *After the Berlin Wall*, Cambridge University Press, 2019

Hersh, Seymour, *La Face cachée du clan Kennedy*, trad. Jean-Paul Mourlon, Paris, L'Archipel, 1998
Hertle, Hans-Hermann, *The Berlin Wall Story: Biography of a Monument*, Berlin, Christoph Links Verlag, 2011
Hertle, Hans-Herman et Nooke, Maria (collectif), *The Victims at the Berlin Wall, 1961-1989*, Berlin, Christoph Links Verlag, 2011
Jampol, Justinian (collectif), *The East German Handbook: Arts and Artifacts from the GDR*, Berlin, Taschen GmbH, 2017
Kempe, Frederick, *Berlin 1961: Kennedy, Khrushchev and the Most Dangerous Place on Earth*, New York, Berkley Books, The Penguin Group, 2011
Koehler, John O., *Stasi: The Untold Story of the East German Secret Police*, New York, Westview Press, 1999
Leo, Maxim, *Histoire d'un Allemand de l'Est*, trad. Olivier Mannoni, Arles, Actes Sud, 2010
Maclean, Rory, *Berlin: Imagine a City*, Londres, Weidenfeld & Nicolson, 2014
Marshall, Tim, *Divided: Why We're Living in an Age of Walls*, Londres, Elliott & Thompson, 2018
Mitchell, Greg, *Les tunnels de la liberté: les évasions sous le mur de Berlin, dont Kennedy voulait censurer les images*, trad. Cécile Dutheil de la Rochère, Paris, Grasset, 2018
O'Donnell, Kenneth et Powers, David, *Johnny, We Hardly Knew Ye: Memories of John Fitzgerald Kennedy*, Boston, Little, Brown, 1983
Preston, Diana, *Eight Days at Yalta: How Churchill, Roosevelt and Stalin Shaped the Post-War World*, Londres, Picador, 2019
Reeves, Richard, *President Kennedy: Profile of Power*, New York, Simon & Schuster, 1993
Richie, Alexandra, *Faust's Metropolis: A History of Berlin*, Londres, HarperCollins, 1999
Schneider, Peter, *Le Sauteur de mur*, trad. Nicole Casanova, Paris, Grasset et Fasquelle, 2018
Sesta, Ellen, *Der Tunnel in die Freiheit*, Berlin, Ullstein, 2001
Smyser, W.R., *Kennedy and the Berlin Wall*, Lanham, Rowman & Littlefield, 2010
Taylor, Frederick, *Le Mur de Berlin: 13 août 1961 – 9 novembre 1989*, trad. Philippe Bonnet et Sabine Boulongne, Paris, Jean-Claude Lattès, 2009

Veigel, Burkhart, *Wege durch die Mauer: Fluchthilfe und Stasi zwischen Ost und West,* Berlin, Berliner Unterwelten, 2013
Vogel, Steve, *Betrayal in Berlin: The True Story of the Cold War's Most Audacious Espionage Operation*, New York, HarperCollins, 2019
Watson, Mary, *The Expanding Vista: American Television in the Kennedy Years*, New York, Oxford University Press, 1990
Wyden, Peter, *Wall: The Inside Story of a Divided Berlin*, New York, Simon & Schuster, 1989

REMERCIEMENTS

À Joachim Rudolph, le cœur de ce livre : merci d'avoir passé autant d'heures à partager vos souvenirs avec moi, que ce soit dans votre appartement à Berlin ou au téléphone durant le confinement. Vous avez supporté mes innombrables questions dans l'espoir que, si vous racontiez votre histoire, une nouvelle génération comprendrait mieux le mur de Berlin et ses conséquences. Sans vous, ce livre n'existerait pas.

Je suis infiniment reconnaissante aux autres constructeurs du tunnel, messagers et fugitifs qui se sont entretenus avec moi, et m'ont pour certains montré leur propre dossier de la Stasi, me faisant bénéficier d'informations jamais rendues publiques jusque-là : Wolfdieter Sternheimer, Renate Sternheimer, Evi Rudolph, Uli Pfeifer, Wolf Schroedter et Ellen Sesta. Merci également au Dr Burkhart Veigel pour ses précieux éclairages.

À Sabine Schereck, merci pour votre traduction d'experte, vos commentaires minutieux sur mon premier jet et pour votre calme lorsque j'ai roulé pour la première fois sur les autoroutes allemandes où la vitesse n'est pas limitée. Je suis également reconnaissante à mes autres traducteurs et traductrices : Ute Krebs, Alexander et Beatrix Mett, Laura Horsfall.

À Berlin, merci à Gudrun Heuts aux archives de la Stasi d'avoir épluché des rapports, des interrogatoires, des photos et des vidéos, et à Holger Happel du Berliner Unterwelten-Museum de m'avoir accordé la faveur de rester aussi longtemps sous terre, dans la réplique du Tunnel 29.

Aux États-Unis, merci à Pamela Hopkins de l'université Tufts d'avoir exhumé des documents révélateurs au sujet de Reuven Frank.

À mon agente, Karolina Sutton : merci pour votre soutien absolu dès le départ, pour vos observations pénétrantes sur mes premiers chapitres, et pour le thé vert qui m'a procuré du tonus en fin de parcours. Merci aussi à Caitlin Leydon, Joanna Lee et Anna Weguelin chez Curtis Brown ; mon extrême gratitude à l'invincible Luke Speed pour son travail énergique en matière de films et de télévision.

Chez Hodder, un immense merci à Rebecca Folland, Melis Dagoglu, Grace McCrum, Cameron Myers, Lesley Hodgson, Ian Wong, Maria Garbutt-Lucero et Alice Morley pour la créativité avec laquelle ils ont donné vie à ce livre. Et à mon brillant éditeur, Rupert Lancaster : merci d'avoir vu qu'il y avait une histoire plus vaste à raconter et d'avoir trouvé tant de façons de l'améliorer. Je suis reconnaissante aussi à Nick Fawcett pour sa préparation de copie soignée.

Chez Public Affairs, merci à Colleen Lawrie, Melissa Raymond, Jaime Leifer et Miguel Cervantes pour tout leur travail sur l'édition américaine et leur foi dans ce livre.

À la BBC, des remerciements particuliers à Mohit Bakaya pour la commande des podcasts et pour les riches conversations de couloir au fil du temps ; à Richard Knight pour le merveilleux montage et à Eloise Whitmore pour la magie sonore. À mes collègues du service des actualités, merci pour les discussions grisantes dans les studios une fois les micros fermés et pour les paroles d'encouragement autour d'un verre au pub. Vous êtes les journalistes les plus talentueux et inventifs avec lesquels j'ai jamais travaillé et j'ai énormément appris de vous tous.

À mes amis : ma profonde affection et mille mercis pour m'avoir stimulée pendant que j'écrivais ces pages et maintenue à flot durant trois confinements avec joggings matinaux, promenades au clair de lune et longues conversations nocturnes. Vous m'avez apporté un équilibre et une inspiration que vous ne soupçonnez pas.

À Rosie, Livy et Sas : merci d'être là en toutes circonstances avec sagesse et ridicule et pour tous ces moments où la vie a déraillé et où vous m'avez remise sur pied. Merci à Seb, qui nous inspire tous en gravissant des montagnes (malgré le vertige) et à Jon, Trewin et Amit pour votre soutien affectueux. Merci à mon père, dont la curiosité insatiable a éveillé la mienne, et à ma mère pour m'avoir fait la lecture tous les soirs quand j'étais petite et pour les remarques avisées après l'examen de mon manuscrit.

À Sukie et John, merci pour votre appui de toujours et les surprises gourmandes arrivées dans la boîte aux lettres. Et à Bea, qui m'a prodigué d'excellents conseils exactement quand il le fallait.

Aux auditeurs de mes podcasts : je vous suis très reconnaissante pour vos courriels et vos lettres et votre désir d'en savoir davantage (j'espère que ce livre ne vous a pas déçus). Aux écoliers qui ont écouté les podcasts : merci de m'avoir montré que même des enfants de neuf ans se préoccupent des murs, des réfugiés et de la guerre, et de m'avoir envoyé les histoires inspirées par le Tunnel 29 que vous avez écrites pendant les confinements.

Merci à ma sage Matilda de sept ans, qui adore les livres autant que son homonyme et qui, en me posant les questions les plus simples sur cette histoire, m'a aidée à y voir plus clair. À mon tourbillonnant et imaginatif Sam de trois ans, merci de m'avoir manifesté ton enthousiasme en réclamant si souvent au coucher des histoires de tunnel. J'espère que tu aimeras celle-ci quand tu seras assez grand pour la lire.

Enfin, mes remerciements les plus intenses à mon compagnon en tout : Henry. Écrire mon premier livre durant trois confinements avec deux enfants à la maison n'était pas l'idéal et je ne serais jamais arrivée au bout sans toi – mon âme sœur et maître d'école de confinement. Tu as été le premier à lire ces pages et tu as suggéré quantité d'améliorations. J'aime tant ta manière d'aborder les choses, de toujours voir ce qu'il y a de bon dans une idée avant de discerner ce qu'il y a de mauvais, et tes moqueries à mon propos. C'est une chance incroyable de t'avoir à mes côtés.

Janvier 2021

TABLE

Avant-propos 9
Joachim 12

1. La plage 13
2. La première fuite 17
3. La longue marche 23
4. Renouvellement 27
5. Le contrebandier 33
6. La radio 39
7. Le char 44
8. Mille petites choses 48
9. La maison aux mille yeux 54
10. L'opération Rose 62
11. Souricière 65
12. Neige 68
13. Les évasions 69
14. Le garçon en culottes courtes 72
15. La vallée des ignorants 82
16. Jumelles 88
17. La tour de guet 96
18. Le camp 99
19. L'espion 104
20. Le dossier 109
21. Evi et Peter (et aussi Walter et Wilhelm) 117
22. Le groupe Girrmann 121
23. La maison de l'avenir 127
24. L'usine 132
25. Béton 138

26. Le cimetière ... 141
27. Organisation du travail ... 146
28. Un nouveau nom ... 149
29. La bombe ... 154
30. Ampoules ... 156
31. Le producteur de télévision ... 158
32. Le marché ... 166
33. New York ... 171
34. Caméras ... 173
35. Parapluies ... 176
36. Le no man's land ... 179
37. Wilhelm, à nouveau ... 183
38. Règles de base ... 184
39. La fuite d'eau ... 186
40. Le deuxième tunnel ... 193
41. Les amoureux ... 198
42. La veille ... 202
43. 7 août ... 206
44. Hohenschönhausen ... 222
45. Chasse à la taupe ... 234
46. Le silence ... 238
47. La mascarade de procès ... 241
48. Le boucher ... 251
49. L'histoire de Claus ... 258
50. Paris ... 264
51. Mesures ... 271
52. La dernière visite ... 274
53. La messagère ... 275
54. Investigations ... 277
55. Plan de ville ... 278
56. Reuven ... 280
57. 14 septembre ... 282
58. Walter et Wilhelm ... 304
59. La perquisition ... 307
60. Bobine de film ... 308
61. Le dispositif d'écoute ... 311

62. La poussette 312
63. La fête 315
64. Le canoë 318
65. L'avion 320
66. La deuxième fête 322
67. La conférence de presse 324
68. La bibliothèque 328
69. Un message 331
70. Le film 334
71. La lettre 342
72. « Hamlet » 345
73. La Mercedes dorée 348
74. Dernier rapport 353
75. Dans les airs 357

Épilogue. 1989 359
Postface 371
Ce qu'ils ont fait ensuite 379
Lieux 385
Notes 388
Bibliographie 406
Remerciements 410

Cet ouvrage a été composé
par Soft Office (38)
et achevé d'imprimer
par Normandie Roto Impression s.a.s. à Lonrai
pour le compte des Éditions Stock
21, rue du Montparnasse, 75006 Paris
en janvier 2023

Stock s'engage pour
l'environnement en réduisant
l'empreinte carbone de ses livres.
Celle de cet exemplaire est de :
700 g éq. CO_2
Rendez-vous sur
www.editions-stock-durable.fr

Imprimé en France

Dépôt légal : *février 2023*
N° d'édition : 01 – N° d'impression : 2206433
56-08-7110/8